これだけは**知**っておきたい

広告表示の基礎知識

[改訂第9版 2025.5]

Q & A
― 新聞広告に携わる人のために ―

日本新聞協会広告委員会／広告掲載基準研究会編著

はじめに

　本書は、広告審査担当者のために編集された『広告表示の基礎知識』の改訂第9版です。初版を1981（昭和56）年5月に出版して以来、多くの方々にご活用いただきながら時代の変化に合わせて改訂を重ねてまいりました。

　前回の改訂から9年が経過し、この間、社会状況の大きな変化の中で、広告表示に関する諸法規や各業界のルールも大きく変わり、本書の内容も時代にそぐわない部分が出てきました。

　広告掲載基準研究会は、これらの状況に対応すべく本書の改定作業を行いました。執筆に当たっては、関西の新聞社の広告審査担当者で構成する関西新聞広告審査懇談会の協力も得ました。ステルスマーケティング規制や特定商取引法、民法など諸法規の改正、広告表示に関する諸規則の改訂を踏まえ見直しました。広告審査で取り扱うことの多い機能性表示食品や医薬品関連の解説を充実させたほか、酒類、オンライン診療、リコール社告、ジェンダー表現など、昨今目にすることが増えてきた広告のテーマについても新設しました。

　本書の基本的な性格は、「新聞広告の審査業務に携わる新聞社社員を主たる読者としたガイドブック」ですが、広告主企業、広告会社で新聞広告に携わる方々の手引書にもなるよう配慮しました。広告の内容が広告主の責任のもとに作成される原則からいえば、企画・立案や制作する方々に参考にしていただけると、よりスムーズな広告掲載につながるのではないかと考えています。

　広告掲載における判断基準は、時代の変化とともに更新されていくものです。広告審査担当者には、常に、その時点での最善の判断が求められます。そのような審査担当者の地道な業務が、新聞の媒体価値を高め、新聞広告の信頼性を向上させていることは間違いありません。新聞の信頼性の上に、企業は広告を出稿し、読者は新聞に載った広告だからこそ、その企業を信用する。その橋渡しを支えているのが広告審査担当者であると言っても言い過ぎではないでしょう。

　本書が、広告に携わる皆様のそのような判断の一助となり、より多くの方々にご利用いただければ幸いです。

2025（令和7）年5月

　　　　　一般社団法人日本新聞協会　広告委員会／広告掲載基準研究会

広告審査の目的と原則

広告審査の判断基準

　今日、日本新聞協会会員の新聞社は95社あります。毎朝届けられる新聞を読むのを一日の始まりとしている方も多いと思います。記者の書いたものには原則、新聞社に著作権があります。著作権があるということは創作性があるということで、それが各新聞社の個性となっています。新聞を読み、記事の切り口や論評などの違いに気が付く読者の方もいると思います。

　ところで広告はどうでしょう。各紙に掲載された同一広告を並べることができれば、例えば化粧品や健康食品で、同一商品の通信販売広告なのに表記が同一でない箇所があることに気が付くことがあるかもしれません。

　これらはもともと同じ表記の広告でした。それを各社の広告審査担当が取引先の広告会社を通じて広告主と交渉し、表記を修正して掲載したのです。また、これは読者の目に触れませんが、新聞に広告掲載を希望してきた広告主に対し、掲載を断ることもあります。全ての理由が広告審査とは限りませんが、これも広告審査の仕事の一つです。広告は販売とともに、新聞経営の重要な柱です。その収入に影響があるのに、新聞社は掲載を断ることがあるのです。

　それは各新聞社がそれぞれの広告掲載基準などの判断基準を持ち、これに基づく広告審査をして、その中で表示の修正や、場合によっては掲載をお断りする判断が出てくるからです。

　収入に影響があっても、広告審査でこのような判断をするのはなぜでしょうか。

倫理綱領と広告掲載基準

　審査の目的を説明するために、まず日本新聞協会が制定した「新聞広告倫理綱領」（昭和33年10月7日制定、昭和51年5月19日改正）を挙げます。この綱領は広告掲載の基本原則を宣言したもので、目的はただ一つ「倫理の向上に努め読者の信頼にこたえる」ことです。そのために新聞広告はどうすべきかとして、三つの項目を挙げています。

　「真実を伝える」「紙面の品位を損なわない」「関係諸法規に違反しない」

　また、この綱領制定の趣旨として、三つのことを指摘しています。

　「広告に関する規制は自主的に行うことが望ましい」「広告内容の責任は広告主にあるが、新聞広告の社会的影響を考え、不当広告を排除し、読者の利益を守り、新聞広告の信用を維持・高揚するための原則を持つ」「倫理綱領は会員社の合意に基づいて制定したが、各会員社の広告掲載

の判断を拘束したり、法的拘束力を持つものではない」
　この「新聞広告倫理綱領」に基づき、モデルとしての「新聞広告掲載基準」（昭和51年5月19日制定、平成3年3月20日一部改正）が制定され、それ以前から掲載基準を持っていた会員社を含め、多くの会員社は自主的な掲載基準をそれぞれが定めたのです。それは、広告の適正化は各会員社の自主的な行動によってなされるという強い決意の表れでした。新聞には新聞公正取引協議会があり、加盟社は公正取引委員会・消費者庁から告示された公正競争規約を守らなければなりません。この規約は新聞の場合は景品類の提供の制限に関するもので、新聞販売にかかる規約といえます。広告にはこのような新聞各社が守る規約がないかわりに、各社の自主規制をもって新聞掲載を判断していくと決め、それぞれが「新聞広告掲載基準」を持ったのです。それを持つことが倫理綱領でうたう「読者の信頼にこたえる」ことになり、ひいては新聞の信用を高めることにもなると考えたからです。

広告審査の意義と実務

　それでは現在、広告審査の実務はどのような考えのもとに行われているのでしょうか。『新・法と新聞』（日本新聞協会編、1990〈平成2〉年）によれば、広告審査は、①読者保護、②媒体価値の維持、向上という二つの目的のため、①広告内容に関する責任はあくまで広告主にあるという広告主責任論、②広告審査は、表示の上で行うという原則、③行政官庁の見解や法令解釈を参考にするが、必ずしもそれには拘束されず、異なる見解に基づく処理も許される――の3原則で行われるとしています。さらに、第3の目的として、「広告が原因で新聞社が訴訟に巻き込まれないために」との考えも強まっています。
　二つの目的は、まさに新聞広告倫理綱領制定の趣旨の二つ目に沿ったもので、これにより読者の信頼に応えようとしています。その二つの目的の達成のために広告審査を行うのですが、それは三つの原則を念頭に行われます。①の広告主責任論は、広告内容は新聞社には責任がないから何でも掲載できると言っているのではありません。広告内容の責任は確かに広告主にあるのですが、新聞社は二つの目的の達成のため広告内容を審査するという意味です。ただし、それは②広告内容に疑念を抱くべき特別の事情がない限り広告表示上で行うもので、③行政見解や諸法令に沿っても判断するが、さらに広告掲載基準をもってなされるべきだ――という考えです。

媒体責任

　さて、「広告についてのすべての責任は広告主にある」というものの、いざ、裁判となった場合、媒体の法的責任はどこまで問われるのでしょ

うか。新聞広告における裁判事例は編集記事を巡るものと比べて多くはありませんが、いくつかあります。その中で有名なのが、「日本コーポ事件」の最高裁判決です。1969（昭和44）年、複数の新聞に日本コーポという不動産業者のマンション分譲広告が掲載されました。このマンションはまだ設計図の段階でしたが、この広告を見て購入した読者がいました。ところが日本コーポはマンション完成前に倒産し、購買した読者は物件の引き渡しを受けられませんでした。

　一般的には、被害者は当事者である不動産業者を相手に訴訟を起こすとみられますが、業者が倒産しているため広告を載せた新聞社と広告会社を訴えた事件です。1989（平成元）年９月、最高裁で新聞社などの勝訴が確定しました。まさに、広告主責任の原則が認められたのです。しかし、判決の内容を子細に見ると、今後も無条件で媒体が免責されるわけではありません。最高裁は媒体、広告会社の広告掲載時の注意義務につき「広告内容の真実性に疑念を抱くべき特別の事情」があるにもかかわらず、調査確認をせずに掲載した場合は責任がある、と判示しています。上記の「特別の事情」が具体的にどのような場合を指すのかは、今後の判例を待たなければなりませんが、おそらく善意の第三者が通常の注意義務を持ってみて疑念を抱く場合がそれに当たると考えられます。

　その後も、広告掲載による媒体や広告会社の責任を問う裁判がいくつか起こされていますが、全て「日本コーポ事件」における最高裁の判断を踏襲した判決がなされています。

自主規制

　「日本コーポ事件」の最高裁判例は広告主責任の原則を認めました。しかし、媒体は何も考えずに広告を掲載していいわけではありません。審査の目的は「倫理の向上に努め読者の信頼にこたえること」にあることを忘れてはなりません。「日本コーポ事件」の最高裁判決は、広告主責任を認める一方で、「広告に対する読者の信頼は、新聞社の報道記事に対する信頼とまったく無関係に存在するものではない」とも指摘しています。広告審査は、これを肝に銘じて行うべきといえます。「法律に違反していないから掲載してよいのではないか」という考え方では読者の信頼に応えたことにはなりません。

　法に違反していないのは最低の掲載条件であって、その上に倫理性が求められるのです。そのため日本新聞協会は会員社各社の合意のもとに「新聞広告倫理綱領」を制定し、「広告掲載基準」を持ったのです。読者の信頼が新聞広告の価値の原点です。ここが崩れたら、新聞広告が広告業界に占める位置は大きく低下するでしょう。今日、広告媒体は無数にありますが、他の媒体と大きく違う点は、公器である編集面を広告スペ

ースの上に抱えているところにあります。これはどの新聞も同じです。ですから広告収入が増えるからと、広告を右から左に掲載した揚げ句、読者の信頼を失わせる新聞があれば、その信用低下は日本新聞協会の他の会員新聞社にも影響を及ぼすことになりかねません。

広告言論

　広告も編集記事と同じく表現の自由がありますので、それは最大限に考慮されなければなりません。「日本コーポ事件」の東京高裁判決(昭和59年)でも「新聞広告は可能な限り広告主に自由にさせることが望ましい一面がある」と指摘されています。

　ただし、編集面の言論の自由と違い、景品表示法などの法令によって表示の規制がされていることを忘れてはいけません。これは広告というものの目的が、多くが販売の促進であったり、集客であったりするために、広告効果を追って表現が逸脱しがちなためです。もう一つは、編集記事が「公共の利害に関する事実」を報道し、「公益を図る目的」で掲載されるのに対して、広告には特別な例を除いて「公益性」が欠けていることが挙げられます。これは広告表現が本来的に持っている宿命とでもいうべきものです。その点を踏まえつつも、申し込まれた広告の訂正、削除は、各種法令等に触れ、読者に損害を与えるおそれが高い場合など「広告掲載基準」に沿った判断にとどめるのが広告審査の姿勢といえます。恣意(しい)的な訂正、削除などは厳に慎まなければなりません。

　広告原稿の掲載可否の最終的な決定権は新聞社にあります。それゆえ、広告審査は、「広告における表現の自由」と「読者保護・新聞社の信用のための訂正、削除」という二つの方向性のバランスを取り、最適な交点を探ることが重要になります。

　新聞読者は広告審査を経た後の広告を見るため、広告掲載に至るまでの新聞各社の取り組みに気が付くことはないかもしれません。この本は新聞広告に携わる人のために書かれていますが、本書を通じ、広告関係者はもとより、新聞読者にも新聞各社の広告への取り組みを知っていただければ幸いです。

新聞広告倫理綱領

1958（昭和33）年10月7日制定
1976（昭和51）年5月19日改正・日本新聞協会

制定の趣旨

　言論・表現の自由を守り、広告の信用をたかめるために広告に関する規制は、法規制や行政介入をさけ広告関係者の協力、合意にもとづき自主的に行うことが望ましい。
　本来、広告内容に関する責任はいっさい広告主（署名者）にある。しかし、その掲載にあたって、新聞社は新聞広告の及ぼす社会的影響を考え、不当な広告を排除し、読者の利益を守り、新聞広告の信用を維持、高揚するための原則を持つ必要がある。
　ここに、日本新聞協会は会員新聞社の合意にもとづいて「新聞広告倫理綱領」を定め、広告掲載にあたっての基本原則を宣言し、その姿勢を明らかにした。もとより本綱領は会員新聞社の広告掲載における判断を拘束したり、法的規制力をもつものではない。

　日本新聞協会の会員新聞社は新聞広告の社会的使命を認識して、常に倫理の向上に努め、読者の信頼にこたえなければならない。
　1．新聞広告は、真実を伝えるものでなければならない。
　1．新聞広告は、紙面の品位を損なうものであってはならない。
　1．新聞広告は、関係諸法規に違反するものであってはならない。

新聞広告掲載基準（モデル）

1976（昭和51）年5月19日制定
1991（平成3）年3月20日一部改正・日本新聞協会

　「新聞広告倫理綱領」の趣旨にもとづき、「新聞広告掲載基準」を次のとおり定める。以下に該当する広告は掲載しない。
　1．責任の所在が不明確なもの。
　2．内容が不明確なもの。
　3．虚偽または誤認されるおそれがあるもの。
　　　誤認されるおそれがあるものとは、つぎのようなものをいう。
　(1) 編集記事とまぎらわしい体裁・表現で、広告であることが不明確なもの。
　(2) 統計、文献、専門用語などを引用して、実際のものより優位または有利であるような表現のもの。
　(3) 社会的に認められていない許認可、保証、賞または資格などを使用して権威づけようとするもの。
　(4) 取り引きなどに関し、表示すべき事項を明記しないで、実際の条件よりも優位または有利であるような表現のもの。

4．比較または優位性を表現する場合、その条件の明示、および確実な事実の裏付けがないもの。
5．事実でないのに新聞社が広告主を支持、またはその商品やサービスなどを推奨、あるいは保証しているかのような表現のもの。
6．投機、射幸心を著しくあおる表現のもの。
7．社会秩序を乱す次のような表現のもの。
　(1)　暴力、とばく、麻薬、売春などの行為を肯定、美化したもの。
　(2)　醜悪、残虐、猟奇的で不快感を与えるおそれがあるもの。
　(3)　性に関する表現で、露骨、わいせつなもの。
　(4)　その他風紀を乱したり、犯罪を誘発するおそれがあるもの。
8．債権取り立て、示談引き受けなどをうたったもの。
9．非科学的または迷信に類するもので、読者を迷わせたり、不安を与えるおそれがあるもの。
10．名誉棄損、プライバシーの侵害、信用棄損、業務妨害となるおそれがある表現のもの。
11．氏名、写真、談話および商標、著作物などを無断で使用したもの。
12．皇室、王室、元首および内外の国旗などの尊厳を傷つけるおそれがあるもの。
13．アマチュアスポーツに関する規定に反し、競技者または役員の氏名、写真などを利用したもの。
14．オリンピックや国際的な博覧会・大会などのマーク、標語、呼称などを無断で使用したもの。
15．詐欺的なもの、または、いわゆる不良商法とみなされるもの。
16．代理店募集、副業、内職、会員募集などで、その目的、内容が不明確なもの。
17．通信販売で連絡先、商品名、内容、価格、送料、数量、引き渡し、支払方法および返品条件などが不明確なもの。
18．通信教育、講習会、塾または学校類似の名称をもちいたもので、その実体、内容、施設が不明確なもの。
19．謝罪、釈明などの広告で広告主の掲載依頼書(または承諾書)の添付のないもの。
20．解雇広告で次の項目に該当するもの。
　(1)　解雇証明書の添付のないもの。
　(2)　解雇理由を記述したもの。
　(3)　被解雇者の写真を使用したり、住所などを記載したもの。
21．以上のほか、日本新聞協会の会員新聞社がそれぞれ不適当と認めたもの。

(付記)　以上は「新聞広告掲載基準」のモデルである。日本新聞協会の会員新聞社が、「広告掲載基準」を作成される場合は、この基準を参考とされたい。

本書の使い方

Ⅲ-2 求人広告

(6) 職業紹介事業（有料・無料）

Q モデル養成所の広告に「養成コース修了後、就職をあっせんします」という表示があります。このまま掲載して問題ありませんか？

A 就職のあっせんは、職業安定法上の職業紹介事業に当たるおそれがあります。公共職業安定所が行うほかは、厚生労働大臣の許可または届け出が必要となります。

●

　職業安定法では、職業紹介事業を有料と無料に区分して次のように規定しています。これ以外の職業紹介事業は認められません。
　有料職業紹介事業、無料職業紹介事業ともに原則、厚生労働大臣の許可が必要です。この許可は事業主単位（会社単位）で取得します。

(1) 有料職業紹介事業
　港湾運送業務、建設業務などについては、職業を紹介することは禁じられています。

(2) 無料職業紹介事業
　学校教育法で規定する学校（幼稚園、小学校を除く）、専修学校、職業訓練校などは厚生労働大臣に届け出れば行えますが、モデル・タレント養成所などが生徒に対して無料で職業先を紹介する場合は許可を受けていなければなりません。
　また、地方公共団体が施策に関する業務で必要性を認めたときや、特別の法律により設立された法人（農協、漁協、商工会議所など）も、届け出によって無料職業紹介が行える場合があります。

〈その他の注意事項〉
　モデルやタレントの仕事のあっせんを受けるために、登録料や売り込み用の写真代、レッスン料などを必要とする場合が多く見られます。しかし、支払ったにもかかわらず、なかなか仕事を紹介されないという苦情が少なくありません。業者の中には、登録料などの金集めだけを目的としているのではないかとの疑念を抱かせるケースもあります。タレントとしての活動を保証するような表示や、すぐにでも出演が可能であるかのような表示には注意を払う必要があります。

（関連法規）
職業安定法第4条・第30条・第32条の3・11・第33条
（問い合わせ先）
各都道府県労働局

☆本書は、主に新聞社の広告審査実務担当者を対象として執筆されています。

● **Q**：審査担当者の疑問を想定しています。

● **A**：その問題に対する答えの概要が分かるようになっています。

● 本文：問題点とその対応について詳しく説明しています。

● 必要に応じて「解説コーナー」を設けています。

● 関連法規：根拠となる法律、各業界の公正競争規約、ガイドライン、自主基準などの名称とその条項等を挙げています。
　※法律の名称は略記している場合があります。
　　（例：医薬品、医療機器等の品質、有効性及び安全性の確保等に関する法律→医薬品医療機器等法）

● 問い合わせ先：問題についての主な問い合わせ先を挙げています。
　※参考図書を挙げているページもあります。

目次

はじめに
広告審査の目的と原則……2
新聞広告倫理綱領／新聞広告掲載基準（モデル）……6
本書の使い方……8

第Ⅰ部　広告表示一般の注意事項

Ⅰ－1　広告主名の表示
　　（1）広告主の名称・連絡先　　　　　　　　　　　19
　　（2）官公庁・有名企業などと紛らわしい社名　　　20
　　（3）架空・偽装名称の使用、無免許営業　　　　　21
Ⅰ－2　広告内容が明確でないもの
　　（1）抽象的過ぎる表現　　　　　　　　　　　　　22
　　（2）あいまいな環境表現　　　　　　　　　　　　23
Ⅰ－3　虚偽、誇大
　　（1）事実・実態を偽った広告　　　　　　　　　　25
　　（2）最高・最大級、断定的な表現　　　　　　　　26
　　（3）合理的な裏付けのない効果・性能　　　　　　28
Ⅰ－4　法律その他の社会的規範に触れるおそれのあるもの
　　（1）信用毀損・業務妨害　　　　　　　　　　　　30
　　（2）名誉毀損・プライバシーの侵害　　　　　　　31
　　（3）個人情報の保護　　　　　　　　　　　　　　33
　　（4）人の氏名、写真、談話などの使用　　　　　　35
　　（5）著作物の使用　　　　　　　　　　　　　　　37

（6）	新聞記事・紙面の使用	39
（7）	他社の商標・マーク・呼称の使用	40
（8）	皇室・王室・元首・国旗・国際機関などの標章の使用	43
（9）	アマチュアスポーツ選手の氏名や写真の使用	44
（10）	通貨・郵便切手などの使用	45
（11）	官公庁・団体からの推薦・推奨	47
（12）	社会風紀を乱すおそれのある広告	48

Ⅰ-5 不表示、不告知、デメリット表示
（1）不表示・不告知による誤認 　50

Ⅰ-6 比較広告
（1）競合商品の比較 　51

Ⅰ-7 安全性に関する表示
（1）安全基準に適合しているか 　52

Ⅰ-8 記事体広告
（1）記事と広告の区別 　53

Ⅰ-9 差別表現
（1）差別表現とは 　55
（2）ジェンダー表現とは 　58

Ⅰ-10 意見広告
（1）意見広告 　59

Ⅰ-11 リコール社告
（1）謹告・リコール社告 　60

Ⅰ-12 インターネット誘導
（1）インターネット誘導 　61

第Ⅱ部　価格表示・景品類の提供に関する事項

Ⅱ-1 安売り広告
（1）二重価格表示 　65
（2）おとり広告 　68

- Ⅱ-2　賞品・景品などを提供する広告
  - （1）一般懸賞・共同懸賞・総付け景品　　70
  - （2）オープン懸賞　　75
  - （3）クーポン付き広告　　77
  - （4）新聞業の景品規制　　79

第Ⅲ部　広告の種類・広告主の業種ごとの注意事項

- Ⅲ-1　割賦販売関係
  - （1）割賦販売の必要表示事項　　83
  - （2）前払式割賦販売・前払式特定取引　　84
  - （3）ローン提携販売　　85
  - （4）信用購入あっせん　　86
  - （5）使用義務のある用語と使用文字の大きさ　　87
- Ⅲ-2　求人広告
  - （1）求人広告で望まれる表示事項　　89
  - （2）業種・職種の表示　　91
  - （3）給与表示　　92
  - （4）委託販売員の募集広告　　93
  - （5）派遣労働者の募集広告　　94
  - （6）職業紹介事業（有料・無料）　　96
  - （7）男女雇用機会均等について　　97
  - （8）求人広告に見せかけた広告　　99
  - （9）その他の注意事項　　100
- Ⅲ-3　教育関連広告
  - （1）認可と名称　　102
  - （2）合格率の表示　　103
  - （3）資格・称号などの表示　　105
- Ⅲ-4　不動産広告
  - （1）不動産広告の必要表示事項　　106
  - （2）必要表示事項の適用除外　　117

		（3） シリーズ広告・予告広告	118
		（4） 広告開始時期の制限	120
		（5） 建築条件付き土地の広告	121
		（6） 二重価格表示	122
		（7） 不動産広告と景品表示法および景品規則	123
		（8） 投資用ワンルームマンションなどに関する表示	125
Ⅲ-5	有料老人ホームなどの広告		
		（1） 有料老人ホームの広告	126
		（2） サービス付き高齢者向け住宅の広告	131
Ⅲ-6	医療関係の広告		
		（1） 病院などの広告	134
		（2） オンライン診療に関する広告	146
		（3） 獣医師または診療施設の業務に関する広告	148
Ⅲ-7	エステティックサロンの広告		
		（1） 美顔・痩身・脱毛・しみ・しわとり	151
Ⅲ-8	医薬品、医薬部外品、化粧品、医療機器等の広告		
		（1） 医薬品医療機器等法と広告該当性	154
		（2） 医薬品等適正広告基準	157
		（3） 医薬品の広告	163
		（4） 医薬部外品の広告	168
		（5） 化粧品の広告	175
		（6） 医療機器の広告	180
		（7） 治験広告	185
Ⅲ-9	食品の広告		
		（1） 健康食品などの広告	188
		（2） 特別用途食品など	196
		（3） 機能性表示食品の広告	201
Ⅲ-10	金融関連の広告		
		（1） 金融商品の広告掲載における注意事項	207
		（2） 消費者金融広告の必要表示事項	209

Ⅲ-11 会員募集広告

(1) ゴルフ場・スポーツクラブ・各種レジャー施設
　　などの広告　　　　　　　　　　　　　　　212
(2) 入会金・費用・募集会員数などの表示　　　213
(3) 結婚紹介業の広告　　　　　　　　　　　　214

Ⅲ-12 旅行広告

(1) 企画旅行の必要表示事項　　　　　　　　　216
(2) 優待旅行と招待旅行の広告　　　　　　　　218
(3) イベントと組み合わせた企画旅行　　　　　219
(4) ディスカウント航空券販売　　　　　　　　220
(5) 住宅宿泊事業（民泊）　　　　　　　　　　221

Ⅲ-13 選挙広告

(1) 衆議院総選挙　　　　　　　　　　　　　　222
(2) 参議院通常選挙、(3) その他の選挙　　　223
(4)(5)　その他の選挙　　　　　　　　　　　224
(6) 選挙広告の表現上の注意　　　　　　　　　224
(7) 選挙広告の掲載上の注意　　　　　　　　　225
(8) 政党広告　　　　　　　　　　　　　　　　227
(9) 選挙違反のおそれのある広告　　　　　　　229

Ⅲ-14 弁護士、司法書士などの広告

(1) 弁護士、司法書士の広告　　　　　　　　　230
(2) 税理士、公認会計士、弁理士の広告　　　　234

Ⅲ-15 特定商取引の広告

(1) 通信販売の必要表示事項　　　　　　　　　236
(2) 販売価格以外の費用の表示　　　　　　　　242
(3) 代金前払い式の注意点　　　　　　　　　　243
(4) 連鎖販売取引（いわゆるマルチ商法）　　　244
(5) 特定商取引法が規制するその他の業務　　　246

Ⅲ-16 代理店、フランチャイズチェーン店などの事業者募集広告

(1) 契約金目当ての広告　　　　　　　　　　　249
(2) 「高収入」の表現　　　　　　　　　　　　250

Ⅲ-17	たばこの広告	
	（1） 製造たばこの広告	251
	（2） 加熱式たばこの広告	252
Ⅲ-18	酒類の広告	
	（1） 酒類の広告	254
Ⅲ-19	インターネットサービスなどの広告	
	（1） インターネットサービスなどの広告表示	257
Ⅲ-20	自動車（新車・中古車）の広告	
	（1） 自動車（新車・中古車）の広告表示	261
	（2） 自動運転の広告	270
Ⅲ-21	動物関連の広告	
	（1） 動物関連の広告	272
Ⅲ-22	探偵業の広告	
	（1） 探偵業の広告	274
Ⅲ-23	寄付金募集の広告	
	（1） 寄付金募集の広告	275
Ⅲ-24	墓地、納骨堂の広告	
	（1） 墓地、納骨堂の広告	276

問い合わせ先一覧

中央官公庁	278
公正取引委員会地方事務所	278
財務省地方財務局	279
経済産業省地方経済産業局	279
公正競争規約・施行機関	279
その他の団体	287
広告審査関連機関	290
改訂第9版で対応した主な法令と変更個所	291
50音順キーワード索引	292

第Ⅰ部

広告表示一般の注意事項

図1 そのときの状況

（1）広告主の名称・連絡先

I－1　広告主名の表示

Q 広告の中には、広告主の名称、所在地などが書かれていなければなりませんか？

A 広告は、広告主が自らの責任で発するメッセージです。その責任の所在を明らかにするためには、まず、広告主が認知されなければなりません。また、読者が広告主と連絡がとれるよう、連絡先も明記する方が望ましいでしょう。

●

　広告主の表示は重要です。いかによい広告であっても、広告主が認知されなければ広告としての意味はありません。広告には、その広告に対する責任の所在を明らかにするために、広告主を明瞭に記載すべきです。

　また、広告主名とともに大切なのが、広告主の連絡先です。広告主名が記載されていても、所在地や電話番号などの連絡先が表示されていなければ、読者は広告の内容について問い合わせたり、確認したりすることができません。

　なお、下記の点にも注意を払いましょう。

(1) 「通称」の使用

　登記された会社名や団体名を使わず、通称などの広告主表示も見受けられます。その名称は、通常の人が理解または推測できるものでなければなりません。

　一般的に認知されていないものや不自然な略称は避け、できるだけ正式な広告主名で表示しましょう。

(2) 浸透している「ブランド名」の使用

　広告頻度が高い広告主で、読者の誰もが分かるブランド名、キャッチフレーズ、キャラクター、マークのみを広告主名の代わりに表示した広告もあります。好ましくはないものの、読者に誤認を与える心配のない有名なブランド名、キャッチフレーズ、キャラクター、マークのみの表示は認めてもよいでしょう。

(3) 問い合わせ先としてのインターネットのアドレス、二次元コード、フリーダイヤル等の番号の表記

　広告主の連絡先としてインターネットのホームページアドレス（URL）や二次元コードを使用するケースが増えています。また、フリーダイヤル・フリーコール等や電子メールアドレスの表示のみのケースもあります。しかしこの場合でも、広告主の所在地・電話番号もあわせて表示する方が望ましいでしょう。

Ⅰ-1　広告主名の表示

(2) 官公庁・有名企業などと紛らわしい社名

Q 官公庁や、これに準ずる公的機関、あるいは有名企業、老舗の会社などと類似した社名を用いた広告の注意点は何ですか？

A 広告内容に対する信頼度の目安の一つにするのが、広告主の社名です。官公庁や有名企業と紛らわしい社名は、消費者が誤認するおそれがあります。「東京都××公社」「△△企業グループ」などの社名については、特に注意が必要です。

●

　広告主の中には、官公庁や有名企業などと全く関係がないのに、故意に紛らわしい名称を社名として使用する業者もいます。

　例えば、「東京都××公社」という社名を見れば、消費者は東京都と何らかの関係がある会社と誤認し、その会社の扱っている商品まで信用がおけるかのように錯覚してしまいます。

　また、社名そのものは紛らわしいものでなくとも、事実に反して「○○省認可」や「△△企業グループ」などの表示により、いかにも関連会社であるかのように見せかける場合もあります。いずれも、消費者を誤認させようとする悪質な広告です。

　また、名称を利用された会社や、いかにも関連があるかのように表示された会社の名誉や信用を傷つける点からも大きな問題があります。

　この種の広告については、①正式に登記された社名であり、架空のものではないか、②「○○省認可」や「△△企業グループ」などと表示している場合は、それが事実であるかどうかの２点についてチェックする必要があります。

（関連法規）
不正競争防止法第２条　会社法第７条・第８条　民法第709条・第710条
（問い合わせ先）
各都道府県消費生活センター

I−1　広告主名の表示

(3) 架空・偽装名称の使用、無免許営業

Q 架空の名称を用いたり、他人の名義を借用したりしている広告の注意点は何ですか？

A このような広告は、虚偽の表示として認められないのはもちろん、いろいろな法律に違反し、場合によっては犯罪の隠れみのになるおそれがあります。

●

　過去に事件やトラブルを起こしたことのある広告主が、架空の名称を用いたり、名称を偽装したりして広告掲載を申し込むことがあります。また、反社会的勢力が関係しているなど、業態に問題のある広告主が、名称を偽って掲載を希望するケースもあります。
　このような虚偽の表示は、当然認められませんが、次のような事例にも注意してください。

(1) 消費者を誤認させる虚偽の社名表示
　　株式会社の登記をしていないのに、「株式会社××」と表示するようなケース、個人経営であるにもかかわらず「○○協会」と称し、公的団体を装うようなケースにも注意しましょう。

(2) 無免許での営業行為
　　法律上、免許を取得しなければ営業できない業種があります。例えば、不動産業の取引行為全般を規制している宅地建物取引業法は、免許を持たない者や、免許を取得している他人の名義を借りて営業することを禁止しています。貸金業、旅行業、人材派遣業、古物営業など、許可制、登録制をとっている業種にも同様の注意が必要です。広告に登録番号などを表示することを義務づけている業種もあります。当然、他人名義の広告を出すことも違法になります。

　新規出稿広告主の場合には、過去に問題を起こした悪質業者を前身としていないかなど、役員構成や会社の経歴にも注意を払いましょう。

（関連法規）
宅地建物取引業法第3条・第13条　旅行業法第3条・第14条　労働者派遣法第5条・第15条　貸金業法第3条・第12条　不正競争防止法第2条　景品表示法第5条　古物営業法第3条・第9条

（問い合わせ先）
各都道府県消費生活センター

Ⅰ-2 広告内容が明確でないもの

(1) 抽象的過ぎる表現

Q 表示の内容が意味不明、または文言が抽象的な広告の注意点は何ですか？

A 広告としては不適切です。消費者にとって情報が分かりやすく、正確に伝わるように改めなければなりません。

●

　広告を読んでいて、全く意味不明、広告の目的すら分からないようなものは失格ですが、それほど程度はひどくなくても、広告の文言が抽象的過ぎたり、独りよがりだったりすると、消費者に誤解を与え、かえって惑わす結果となってしまいます。
　以下にいくつかの例を挙げます。

(1) 易・祈とう・宗教に関するもの
　これらの広告は、ともすると神秘的、意味不明になりがちな傾向があります。不安感や恐怖感を与えたり現世利益を強調したりなど、消費者を惑わすおそれがないかどうかチェックが必要です。

(2) 求人広告
　抽象的な文言を用いて自社を美化するばかりで、広告主の業種や募集する仕事の内容などを表示していない、というケースが少なくありません。
　単に「世界をかける企業」や「未来と高収入のチャンスをあなたに」などの呼びかけだけでは、応募者の期待を裏切ることにもなりかねませんので注意しましょう。
　なお、求人広告については、Ⅲ-2「求人広告」で詳しく解説しています。

(3) 医療などの広告
　単に「医療の安全を保障します」「比較的安全な手術です」などの表現では、客観的な事実として評価できないため、広告は認められません（医療広告ガイドラインより）。なお医療広告については、Ⅲ-6(1)「病院などの広告」を参照してください。

〈ティーザー広告〉

　シリーズ広告で、当初はあえて広告の意図や具体的内容を隠し、回を追って明らかにしていくティーザー広告という手法もあります。
　事前に出稿意図を確認し、消費者を惑わすおそれがないか十分に検討する必要があります。消費者からの問い合わせがあった場合には、すぐに応対できるようにしましょう。

(2) あいまいな環境表現

Q SDGs（持続可能な開発目標）に取り組む企業が増え、「環境にやさしい」などの表現で商品特性を訴える広告が増える一方、実態が伴わないにもかかわらず、環境配慮を印象付けようとする「グリーンウォッシュ」に対する目も厳しくなっています。環境表現に対して、注意しなければならないことはありますか？

A 「環境にやさしい」「リサイクル可能」など、表現があいまいで誤認を招くようなものは、景品表示法で規制している不当表示に該当するおそれがあります。こうしたあいまいな表現は避けるか、もし使う場合も実証データを示すなど、意味する内容を明確にすべきでしょう。

●

　近年、環境保全をテーマにした広告が増えており、特に、家電製品や自動車などは具体的な環境情報を表示する場合が多くなっています。現実にこうした表示（環境ラベル）をもとに消費者が商品を選択することも多くなっていることを受けて、公正取引委員会は2001（平成13）年に、不当表示とならないよう景品表示法に基づく広告表示における留意点として「環境保全に配慮している商品の広告表示の留意事項」5項目を挙げました（2009〈平成21〉年9月より景品表示法は消費者庁に移管されています）。

(1) **表示の示す対象範囲が明確であること**
　　環境保全効果に関する広告表示の内容が、包装などの商品の一部にかかるものなのか、商品全体にかかるものなのかについて、消費者に誤認されることのないよう明確に表示する必要があります。

(2) **強調する原材料などの使用割合を明確に表示すること**
　　環境保全に配慮した原材料・素材を使用していることを強調して表示する場合には、「再生紙60％使用」など、その使用割合について明示することが必要です。
　　（不適切例）「回収された紙製品を再生して作りました」
　→再生紙をどの程度使用したのかが不明です。例えば「60％使用」の場合でも、消費者が「100％使用」と誤認する可能性があり、不当表示のおそれがあります。

(3) **実証データなどによる表示の裏付けの必要性**
　　商品の成分が環境保全のための何らかの効果を持っていることを強調して広告表示を行う場合には、当該商品を通常の状態で使用することによって、そのような効果があることを示す実証データなどの根拠を用意することが必要です。
　　（不適切例）「環境宣言　ゴミからのダイオキシンを減らします」
　→こうした表示は環境保全効果が優良であると誤認させるおそれがあるため、商品を通常の状態で使用し、通常の廃棄物と一緒に焼却しても表示通りの効果があるかどうか、客観的な実証実験を行った上で、その結果などを簡潔に表示す

I-2 広告内容が明確でないもの

(2) あいまいな環境表現

(4) **あいまいまたは抽象的な表示は単独で行わないこと**
「環境にやさしい」などのあいまいまたは抽象的な表示を行う場合には、環境保全の根拠となる説明を併記する必要があります。
（不適切例）「環境に安全」「地球にやさしい」

(5) **環境マーク表示の留意事項**
①環境保全に配慮した商品であることを示すマーク表示に関して、第三者機関がマーク表示を認定する場合、認定理由が明確に分かるような表示にすること
②事業者においても、マークの位置に隣接して、認定理由が明確に分かるように説明を併記する必要があること

　公正取引委員会とは別に、国際標準化機構（ISO）と日本工業規格（JIS）は環境に配慮した商品に関する広告表示のガイドラインとして、①正確かつ検証可能で誤解を生じさせないこと、②表示の手続きや内容の基準などが国際貿易の障壁とならないこと、③科学的実証方法による根拠があり、何度実験しても同じ結果が得られること、④表示の基準に関する情報が公開されていることなど9項目を定めています。
　また環境省は、適切な環境表示が消費者にとって理解されやすく共感できる有益な情報として機能させることを目的として、「環境表示ガイドライン」を策定しています。

（関連法規）
ISO14020、JISQ14020、ISO14021、JISQ14021、ISO14024、JISQ14024、ISO14025、JISQ14025　家庭電気製品製造業における表示に関する公正競争規約（全国家庭電気製品公正取引協議会、令和5年変更認定）別表5

（問い合わせ先）
消費者庁表示対策課　日本規格協会　日本適合性認定協会　全国家庭電気製品公正取引協議会　環境省総合環境政策局

(1) 事実・実態を偽った広告

I-3 虚偽、誇大

Q 事実や実態を曲げて消費者に誤認させることで効果を上げようとする疑いがある広告としては、どのようなものがありますか？

A 事実や実態を曲げ、消費者に誤認させることによって効果を上げる広告を「誤認期待の広告」といいます。広告の内容が虚偽でないか、また本来の目的を隠していないかなどのチェックが必要です。

●

　販売・求人の条件などを有利に見せようとして事実に反する表現をしたり、本当の目的を隠して広告したりするなど、消費者をだます広告であってはならないことは、言うまでもありません。虚偽かどうかを事前に見抜くのは大変難しいことですが、事実や実態を偽って被害者を出すなど、過去に問題となった例をいくつか挙げます。

① 「誰でも気軽にできる内職」と広告して興味のある人を集め、かなり技術を要する仕事をさせ、できあがりに文句をつけ、材料購入費だけ取って製品を買い取らなかったり、仕事の対価を支払わなかった。
② 「社員募集」広告が、実際は雇用契約のない歩合制営業員募集だった。
③ 「内勤事務職」と表示していたが、実際は外勤営業員だった。
④ 大手企業名を表示していたが、実際はその販売代理店の人材募集で、大手企業とは何の雇用関係もなかった。
⑤ 懸賞、クイズ広告を見て応募した人全員に当選通知を送り、特典と称して高額商品を買わせた。
⑥ 「資格取得のため」と称してセミナー開催を広告して、何の権威もない資格に受講料を払わせた。
⑦ 「留学生」を募集して、受け入れ校もはっきりしないままに渡航させた。
⑧ 旅行情報のウェブサイト等で、旅館の浴場が「温泉」であるかのような表示をしていたが、実際には水道水を加温していたとして、消費者庁から措置命令を受けた。
⑨ 健康食品の広告で、あたかも対象商品を摂取するだけで、特段の運動や食事制限をすることなく、容易に著しい痩身効果が得られるかのように示す表示をしていたとして、消費者庁から措置命令を受けた。
⑩ 「尋ね人」広告の形をとりながら、実は身代金要求や企業脅迫の暗号だった。

（関連法規）
景品表示法第5条　軽犯罪法第1条第34号　不正競争防止法第2条
（問い合わせ先）
消費者庁表示対策課　各都道府県消費生活センター

I-3 虚偽、誇大

(2) 最高・最大級、断定的な表現

Q 最高・最大級の表現や断定的な表現を使うことはできますか？

A 「日本一」「世界一」などという言い方を「最高・最大級の表現」、「確実にもうかります」「必ずやせます」などの表現を「断定的な表現」と呼びます。事実の裏付けがなくこれらの表現を用いると、誇大・不当表示の広告となります。

●

　最高・最大級の表現や断定的な表現について、法令や各業界の公正競争規約では、おおむね次のように分類しています。
(1) 一切使ってはならない表現
　　(例) 医薬品等の広告では「最大級の表現又はこれに類する表現」、家庭電気製品の広告では、「『永久』、『完全』など完璧性を意味する用語を断定的に使用」する表現
(2) 具体的根拠を必要とする表現
　　(例) 「客観的事実又は根拠に基づかずに『No.1』、『最高』、『世界初』等の用語を使用」する表現
(3) 社会通念上、妥当な範囲を超えてはならない表現
　　(例) 自動車の広告では、「完全な」「完璧な」「絶対的な」などの表現

　このほか、「ベスト」「チャンピオン」「首位」「絶対」「トップを行く」「当社だけ」「群を抜く」「100％」などの表現においても、客観的に実証された裏付けがなければなりません。客観的に実証されたものとは、試験・調査によって得られた結果や専門家、専門機関などの見解や学術文献などを指します。
　また「第一人者」「他を寄せ付けない」「圧倒的」などの最高・最大級に準じる表現についても、客観的な裏づけの確認とあわせて、文脈のなかでの妥当性の判断が必要です。

〈非公正な「No.1調査」〉

　2022（令和4）年に一般社団法人日本マーケティング・リサーチ協会から、「非公正な『No.1調査』への抗議状」という声明が発表されました。「売上No.1」、「顧客満足度No.1」など、他の商品やサービスへの優位性を訴求する広告やマーケティングがあります。適正で客観的で科学的な諸原則のもとに行われた市場調査で裏付けられたものであれば問題はありません。しかし、「No.1」を名乗りたいがために、調査対象者や質問票を恣意（しい）的に設定する「非公正な調査」の実施をうかがわせるケースが散見されてきたことから発表された声明です。
　「No.1」をうたう広告については、試験や調査によって得られた結果や学術文献など客観的な裏付けがなければなりません。加えて、調査手法と内容の整合性はも

(2) 最高・最大級、断定的な表現

ちろん、調査のフレームも検討の必要があります。また、一般消費者の認識に与える影響が大きい特定の業種に特化した調査も、関連法令を参照しながら、的確に判断していく必要があります。

一方、消費者庁から、2024（令和 6）年 9 月26日に「No.1 表示に関する実態調査報告書」が公表されました。2023（令和 5）年度に措置命令がだされた44事業者のうち、No.1 表示関連の措置命令が13事業者にのぼり、いずれの事案も、実際に対象・類似の商品・役務を利用したかを問わずにウェブサイトの印象を問うといったイメージ調査を根拠に、「顧客満足度No.1」等と表示されていました。そこで、消費者庁は、実際の広告物から、No.1 表示とその類似表示として「医師の90％が推奨」などの表示（高評価％表示）の368サンプルを消費者1000人にウェブアンケート調査、広告主、大手調査会社及び事業者団体へのヒアリング調査を実施しました。その結果、No.1 表示が購入の意思決定に「かなり影響する」または「やや影響する」と回答した割合は約 5 割を占め、No.1 表示が購入の意思決定に与える影響は大きいと結論付けられました。また、高評価％表示についても同様の傾向が見られました。事業者へのヒアリング調査では、表示の根拠を十分に確認しておらず、不当表示等を未然に防止するための管理上の措置（景品表示法第22条第 1 項）が十分にとられている様子がうかがえなかった、としています。消費者庁はそれらを踏まえ、No.1 表示についての景品表示法上の考え方として、以下 4 点を満たすことが必要としています。

　〇比較対象となる商品・サービスが適切に選定されている
　〇調査対象者が適切に選定されている（高評価％表示も同様）
　〇調査が公平な方法で実施されている（高評価％表示も同様）
　〇表示内容と調査結果が適切に対応している（高評価％表示も同様）
　※「No.1 表示に関する実態調査報告書（概要）」から抜粋

また、同報告書には、No.1 表示等の根拠を確認する際は、単に、第三者機関による調査が実施されていることのみを確認するだけでは不十分であり、調査内容が表示内容と適切に対応しているかどうかなど、自らの責任において当該No.1 表示等が合理的な根拠を有しているといえるかを確認する必要がある旨も示されています。

（関連法規）
景品表示法第 5 条　不正競争防止法第 2 条　特定商取引法第12条　医薬品等適正広告基準第 4（基準）3（6）　各業界の公正競争規約　「非公正な『No.1 調査』への抗議状」（日本マーケティング・リサーチ協会、令和 4 年 1 月18日）　「No.1 表示に関する実態調査報告書」（消費者庁表示対策課、令和 6 年 9 月26日）

（問い合わせ先）
消費者庁表示対策課　厚生労働省医薬局監視指導・麻薬対策課　各都道府県　全国公正取引協議会連合会　各公正取引協議会　各都道府県消費生活センター　各業界団体

I－3　虚偽、誇大

(3) 合理的な裏付けのない効果・性能

Q 広告の中で効果・性能をうたう場合、注意することは何ですか？

A 合理的な裏付けがないにもかかわらず、効果・性能をうたうことはできません。景品表示法をはじめとする関連法令において、その目的に応じた表示に関する規制が行われています。また、景品表示法や特定商取引法では、不実証広告規制を設けて規制しています。

●

(1) **表示規制について**

　表示規制を持つ主な法令は以下の通りです。
　①景品表示法　第5条
　②不正競争防止法　第2条
　③特定商取引法　第12条、第36条、第43条、第54条
　④健康増進法　第65条
　⑤食品表示法食品表示基準　第23条、第28条、第31条、第36条、第39条
　⑥食品衛生法　第20条
　⑦医薬品医療機器等法　第66条

(2) **不実証広告規制について**

　不実証広告規制は、効果・性能に関して疑いがある事業者に対して、期間（原則15日）を定めてその裏付けとなる合理的な根拠資料の提出を求めることができ、提出された資料が事実と異なる場合や、提出されない場合は誇大広告であると見なすというものです。合理的な根拠資料とは、①提出資料が客観的に実証された内容のものであること、②表示された効果・性能と、提出資料によって実証された内容が適切に対応していることの二つの要件を満たすものです。不実証広告規制について、景品表示法は第7条第2項で、特定商取引法は第12条の2、第36条の2、第43条の2、第54条の2で規定しています。誇大広告と判断された場合、事業者は措置命令や業務停止命令などの行政処分を受けることになります。

　また、東京都消費生活条例でも不実証広告規制が設けられるなど、その動きは広がりつつあります。

〈2024年改正景品表示法のポイント〉

　2024（令和6）年10月1日に改正景品表示法が施行されました。大きなポイントは、「確約手続の導入」「課徴金制度の強化」「直罰規定の導入」です。「確約手続」は、景品表示法違反の疑いのある行為をした事業者が、是正計画を講じ、それを消費者庁が認定した際には、措置命令や課徴金納付命令を行わないとするものです。これにより、効率的・効果的な執行に資することが期待されています。「課徴金制度の強

化」では、課徴金の計算方法が見直され、違反行為の売上を正確に把握できない場合であっても、売上高を推計して計算できることとしました。加えて過去10年以内に課徴金納付命令を受けた事業者は、課徴金の額を3％から1.5倍の「4.5％」が適用されるなど、強化されています。「直罰規定の導入」は、悪質な違反行為に対して、100万円以下の罰金を科すことが新設されました。従来の行政手続きを経ずに罰則を適用するもので、違反行為の抑止効果を高める目的があります。

(3) 合理的な裏付けのない効果・性能

（関連法規）
景品表示法第5条・第7条第2項　不正競争防止法第2条　特定商取引法第12条・第12条の2・第36条・第36条の2・第43条・第43条の2・第54条・第54条の2　健康増進法第65条　食品表示法食品表示基準第23条・第28条・第31条・第36条・第39条　食品衛生法第20条　医薬品医療機器等法第66条　医薬品等適正広告基準　東京都消費生活条例

（問い合わせ先）
消費者庁表示対策課　経済産業省　厚生労働省　各都道府県

（1）信用毀損・業務妨害

Q 広告が、個人や企業・団体の信用を毀損（きそん）し、業務を妨害する結果をもたらした場合、何らかの罪に問われますか？

A 個人や企業・団体は、経済上の信用を法律で保護されています。従って、広告が信用毀損や業務妨害を引き起こした場合、広告主が罪に問われることがあります。

●

　名誉も信用も、ともに人や企業の無形の社会的評価に関するものですが、両者の間には次のような相違があります。

　「名誉」が社会的地位、名声など人格に関する社会的評価であるのに対し、「信用」は主に経済上の社会的評価を指します。従って、「信用毀損」とは経済上の信用が傷つけられること、ということができます。この場合、実際に財産や利益・価値を失うといった実害だけでなく、広い意味での社会的信用の失墜までも含めて「信用毀損」といわれていることに注意してください。

　「業務妨害」は人や企業などの業務を妨害することですが、この場合の「業務」の範囲は、その人や企業が関連する仕事に関する物質的、精神的なものを全て含むというように広く解釈されています。

　「信用毀損」や「業務妨害」は他社との比較、自己の優位性の強調を広告で行う場合に起こりやすいので、特に注意してください。自社や自社製品の優位性を強調するあまり、他社の事柄を事実より矮小（わいしょう）化したり、ゆがめてしまうこと、例えば根拠・エビデンスが不十分なのに他社より優位表現や愛用者が語る体験談、口コミでの他社製品のひぼう的表現には注意が必要です（Ⅰ-6「比較広告」参照）。

（関連法規）
刑法第230条・第231条・第233条　不正競争防止法第2条　軽犯罪法第1条第31号　民法第709条、景品表示法第5条

I-4　法律その他の社会的規範に触れるおそれのあるもの

(2) 名誉毀損・プライバシーの侵害

Q 個人の名誉を傷つけたり、個人の秘密を不当に暴露した広告にはどんな問題がありますか？

A 法律に触れるおそれがあります。私生活の秘密は法律で保護されています。広告の内容が個人の名誉を傷つけたり、個人の秘密を不当に暴露したりしているものは、名誉毀損やプライバシー侵害として刑事、民事上の法的責任を問われる場合があります。

●

　名誉とは、個人の持っている地位や名声などの社会的評価を指しますが、それらが傷つけられたり、不当にゆがめられたりすることを「名誉毀損」といいます。

　「プライバシーの侵害」は、他人に知られたくない個人の秘密や公表していない個人的事実を不当に暴露され、個人の物質的利益の損害または精神的苦痛を受けることをいいます。

　広告が名誉毀損やプライバシー侵害を結果的にもたらした場合、責任を問われるのは当然広告主ですが、掲載した側に激しい抗議が来るケースがあります。

　名誉毀損やプライバシーの侵害については、総合的に判断しなければなりませんが、微妙な問題だけに広告の表現には十分な注意が必要です。

〈少年被疑者のプライバシー〉

　2022（令和4）年4月の民法改正により成人年齢が18歳に引き下げられ、少年法も同年4月に改正されました。18、19歳は特定少年として従来の少年と同様の扱いになりますが、18歳以上の時に犯した事件に関して、起訴された場合に氏名や写真などの実名報道が解禁されることになりました（起訴されなかった場合や略式起訴の場合は除く）。ただ、実名報道については報道各社の判断によります。以前から書籍などの広告掲載に当たって、少年被疑者の顔写真、実名などを表示することは、法律上、倫理上の問題があるとの意見や似顔絵や仮名での報道についても議論があります（本人を推定できない週刊誌の仮名報道を合法とした平成16年11月2日最高裁判決など）。

　2003（平成15）年12月に警察庁が全国の警察本部にあてて出した通達によると、「（少年自身の保護と社会的利益との均衡、捜査の必要性等の諸要素を総合的に勘案して、その要否を判断し、必要かつ適切と認められる場合には例外的に）被疑者が少年の場合にも公開捜査を行うことが許される」——すなわち少年（人定が特定されず、少年の可能性がある場合は都道府県警の判断による）の氏名や写真を公開して捜査に当たる、としています。これに対して、日本弁護士連合会は同月、「このような公開捜査の実施は、少年の健全育成を目的とする少年法及び子どもの権利条約をはじめとする国際人権基準に反する」として、通達の撤回と、少年特定情報の公開中止を求めました。その後、少年法の改正に対しても批判の意見を出しています。

　少年法は、少年のプライバシーを保護するとともに、少年の更生や社会復帰を確

(2) 名誉毀損・プライバシーの侵害

保する目的で、少年審判に付された少年（及び少年のとき犯した罪により公訴を提起された者）について、「氏名、年齢、職業、住居、容ぼう等により本人であることを推知できるような記事または写真を新聞紙その他の出版物に掲載してはならない」（第61条）としています。また、犯罪捜査規範や、日本も批准している「子どもの権利条約」でも、少年事件についての捜査方法や司法手続きについて、そのプライバシー保護に慎重さを求めています。

日本新聞協会は、報道における少年法の扱いの方針として、①逃走中で、放火・殺人など凶悪な累犯が明白に予想される場合、②指名手配中の犯人捜査に協力する場合など少年保護よりも社会的利益の擁護が強く優先する特殊な場合に限って氏名・写真を掲載することがある、としています。また、少年法改正を受け、2022年2月、同方針に「改正少年法第68条は、18、19歳の特定少年について、公訴が提起された場合を『記事等の掲載の禁止の特例』として扱い、同法第61条を適用しないと定めている。第68条の特例に該当する事件について、氏名、写真などの掲載は各社の判断において行う」と補記しました。

（関連法規）
刑法第230条・第231条・第233条　民法第4条・第723条　少年法第61条・68条　犯罪捜査規範第209条　児童の権利に関する条約第40条第2項　「少年司法運営に関する最低基準規則（北京ルールズ）」（国際連合、1985年）　「少年被疑者及び人定が明らかでなく少年の可能性が認められる被疑者の公開捜査について」（平成15年12月11日警察庁通達）（「被疑者の公開捜査について（通達）」〈警視庁丁刑企発第12号〉）　「新聞協会の少年法第61条の扱いの方針」（日本新聞協会、1958年12月16日、2022年2月16日改定）　「少年被疑者の公開捜査についての警察庁通達に対する会長声明」（日本弁護士連合会、2003年12月12日）

I−4　法律その他の社会的規範に触れるおそれのあるもの

(3) 個人情報の保護

Q 広告の中のアンケートなどで、応募者の個人情報の記入を求める場合、どのようなことに気をつけるべきですか？

A 記入を求めた情報の利用目的・利用範囲をはっきりと表示させ、第三者に氏名などを提供する場合は事前に同意を得るなど、個人情報保護法を守る義務があります。

●

　商品購入やイベント参加への申し込み、アンケートやプレゼントへの応募などによって個人情報を取得した企業は、そのデータを適正に管理する義務を負っています。
　また、個人情報保護法は、データの管理方法以外にも、その取得や利用についての順守事項を企業に課しています。広告で個人情報を取得する場合、表示上、次の点などに注意してください。

(1) **あて先は広告主になっているか**
　　あて先は広告主すなわち個人情報を取得する者の所在地などであることが原則です。関連会社や広告会社などをあて先とする場合、個人情報の第三者への提供とみなされることがあります（業務委託先を除く）。

(2) **情報収集の目的を特定・明示しているか**
　　個人情報を取得する際には、その利用目的を特定し、公表または本人に通知しなければなりません。利用目的が範囲外の利用に変わる場合にも本人の同意が必要です。何のためにその項目を尋ねるのかを、明らかにすることが求められます。個人情報保護委員会のガイドラインでは、単に「事業活動に用いるため」「マーケティング活動に用いるため」「お客様のサービスの向上」などの抽象的で具体的でない表現は、利用目的を特定しないとしています。
　　（例）「ご記入いただいたお客様のお名前、ご住所、電話番号は賞品をお届けするためのみに利用します。性別、年齢、職業などは、個人を特定できない統計的な資料としてマーケティングデータや今後の商品開発のために利用させていただきます」「お客様の個人情報は商品の発送のほか関連するアフターサービス、新商品・サービスに関する情報のお知らせのために利用することがあります」

(3) **個人情報を第三者提供、共同利用することを予定しているか**
　　特に新聞社などが広告企画で取得した個人情報について「お答えいただいた回答は、広告主に転送します」といった表示だけで、その個人情報を広告主に提供することはできません。
　　個人情報を取得した事業者がその個人情報を広告主など第三者に提供する際は、原則として本人の同意を得なければなりません。本人同意が必要のないオプトアウト（本人からの要求により提供を停止する仕組み）を採用している場合は、その旨と「第三者提供を目的にする」「提供される個人データの項目」「提供の手

(3) 個人情報の保護

段・方法」など、法律で定められている要件をあらかじめ本人に通知するか、ホームページ上またはポスター、パンフレットなどに継続して公表しておく必要があります。

また、新聞社や広告主など複数で個人情報を共有する場合（共同利用）は、その旨と「共同利用される個人データの項目」「共同利用者の範囲」「共同利用者それぞれの利用目的」「個人データの管理について責任を有する者の氏名・名称」など、法律で定められている要件をあらかじめ本人に通知するか、ホームページなどに常時掲載しておかなくてはいけません。

個人情報保護法ではこのほか、「保有情報についての本人からの開示要求に応じること」「苦情を適切かつ迅速に処理できる体制を整備すること」などを定めています。個人情報保護法は3年ごとに見直しがされ、たびたび改正されるので注意が必要です。

（関連法規）
個人情報保護法第2条・第17条・第18条・第21条・第27条 「個人情報の保護に関するガイドライン」（日本新聞協会広告委員会、平成18年5月12日）

（問い合わせ先）
個人情報保護委員会

（4）人の氏名、写真、談話などの使用

Q 広告の中で人の氏名、写真、談話などを無断で使用することはできますか？

A 無断使用は基本的にできません。人の氏名、写真、談話などを使用する際は、事前に本人または代理人の許諾を得ることが必要です。

●

　人の氏名、写真、談話などは、その個人に属する人格の一部として扱われています。「人格権」として従来から認められているものには「プライバシー権」「名誉権」などがあり、「肖像権」（下記参照）も主張されています。

　新聞記事では毎日多くの人の氏名、写真や談話が載っていますが、これらには本人の了解を得ていないものもあります。いわば「無断使用」しているのですが、使用の趣旨が公共の利害に関することであり、公益を図る目的の場合は違法性が問われません。

　しかし、広告で使用する場合には公益性が認められないため、例外を除いて、氏名や写真、談話などを無断で使用すると問題が発生します。

　従って、それらを使用する場合には、事前に本人または本人から肖像権などの管理を委託された代理人の了承を得ておくことが法的にも必要です。使用に当たっては、しかるべき謝礼を支払うのが普通です。「ちょっと写真をカット代わりに」などという場合でも、黙ったままというわけにはいかないのです。

　集客イベント等で、特定の個人と判断される写真等の無断掲載は、後でクレームやトラブルが発生する可能性があるので（特に病気など要配慮な内容では）、一般人でも同意を事前にとるか、特定の個人と分からないようにする工夫が必要です。

　特に著名人の場合は、氏名や写真を無断で広告に使用すれば、消費者がその商品やサービスがほかよりも優れていると誤認したり、著名人の肖像が持つ経済的価値（パブリシティー権）を侵害するなど法律上の問題が発生したりすることがあります。そっくりさんなども注意が必要です。また、事前の許諾がある場合でも、使用目的、方法、期間などをはっきり特定していなかったり、その範囲を超える使用をしたりすればトラブルが発生するおそれがあります。

〈肖像権とは？〉

　「肖像権」という言葉はどの法律にも明記されていませんが、最高裁が「何人も承諾なしにみだりに容貌・姿態を撮影されない自由を有する」（京都府学連事件判決、昭和44年12月24日）との判断を示して以来、広く主張されるようになりました。肖像権には、①人格権としての「肖像権」、②財産権としての「肖像権」（パブリシティー権）があり、前者の場合は「（承諾なしに）みだりに撮影されない権利」「（承諾なしに）みだりに肖像を使用されない権利」という二つの概念が含まれます。また、

I-4 法律その他の社会的規範に触れるおそれのあるもの

(4) 人の氏名、写真、談話などの使用

後者は広告・宣伝などに肖像を使用する場合の問題です。特に、財産権としての「肖像権」は、商品価値を持つ有名人が、無断で商業利用されることに対抗できる権利という側面を持っており、有名人やスポーツ選手を広告に起用して問題が起きやすいケースです。プロ・アマを問わず、所属競技団体が肖像を管理する方式をとるスポーツ選手、皇族や政治家などの公人を広告に起用する場合は事前の承認が必要でしょう。過去、財産権としての「肖像権」をめぐっては、俳優マーク・レスター氏が主演映画の一場面を無断でCMに利用されたことを訴えて勝訴した事件（昭和51年6月29日東京地裁）をはじめ、王貞治選手のホームラン800号達成記念メダルを本人に無断で製造・販売しようとしたメダル業者が利用・使用差し止めの仮処分命令を受けた（昭和53年10月2日東京地裁）、女性アイドルグループが無断でカレンダーを製作した業者を訴え、カレンダーの製作・販売の差し止め、廃棄と損害賠償請求が認められた（平成3年9月26日東京高裁）などの例があります。

（関連法規）
民法第709条・第710条　刑法第230条
（問い合わせ先）
著作権情報センター

I-4 法律その他の社会的規範に触れるおそれのあるもの

(5) 著作物の使用

Q 広告の中に有名作家の小説の一部を使っても問題ありませんか？

A 著作権のある著作物を広告に使用する場合は、事前に著作権所有者の許諾が必要です。

●

「著作権」とは、小説、絵画、写真などの著作者が、自分の創作物に対して持っている権利のことで、一般に著作者の死後70年（法人著作は公表後70年、映画については公表後70年）保護されます。著作権侵害には差止請求、損害賠償請求、名誉回復のための謝罪広告の措置請求などが認められているほか、侵害者に対しては刑事上の制裁が加えられることもあります。

以下に、著作権法によって保護されている「著作物」を挙げます。
① 小説、脚本、論文、講演その他の言語の著作物
② 音楽の著作物
③ 舞踊または無言劇の著作物
④ 絵画、版画、彫刻その他の美術の著作物
⑤ 建築の著作物
⑥ 地図または学術的な性質を有する図面、図表、模型その他の図形の著作物
⑦ 映画の著作物
⑧ 写真の著作物
⑨ 新聞、雑誌紙面などの編集著作物
⑩ プログラムの著作物（ただし、その著作物を作成するために用いるプログラム言語、規約及び解法には及びません）
⑪ 情報の選択または体系的な構成によって創作性を有するデータベース

これらの著作物は、権利所有者の許諾を得るなど、法律で定められたルールに従えば、引用や利用ができます。引用の際には、出典を明示しなければならないとされています。©マーク（Copyright頭文字）の付いた著作物がありますが、これは1952（昭和27）年に締結された万国著作権条約に基づく著作権表示で、日本も1956（昭和31）年に加盟しました。「マーク・著作権者名・最初の発行年」を付ければ、加盟諸外国でも著作権が保護されます。

著作権法では、「試験問題としての複製」など公益性の高い分野で、権利者の許諾なしに著作物などを利用できる例外規定があります。予備校などを広告主として、記事体部分に大学入試の試験問題を転載する広告企画がありますが、評論文や小説など著作物性を有する内容が含まれる場合は注意が必要です。著作権者の許諾を得ない営利目的の「二次利用」は、例外規定の適用外として著作権侵害を問われかねません。

(5) 著作物の使用

〈著作物とは？〉

著作権法では、著作物を「思想又は感情を創作的に表現したものであって、文芸、学術、美術又は音楽の範囲に属するもの」と定義して、判断の基準を示しています（第2条第1項）。ここでいう「創作性」は、特許などとは異なり、思想自体には必要ではありませんが、思想、感情を表現する過程において認められなければなりません。つまり、他人の作品の単なる模倣、盗用であってはなりませんが、たとえその表現が他人と同一内容のものであっても、創作者の個性が表れている限り「著作物」となります。また、その表現は必ずしも有体物である必要はありません。しかし、それはしかるべき装置または補助手段を通じて感知できるものでなければなりません。なお、「文芸、学術、美術又は音楽の範囲に属するもの」とは、広く知的、文化的精神活動の所産全般を意味します。（日本新聞協会研究所編『新聞と著作権』より）

〈標語の著作権をめぐる判例（平成13年10月30日東京高裁）〉

「ボク安心　ママの膝より　チャイルドシート」（原告スローガン）と「ママの胸より　チャイルドシート」（被告スローガン）という交通標語をめぐる裁判で、①原告スローガンがそもそも著作物性を有するか、②著作物性を有するのであれば、被告のスローガンは原告のスローガンの著作権を侵害しているのかが争われました。東京地裁は、原告に著作物性を認めましたが、原告と被告のスローガンは実質的に同一ではないとして、著作権侵害であるという原告の主張を退けました（控訴棄却）。

〈建築物の写り込みと合理的判断〉

商業写真撮影時、意図しない建築物の写り込みは、著作権侵害とはみなされません。一方で象徴的な建築物が入り込んだ場合は、権利者からの「無断利用」との抗議の可能性も排除できません。意識の有無とは別に、慎重な対応が求められます。

〈生成AIと著作権〉

生成AIをめぐる環境は目まぐるしく変化しており、広告審査においても慎重な対応が求められます。

AI生成物の利用をめぐっては、著作物との類似性や依拠性などの観点から著作権侵害の問題が指摘されています。文化庁は2024（令和6）年3月に「AIと著作権に関する考え方」を、日本新聞協会は同年7月に生成AI事業者による報道コンテンツの無断利用問題に関する声明を発表しました。また、生成AI事業者はサービスの名称やロゴの使用、生成コンテンツの扱いなどに関し、利用条件を設けている場合がありますので、注意を払う必要があります。

（関連法規）　著作権法第10条～第16条・第30条・第48条・第51条～第58条・第63条・第112条・第113条　文学的及び美術的著作物の保護に関するベルヌ条約　万国著作権条約
「AIと著作権に関する考え方について」（文化審議会著作権分科会法制度小委員会、令和6年3月15日）「生成AIにおける報道コンテンツの無断利用等に関する声明」（日本新聞協会、2024年7月17日）

（問い合わせ先）　文化庁著作権課　著作権情報センター

I-4 法律その他の社会的規範に触れるおそれのあるもの

(6) 新聞記事・紙面の使用

Q 新聞記事の使用や新聞紙面を複製した広告には問題がありますか？

A 新聞記事にはほとんどの場合、著作権がありますし、紙面にも編集著作権があります。従って、事前に著作権所有者から許諾を得る必要があります。

●

　自社の製品などが新聞や雑誌で紹介された場合など、その記事を使用して広告に使う場合があります。これは記事を利用してPRをしているわけですが、使用すること自体が直ちに著作権侵害となるわけではありません。Ⅰ-4(5)「著作物の使用」で説明したように、著作権の所有者に事前に許諾を得ておく必要があります。

(1) 紙面の複製利用

　記事を使用するのではなく、新聞紙面をそのまま複製して使うことも、その新聞社の許諾がない限り許されません。個々の記事とは別個に新聞紙面自体に編集著作権があるからです。なお、複製部分の中に広告があるときは、広告主の許諾も必要です。

(2) 著作権のある新聞記事などの使用

　死亡記事、交通事故など単に事実を報道する記事には著作物性はないとされますが、記者などの思想・感情が表現される署名記事・報道写真などにはそれ自体に著作物性があります。無断で使用する場合や、単なる事実報道記事であっても見出しなどで創作性の高いものを使用した場合、著作権侵害を問われることがあります。

〈無断使用で書類送検〉
　2022年2月、宮城県警が河北新報の記事7本の画像データを自分のSNSに投稿し同社の著作権を侵害したとして男性を書類送検しました。再三の削除要請にも応じていませんでした。
　広告での使用は営利目的ですので特に注意が必要です。

（関連法規）
著作権法第39条
（問い合わせ先）
日本複写権センター　新聞著作権協議会

I-4 法律その他の社会的規範に触れるおそれのあるもの

(7) 他社の商標・マーク・呼称の使用

Q 他社の商標によく似たマークが広告に使われていますが、問題になりますか？

A 商標法、意匠法によって登録されている場合、登録者には、それらの独占使用が法的に認められており、他人が無断で使用することはできません。よく似たマークなどは、こうした独占使用に抵触するおそれがあります。

●

　商標とは、「文字・図形・記号もしくは立体的形状もしくはこれらの結合またはこれらと色彩との結合」であって、「業として商品を生産し、証明し、または譲渡する者や、役務を提供、または証明する者が、その商品や役務について使用をするもの」で、サービスマークも含みます。意匠は、工業品などの形状・模様・色彩などについて視覚を通じて美感を起こさせるものをいいます。このうち、広告に関係の深いのが登録商標です。国内法に基づくものではありませんが、商標の傍らに付される®マークは、商標が登録商標（RegisteredTrademark）であることを示した、慣習的に使用されるマークです。また、登録がないまま自己の標章識別として表示するTrademark（○○○○™）の場合もあります。オリンピックに関連するシンボル、旗、モットー、エンブレム、讃歌、聖火およびトーチ、描写などオリンピックと特定できるものの使用は権利者の許可が必要です。

　他人が登録した商標や意匠は無断で使用できません。未登録の場合でも広く認識された他人の商標、商品の容器包装などと同一または類似のものを使用することは不正競争防止法で禁止されています。このほか、有名企業、団体の名称、公的機関、団体のマークの無断使用も不当表示のおそれがあります。

　登録された商標の情報は、「特許情報プラットホーム」などのホームページで調べることができます。登録商標には分類が45種あり、同じ登録された文字でも、分類が異なれば、同じ文言が登録可能です。広告内で使用される言葉の意図（分類）が異なれば商標権を侵害しない、とすることは可能ですが、注意が必要です。

⑴ 一般名称と誤認されやすい登録商標と言い換えの例（山カッコは分類、丸カッコは商標の登録企業）

- ガシャポン・ガチャガチャ・ガチャポン（バンダイ）、ガチャ（＜おもちゃ・被服＞タカラトミーアーツ、＜食品＞森永乳業、＜サプリメント＞日本ニュートリション）→（おもちゃであれば）カプセルトイ
- 大河ドラマ（NHKエンタープライズ）→日曜夜のドラマ
- ウォシュレット（TOTO）→温水洗浄便座
- ワンカップ（大関）→カップ酒
- 万歩計（山佐時計計器）→歩数計
- エレクトーン（ヤマハ）→電子オルガン

(7) 他社の商標・マーク・呼称の使用

- バンドエイド（ジョンソン・エンド・ジョンソン）→ばんそうこう
- ラジコン（増田屋コーポレーション）→無線操縦装置
- セロテープ（ニチバン）→セロハンテープ
- ボンド（コニシ）・セメダイン（セメダイン）→接着剤

(2) 登録商標なので、権利者が®（登録商標マーク）使用を推奨している例
- QRコード（デンソーウェーブ）

(3) 登録商標とはなっているが、通常使用のカテゴリーでは非登録の例
- 甲子園（布亀＝薬剤類）
  ※野球大会を指すものとしては非登録。○○甲子園では多数登録
- リケジョ（講談社＝出版・おもちゃ類）
  ※職業・学生・人材関連では非登録

〈「オリンピック」という用語の使用について〉

　新聞広告における「オリンピック」という用語の使用については、1992（平成4）年6月、日本オリンピック委員会（JOC）から「厳しく制限したい」旨の意向が突然示されました。エンブレムや五輪マークの保護は当然ですが、「オリンピック」という一般名詞まで使用制限するのは明らかに行き過ぎです。日本新聞協会広告委員会は「（こうした規制は）広告表現の自由を制限する」との見解を表明（1992〈平成4〉年7月6日）、日本新聞協会の顧問弁護士も2000（平成12）年7月、「オリンピック呼称問題」の法的解釈について、商標権、不正競争防止法、肖像権、著作権いずれにおいても「オリンピックという用語の使用を制限する法的根拠はない」との見解を示しています。

　商標法では登録できない除外項目を示しています。第3条1項「その商品又は役務の普通名称を普通に用いられる方法で表示する標章のみからなる商標」は登録できないものとし、一般名称の登録を排除しています。

　歴史をひも解きましょう。「オリンピック」を日本で初めて登録したのは美津濃株式会社の創業者水野利八氏。1918（大正7）年に玩具（運動器具）として登録されましたが、現在は国際オリンピック委員会（IOC）に権利が移譲されています。他に1934（昭和9）年にマスクとして登録された「オリンピック」は現在JOCに権利が移っています。スキー毛糸の「オリンピック」は1967（昭和42）年に藤井商店が登録、現在は元廣が権利を所有しています。

　近代オリンピックはスタート時、商業主義を排除しました。出場選手はエンブレムの付いたユニフォームは使用できず、会場内からは企業名が排除されました。唯一不可とされなかったのが強度の為とされたシューズのマークであり、当時は靴の側面ラインで選手の契約企業を推測のみできました。

　運営費がかさみ大会を招致する都市が枯渇。1984（昭和59）年ロサンゼルス五輪から公式スポンサー制度が導入され、商業五輪が始まりました。大会内部・ユニフォームへのロゴマーク掲出が徐々に可能となりました。そこで協賛企業の大会に関する権利を保護にすべきとの考えから「アンブッシュ・マーケティング」（待ち伏せ

I-4 法律その他の社会的規範に触れるおそれのあるもの

(7) 他社の商標・マーク・呼称の使用

> 商法・便乗商法）の造語が生まれました。ただしこの造語は公式協賛社であるカード会社に対して仕掛けた別のカード会社による戦略で、元々は否定的な意味合いはありませんでした。
>
> 昨今「アンブッシュ・マーケティング」は非協賛企業が五輪出場選手を商業的に利用するなどの行為は協賛企業の権益を侵害するという意で使用されます。巨額の協賛費を負担する企業からすれば、非協賛企業のオリンピック商業利用はタダ乗り以外の何物でもなく、ここから「オリンピック」という大会を指す用語を非協賛企業が使用できないと制限が始まり、この項冒頭の1992（平成4）年の日本新聞協会見解表明となりました。
>
> 競技としての「オリンピック」の商標は1993（平成5）年に出願、2度の拒絶の後、1998（平成10）年に登録されました。また、新聞社の多くが記事でオリンピックの同意として使用する「五輪」も2019（平成31）年2月、IOCによって登録されましたが、現在無効を求めた審判中となっています。

（関連法規）
商標法第2条〜第4条・第18条・第19条・第36条・第37条・第73条・第74条　意匠法第2条・第3条・第5条・第6条・第20条・第21条・第23条・第37条・第38条・第65条　不正競争防止法第2条第1項第1号・第2号　工業所有権の保護に関するパリ条約　知的財産基本法第1条・第2条　オリンピック憲章第1章・第5章

（問い合わせ先）
工業所有権情報・研修館

I-4 法律その他の社会的規範に触れるおそれのあるもの

(8) 皇室・王室・元首・国旗・国際機関などの標章の使用

Q 皇室・王室の肖像、国旗、国際機関などの標章を広告に使用することに問題はありますか？

A 皇室・王室・元首に関する事項や国旗などを広告で扱う場合は、その国・国民の尊厳にかかわることであり、礼を失することがないよう慎重な配慮が必要です。事前承諾を得ておくなどの対応が求められます。宗教（経典）についても同様の配慮が必要となります。

●

(1) 皇室や皇族

広告で「即位〇〇周年記念」「ご生誕記念」などと表示する場合は、尊厳を傷つけることのないよう、慎重にチェックしてください。特に、菊花紋章（皇室の紋章）や皇族の写真の使用については、事前に宮内庁などに確認したほうがよいでしょう。

(2) 「宮内庁御用達」の表示

広告の表示に「宮内庁御用達」が使われていることがありますが、この制度は1954（昭和29）年に廃止されており、歴史的事実としての表示以外は使用できません。

(3) 外国の王室・元首

外国の王室・元首の尊厳を傷つけるようなことが起きると、国際問題になるおそれがあります。事実を取り上げたり好意的に紹介したりする場合であっても、慎重さが必要です。

(4) 国旗・紋章・勲章

日本や外国の国旗などを使用している広告も、国旗や旗章の威信を損なうおそれがないか十分注意することが必要です。

なお、国旗・勲章・褒章などは所轄官庁、外国の国旗・紋章・旗章はその国もしくは団体の許可なしに商標として使用することは一般にできません。

(5) 国際機関などの旗章やマーク

国際機関の旗章やマークを、その団体の許可なく広告に使用することはできません。特に、赤十字マーク、国際連合旗章は商業目的や商品に使用することが禁止されています。

(関連法規)
不正競争防止法第16条・第17条　赤十字の標章及び名称等の使用の制限に関する法律
(問い合わせ先)
宮内庁　各国大使館・領事館

(9) アマチュアスポーツ選手の氏名や写真の使用

Q 広告にアマチュアスポーツ選手の氏名や写真を使用することに問題がありますか？

A その選手の所属する競技団体および本人の承認が必要です。もし承認を得ないで広告に使用すると、その選手がアマチュア資格をはく奪されたり、競技への出場資格が取り消されるなどの制裁措置がとられることもあります。

●

　日本スポーツ協会は、アマチュアスポーツに関する規程である「スポーツ憲章」を定めています。憲章ではアマチュアスポーツ選手の心得、加盟団体の使命・役割を示しています。附則として①スポーツを行うことによって、自ら物質的利益を求めない②スポーツによって得た名声を自ら利用しないことを定め、傘下の競技団体は憲章のガイドラインに従い、各競技者規程を作成して、所属団体の登録選手の氏名・写真・競技実績を広告に使用することを制限しています。

　当該競技団体の承認を得ないで、広告やCMに登場したり、承認を得ていても報酬を直接受け取った場合、その選手はアマチュア競技者として登録できなくなります。広告使用に関しての取り扱いは各競技団体によって異なります。

　野球、サッカー、バスケットボール、テニス、ゴルフのようにプロ組織がある競技と、いっぽうで近年、バレーボール、ラグビー、アメリカンフットボールのように競技団体・組織としてはアマチュアでありながら選手がプロ契約している競技もあり、プロとアマの区別が複雑になっています。また、オリンピックも一部の競技を除きプロの出場が認められています。

　以上は一般のアマチュア選手の規程ですが、全国高等学校体育連盟（日本中学校体育連盟）はより厳しい規程を設け、特例を除いて広告使用を禁止しています。ただし、高（中）体連、所属競技団体、学校、本人の許諾が全てそろえば掲載には問題はありません。また試合風景の写真を使用する場合は当人側だけでなく、相手側にも同様に注意を払う必要があります。日本高等学校野球連盟も野球関係者（野球部長、監督、選手及び一般部員など）の氏名、写真、談話などを広告で使用することを禁止しています。従って、例えば懸賞課題に、選手名や試合結果などの予想を含んだ設問はできません。

（関連法規）
日本スポーツ協会スポーツ憲章第6条・第7条・第8条　附則2・4
各競技団体競技者規程　競技者及び指導者規程（全国高等学校体育連盟、平成14年5月30日施行、平成26年5月20日一部改正）第3条・第4条

（問い合わせ先）
日本スポーツ協会　各競技団体　各関係スポーツ団体

I-4 法律その他の社会的規範に触れるおそれのあるもの

(10) 通貨・郵便切手などの使用

Q 実物大の通貨や郵便切手などのカラー写真を使った広告は問題がありますか？

A 通貨を広告中に使用することは、法律に違反するおそれがあります。郵便切手や郵便はがきは一定の条件の下でのみ使用が認められています。また、有価証券など複写が禁じられているものもあります。

●

(1) **通貨**

　財務省ホームページでは、紙幣や硬貨の写真やイラストを印刷物に使用することについて、以下のように記載しています。

　「日本銀行券（紙幣）や貨幣（硬貨）と紛らわしい外観を有するものの製造又は販売は『通貨及証券模造取締法』により禁止されており、抵触する場合は、事後において警察当局の取り締まりの対象となります。日本銀行券や貨幣をデザイン化したものや、その一部又は全部を商品や印刷物などに使用する場合も同法に抵触する可能性があります。これらは、図柄の模擬の程度、大きさ、材質、『見本』の文字、斜線の有無などから総合的に判断されることになります」

(2) **郵便切手**

　次のいずれかに当てはまるものに限って使用が認められています。
① 郵便切手類の大きさと著しく異なる場合
　　大きさが長方形のものにあっては長辺96ミリ以上または17ミリ以下、長方形以外の形状のものにあっては最大の長さが96ミリ以上または17ミリ以下のもの。ただし、郵便切手類と大きさ及び図柄が同一のものを除く。
② 郵便切手類でないことが明らかに分かる表示があるもの
③ 郵便切手類であることを表す文字及び郵便料金額に紛らわしい表示がないもの
④ 郵便切手類であることを表す文字及び郵便料金額の部分に太さ0.23ミリ以上の二条の線で加刷方式によらないで明瞭に抹消表示が施されているもの
⑤ 印面に「模造」「参考品」などと、12ポイント活字以上の大きさで加刷方式によらないで明瞭に表示されているもの
⑥ 印面を通り、印面の隣り合う2辺と交わる太さ0.23ミリ以上の直線または弧線が加刷方式によらないで明瞭に表示されているもの
⑦ 新聞・雑誌・カタログなどに黒一色で印刷されているもの

(3) **有価証券・印紙など**

　有価証券や印紙なども法律によって複写が禁止されています。また、パスポートや免許証、各種の身分証明書を使用する場合も注意が必要です。

Ⅰ-4　法律その他の社会的規範に触れるおそれのあるもの

⑽ 通貨・郵便切手などの使用

(関連法規)
刑法第148条～第150条・第153条・第162条　通貨及証券模造取締法第1条　郵便切手類模造等取締法第1条　郵便切手類模造等の許可に関する省令　紙幣類似証券取締法第1条　印紙等模造取締法第1条　外国ニ於テ流通スル貨幣紙幣銀行券証券偽造変造及模造ニ関スル法律第1条

(問い合わせ先)
財務省理財局国庫課　総務省郵政行政部郵便課

I−4 法律その他の社会的規範に触れるおそれのあるもの

(11) 官公庁・団体からの推薦・推奨

Q 「○○省認可」「○○協会推薦」「○○賞受賞」「特許」などとうたった表示には、どのような注意が必要でしょうか？

A 「特許」などが事実かどうかの確認と、推薦・推奨している事実関係を確認したほうがよいでしょう。「認可」「推薦」「受賞」団体が社会的に認められているかどうかなどにも注意が必要です。

　広告主が「官公庁や公的機関から許認可や推薦を受けている」と表示すれば消費者の信頼は高まり、広告の誘引効果も上がります。許認可や推薦を受けているのが事実であれば特別の制限がない限り、その旨を表示することは差し支えありません。

　しかし、単なる届け出事項を「○○省認可」としたり、当たり前のことを強調し「公認されている」かのような表示をすると商品が優秀であると誤認を与えるので注意が必要です。「承認」「許可」「認可」などの語を正確に表示することも求められます。また、「○○協会推薦」などの表示は、推薦している団体が架空であったり、社会的に認められていない場合がありますので、事実かどうかを確認する必要があります。

(1) **品質・技能コンクールなどでの受賞**

　官公庁や業界団体主催の品質・技能コンクールなどでの受賞を表示する場合、受賞した商品の種類・年月日などを確かめ、誇大な表示にならないようにする必要があります。

(2) **医薬品等に対する官公庁、医薬関係者、病院などの推薦禁止**

　「医薬品等適正広告基準」によって、医薬品等の効能効果等については、医薬関係者、理容師、美容師、病院、診療所、薬局、世人の認識に相当の影響を与える公務所（官公庁、地方自治体、保健所など）、学校または学会を含む団体が指定、公認、推薦、指導、選用している旨の広告は禁止されています（Ⅲ−8（2）「医薬品等適正広告基準」参照）。また、日本医療機器産業連合会の「医療機器適正広告ガイド」でも、医療機器の承認番号等の表示について、「厚生労働省認可（許可・承認等）、経済産業省認可（許可）等の表現も行ってはならない」としています（Ⅲ−8（6）「医療機器の広告」参照）。

(3) **特許、実用新案の表示**

　特許や実用新案が登録済みのものであるか、既に権利が消滅していないか、番号は出願番号か登録番号かの確認が必要です。なお、医薬品等の広告では、特許に関する表示は事実であってもできません。

（関連法規）　景品表示法第5条　軽犯罪法第1条第34号　医薬品等適正広告基準第4（基準）10　「医療機器適正広告ガイド」（日本医療機器産業連合会、2024年2月改定）特許法第188条　実用新案法第52条

（問い合わせ先）　各都道府県消費生活センター　消費者庁表示対策課　厚生労働省医薬食品局監視指導・麻薬対策課　特許庁審査業務部

(12) 社会風紀を乱すおそれのある広告

Q 売春に結びつくおそれのある広告や社会風紀を乱す広告、風俗営業法の対象となる営業の広告はどのように取り扱えばよいでしょうか？

A 社会風紀を乱す広告は、新聞広告の社会的影響力を考えて、倫理面及び媒体の信用の観点からも判断してください。違法風俗店の広告を掲載し風俗営業法違反で広告会社が処罰された例があります。売春の周旋、誘因につながる可能性がある広告にも注意が必要です。

●

　2011（平成23）年、違法風俗店の広告を掲載したとして警視庁保安課は新聞社とその子会社の広告会社を家宅捜索、広告会社は風俗営業法違反（広告宣伝）で書類送検されました。また、2004（平成16）年に、大阪府警は売春が疑われる広告の掲載自粛を大阪府内の新聞8社に要請しています。司法は広告関係者も処罰の対象として視野に入れていることに注意してください。

(1) 社会風紀を乱す広告

　違法とはいえないまでも、過激な性表現、暴力や犯罪を肯定、礼賛するもの、麻薬使用の賛美、残虐な表現のある広告は注意を要します。これらの表現は、特に出版、映画、ビデオなどの広告にありがちです。ただ、「わいせつ」などの基準は時代によって変化しますので、その時の社会常識を踏まえて判断してください。また、全ての都道府県は青少年保護育成条例を制定し、広告の規制もしています。

(2) 風俗営業など風営法の対象となる広告

　風俗営業法の適用を受ける以下の業種は、都道府県公安委員会の許可あるいは届け出がなければ営業はできません。無届けの性風俗関連特殊営業は禁止されており、広告する場合には公安委員会が交付する「届出確認書」の提示を求めることで届け出業者であるかを判別できます。また、2015（平成27）年6月の風俗営業法改正で飲食を伴わない全てのダンス営業は風俗営業としての許可が不要になりました。人身取引の観点から「興行」の在留資格の外国人の方が、資格に応じない「接待」などにホステスとして従事することは、出入国管理法違反の不法就労になります。

- 風俗営業：キャバレー、料亭、マージャン店、パチンコ店など
- 店舗型性風俗特殊営業：ソープランド、ストリップ劇場、ラブホテルなど
- 無店舗型性風俗特殊営業：デリバリーヘルス、アダルトビデオ通販など
- 映像送信型風俗特殊営業：アダルトウェブサイト営業など
- 店舗型電話異性紹介営業：テレホンクラブなど
- 無店舗型電話異性紹介営業：ツーショットなど
- 特定遊興飲食店営業：ナイトクラブなど

Ⅰ-4　法律その他の社会的規範に触れるおそれのあるもの

・酒類提供飲食店営業：接待のないバー、酒場など
　※午前6時から午後10時以外の営業時間

〈料亭・料理旅館も風俗営業法の対象に〉
　風俗営業法第2条において風俗営業とは、「キヤバレー、待合、料理店、カフエーその他設備を設けて客の接待をして客に遊興又は飲食をさせる営業」と定義されており、接客業務を伴う料亭・料理旅館は風俗営業法の規制の対象になっています。国会では、料亭を風俗営業法で規制することは性を売り物とする「性風俗」と同様に見なされるため「料亭文化の推進にとって好ましくない」という観点から、東京2020オリンピック・パラリンピック大会の開催に当たり議論が交わされたことがあります。料亭関係者等も料亭・料理旅館を風俗営業法の規制対象外とするよう求めています。

⑿ 社会風紀を乱すおそれのある広告

(関連法規)
刑法第175条　風俗営業法第2条・第3条・第13条・第16条・第27条　売春防止法第5条・第6条第2項第3号　児童買春、児童ポルノに係る行為等の処罰及び児童の保護等に関する法律第7条　出入国管理及び難民認定法第73条第2項第2号

I-5　不表示、不告知、デメリット表示

(1) 不表示・不告知による誤認

Q 商品について、ある事項が故意に表示されていないため、消費者が欠点に気づかないことがありますが、こうしたことを防ぐ業界規制がありますか？

A 各業界の公正競争規約で定めていることがあります。商品の欠点表示をデメリット表示といいます。家庭電気製品や不動産の業界などでは、公正競争規約でデメリット表示を義務づけています。景品表示法との関係では、強調表示に記載のない条件や例外等の表示（打ち消し表示）を分かりやすく示すことが求められます。

●

　法律や公正競争規約により、広告における必要表示事項が決められていることがあります。必要表示事項が決まっていれば、不表示、不告知により消費者が、商品のデメリットに気づかないということをある程度防ぐことができます。
　例えば、家庭電気製品の公正競争規約では、商品選択に際して重要な影響を及ぼす事項、表示価格に含まれない別売品がある旨、消費者の負担となる保証内容などについて表示しない場合、不当表示に当たるとしています。また、不動産の公正競争規約では、市街化調整区域内の開発許可を受けていない土地で、宅地の造成や建物の建築ができない場合や、土地取引で古家や廃屋がある場合など、消費者が通常予想できない事項や不利な取引条件を、分かりやすく明示しなければならないとしています。ほかにも、中古車の公正競争規約では、走行距離計を取り替えたり、要整備個所や修復歴がある場合の表示義務を課す（267ページ参照）など、さまざまな業界においてデメリット表示についてのルールがあります。金融商品におけるリスク表示（207ページ参照）も、デメリット表示の一つであるといえます。
　食品添加物に関する表示ルールは「食品表示法」によって定められていますが、「無添加」「不使用」といった表示は各メーカーの判断に委ねられていたため、メーカーによって無添加の定義が異なったり、混乱を招くような表示があったりとさまざまな問題が以前から指摘されてきました。このような状態を是正するため、2022（令和4）年に消費者庁は、無添加、不使用などの食品表示に関して、消費者に誤認を与えないことを目的に「食品添加物の不使用表示に関するガイドライン」を新たに策定しました。
　また、商品・サービスの内容・取引条件について、断定的な表現や目立つ表現などを使って訴求する強調表示は全ての場合に当てはまるものと消費者に受け止められるため、例外などがある場合、景品表示法の観点からその旨の表示（打ち消し表示）を分かりやすくすることが求められています。強調表示と打ち消し表示が矛盾すると消費者に理解されないため、矛盾が生じないよう注意が必要です。

（関連法規）　各業界の公正競争規約
（問い合わせ先）　消費者庁食品表示課　各公正取引協議会　各業界団体

(1) 競合商品の比較

Q 自社の商品を他社の競合商品と比較している広告では、どのような点に注意したらよいでしょうか？

A 客観性、正確さ、公正さがポイントです。比較広告は「客観的データに基づく比較かどうか」など、消費者庁のガイドラインに沿ってチェックするのがよいでしょう。

　比較広告は、自社商品の優れている点だけを取り出して比較することで消費者を誘引する不当表示になったり、他社商品を中傷したりする結果になりやすいものです。そこで、公正取引委員会は1987（昭和62）年4月、「比較広告に関する景品表示法上の考え方」としてガイドラインを明らかにしました。

　これによれば、比較広告とは、広告主の商品・サービスについて、競争関係にある比較対象を明示するか、または明らかにそれと分かる方法で暗示し、客観的に測定または評価することによって比較する広告です。

　基本的な考え方として、景品表示法第5条は自己の供給する商品などの内容や取引条件について、実際のものまたは競争事業者のものよりも、著しく優良または有利であると消費者に誤認される表示を不当表示としています。

　従って、比較広告が不当表示とならないようにするためには、上記のような誤認を消費者に与えないようにする次の三つの要件をすべて満たす必要があります。
　①比較広告で主張する内容が客観的に実証されていること
　②実証されている数値や事実を正確かつ適正に引用すること
　③比較の方法が公正であること

　調査機関としては、広告主と関係のない第三者、たとえば国公立の試験・研究機関などの公的機関、中立的な立場で調査研究を行う民間機関などが望ましいでしょう。化粧品・旅行・自動車・家庭電気製品など、業界によっては公正競争規約に「比較表示の基準」を設けていますので、その基準を参照してください。

　また、近年では客観性・合理性を欠いた「No.1表示」が多く見られ、2024（令和6）年から消費者庁は不当な「No.1表示」に対して、景品表示法に基づく行政処分を広く下しています。

　これらを踏まえて、比較広告は関連法規に照らし合わせながら、慎重に取り扱うべきでしょう。

（関連法規）
刑法第233条　民法第709条　景品表示法第5条　不正競争防止法第2条　比較広告に関する景品表示法上の考え方（公正取引委員会事務局：昭和62年4月21日、消費者庁：平成28年4月1日改正）　各業界の公正競争規約

（問い合わせ先）
消費者庁表示対策課　各公正取引協議会　各業界団体

I-7 安全性に関する表示

(1) 安全基準に適合しているか

Q 「安全基準」が設けられている生活用品がありますが、安全基準について広告表示する場合、どのような点に注意すべきですか？

A 製品の保証と誤認させないよう注意が必要です。法律や業界団体等が定めた安全基準に適合していることが、すなわちその製品が機能的に優れていることを保証するものではありません。安全基準は消費者保護のために設けたもので、他の製品より優れているとか、機能・デザイン的に優秀であるということではありません。

　生活用品の中には、法律や各業界の自主規制によって「安全基準」が設けられているものがあります。「安全基準」に適合する製品には、マーク実施団体の使用許諾や認証を受けることで下記①のような安全マークを張り付けることができます。安全基準に適合する旨を広告に表示することは問題ありませんが、それを根拠にその製品を国や業界団体等が推奨、推薦しているような表現がされていたり、安全基準を満たすことでほかの製品より優れているかのような表現があると、安全基準の趣旨を逸脱する「誤認期待」の誇大表示になります。また、類似した紛らわしいマークは誤認をもたらす恐れがあるため注意してください。

　法律により「技術基準」が設けられている製品もあります。電気用品、特定のガス用品、特定のLPガス器具など、特定の消費生活用製品については、それぞれの法が定める技術基準に適合していなければ販売できません。「技術基準」に適合した製品については、それぞれの法で定められた下記②のPSマークを張り付けることができます。

①**安全基準適合マーク**
　　STマーク（日本玩具協会）
　　SGマーク（製品安全協会）
　　Sマーク（電気製品認証協議会）

②**PSマーク**
　　PSCマーク（消費生活用製品）
　　PSEマーク（電気用品）
　　PSTGマーク（ガス用品）
　　PSLPGマーク（液化石油ガス器具等）

STマーク

※2025（令和7）年4月から旧マークとの併用期間を挟み、上記の新マークが使われます。

SGマーク

（関連法規）　消費生活用製品安全法　電気用品安全法　ガス事業法　液化石油ガスの保安の確保及び取引の適正化に関する法律
　（問い合わせ先）　経済産業省産業保安・安全グループ製品安全課　各都道府県消費生活センター

I−8　記事体広告

(1) 記事と広告の区別

Q 編集記事との区別がつきにくい記事体広告ではどのような注意が必要でしょうか？

A 編集記事と似たような体裁・表現で、広告であることが不明確なものについては、倫理上の問題もあり、消費者の信頼を失いかねません。記事体広告などでは、「広告」などのクレジットを表示すべきでしょう。

●

　記事体広告は、「広告」ということがはっきり分かるよう体裁を工夫したり、「広告」クレジットを表示するなど、編集記事との区分を明確にする必要があります。その理由は、①最後まで注意深く読まないと「広告」と分からないような体裁では、消費者に一種の詐術的な印象を与えてしまう、②新聞社の編集記事に対する信用を守る──といったことです。

　情報の責任が「広告主」あるいは「制作者」にあることを明示するためには、分かりやすい位置・体裁で「広告」「広告特集」「企画・制作○○社」などのクレジットを入れることが必要となります。たとえば、不動産の公正競争規約では、記事体広告を掲載する場合は、「広告」などと表示するよう定めています。

　新聞社が制作主体あるいは制作に関与し、「企画・制作：○○新聞社広告局」などと明示した記事体広告で、消費者に不利益が生じた場合、新聞社が責任を問われるおそれがあるので注意が必要です。

　「広告」の明示をせず、消費者が編集記事と誤認しやすい紙面とした場合、広告中の誤った記述が媒体社の編集責任として追及されかねません。実際に雑誌に掲載した飲食店の記事体広告の中の電話番号が誤っていたために、本来の電話番号の持ち主が、記事の誤りのために相当の被害を受けたとして、広告を掲載した出版社を訴え、損害賠償が認められた裁判があります（「ぴあ」裁判＝平成6年9月30日大阪高裁判決）。

〈ステルスマーケティング〉

　消費者は、企業による広告・宣伝であれば、ある程度の誇張・誇大が含まれているものと考えており、そのことを含めて商品・サービスを選んでいます。一方で、広告・宣伝であることが分からないと、企業ではない第三者の感想であると誤って認識し、その表示の内容をそのまま受けとってしまい、自主的かつ合理的に商品・サービスを選ぶことが出来なくなるおそれがあります。

　広告であるにもかかわらず、広告であることを隠す販促・宣伝行為を「ステルスマーケティング」（以下ステマ）と言います。消費者がより良い商品・サービスを自主的かつ合理的に選べる環境を守るためには、このステマを規制する必要があります。2023（令和5）年3月28日、景品表示法第5条第3号に基づき、「一般消費者が

(1) 記事と広告の区別

事業者の表示であることを判別することが困難である表示」（ステマ告示）が不当な表示として指定され、同年10月1日に施行されました。

同法5条3号の不当な表示として見なされる要件は、「事業者が自己の供給する商品又は役務の取引について行う表示（＝事業者の表示）」であって、かつ「一般消費者が当該表示であることを判別することが困難であると認められるもの（＝判別困難性）」である場合になります。

ステマ関連では、2012（平成24）年、多くの芸能人が関与したとされる「ペニーオークション詐欺事件」が社会問題となりました。2024（令和6）年6月6日、消費者庁は、とある医療法人社団に対し、当該法人がクリニックに来院した者に対し、ウェブサイト上の口コミ投稿欄で星5または星4の投稿をすることを条件にワクチンの割引を約束して行わせた表示がステマ告示の指定する不当表示に該当して同法5条3号に違反するとして、同規制に基づく初の行政処分を行いました。

「『一般消費者が事業者の表示であることを判別することが困難である表示』の運用基準」（ステマ運用基準）第2・2(2)においては、「新聞・雑誌発行、放送等を業とする媒体事業者（インターネット上で営む者も含む。）が自主的な意思で企画、編集、制作した表示については、通常、事業者が表示内容の決定に関与したといえないことから、事業者の表示とはならない」としていますが、「媒体事業者の表示であっても、事業者が表示内容の決定に関与したとされる場合は、事業者の表示となる」としています。

また、「この判断の際には、正常な商慣習を超えた取材活動等である実態（対価の多寡に限らず、これまでの取引実態と比較して、事業者が媒体事業者に対して通常考えられる範囲の取材協力費を大きく超えるような金銭等の提供、通常考えられる範囲を超えた謝礼の支払等が行われる場合）にあるかどうかが考慮要素となる」とされています。

（関連法規）
景品表示法第5条第3号　不動産の表示に関する公正競争規約（不動産公正取引協議会連合会、2022年9月1日）第14条　「一般消費者が事業者の表示であることを判別することが困難である表示」（令和5年3月28日内閣府告示第19号）　同運用基準（同日消費者庁長官決定）

(1) 差別表現とは

Q 基本的人権の侵害や差別を助長する表現とはどのような表現を指しますか？「バカ」「アホ」などの言葉も差別になりますか？

A 差別語の有無ではなく、表現方法や文脈上の意味に注意してください。差別の意図を持って差別語を使ったり、意図はなくても不注意に差別語を使用すると差別表現になります。「バカ」「アホ」などは、きれいな言葉ではありませんが、使われているからといって直ちに差別表現ではなく、「不快表現」とでもいうべきものです。

●

(1) 「差別」と「区別」

　表現の問題に入る前に、「差別」とはどういう意味でしょう。ここでいう「差別」とは、その人が持って生まれたもの、すなわち「身分」「人種」「性」「心身障害」などの理由から、すべての人に対して平等に与えられるべき権利、すなわち基本的人権が侵害されている状態を指します。努力した人が社会的に報われるのは当たり前のことです。成功したことによって、努力しなかった人と区別される、これを差別とはいいません。従って、「差別」は単なる「区別」とは根本的に異なるのです。ひと口に「差別」といっても、前に挙げたように、さまざまな人が、さまざまな理由からその対象とされますが、一例として、今なお、日本の社会に存在する部落差別問題を取り上げてみます。「封建制社会の残滓（ざんし）」ともいわれますが、安土桃山時代や江戸時代の話ではなく、現実に存在するのです。自分の周りに見かけないからといって、存在しないなどと考えるのは、新聞広告に携わる者として許される態度ではありません。

(2) 差別表現

　どのような表現が差別表現となるのでしょうか。たとえば「部落」という言葉があります。この言葉だけを取り出しても、差別表現になるとはいえません。例えば「部落解放基本法制定運動」という新聞記事の見出しに「部落」の言葉があるからといって、誰も差別表現だとはいいません。なぜでしょうか。それは、「部落」という言葉が侮蔑の意図なく使われているからです。それでは同じ言葉でも「部落のくせに…」というように使われている場合はどうでしょうか。このような使い方では、使った人の心の中に侮蔑の意思が明らかに存在していることが分かります。すなわち、差別表現であるかどうかを決めるのは、その言葉を使った人がどのような意図を持って使ったかが問題となるのであって、あくまで文脈の中で判断しなくてはいけません。従って、いわゆる差別語を一言も使わなくても「差別表現」はあるのです。

　にんげん出版代表の小林健治氏は、著書『最新　差別語・不快語』（2016年）において、「差別語」と「差別表現」の関係を4種類に分けていますので、それに沿ってそれぞれ例を挙げてみます。なお、「差別表現」の定義は「差別語の使

(1) 差別表現とは

用の有無にかかわらず、表現及び文脈に差別性が存在するもの」とします。

① 差別語を使用した差別表現の場合：「特殊部落民は、一般の人と違うから米を食べる必要はない」＝極めて悪質な差別表現の例です。

② 差別語を使用していないが差別表現の場合：「川向こうの人と一緒に旅行した」＝確かに差別語は使用されていませんが、被差別部落の人を「川向こうの人」と、意味ありげな隠微な形で表現している例です。

③ 差別語を使用しているが差別表現ではない場合：「江戸時代には、幕府の民衆支配の手段として、士・農・工・商・エタ・非人の身分制度があった」＝「エタ」「非人」という差別語が使用されていますが、過去の歴史的事実を説明している文脈ですので何ら問題はありません。むしろ問題となるのは、「エタ」「非人」の差別語があるからと、事なかれ主義で文脈を考えずに削除したり、「……」などにしてしまう場合です。

④ 差別表現ではないが、差別語の使用方法が誤っている場合：「特殊部落の識字教育に一生をささげた」＝「特殊部落」という差別語を使用する必然性がありません。「被差別部落」などとすべきです。

(3) 差別問題の根深さ

どうして人間が同じ人間を差別するようになったかについては、長い歴史的時間をかけて、社会的環境の中で再生産され続けてきた、としか説明のしようがありません。今日、「差別はよいことですか？」との問いに対し、「よいことだ」と答える人はまずいないでしょう。ほとんどの人が「悪いことだ。あってはならないことだ」と答えるに違いありません。しかし、それでも差別がなくならないことに問題の根深さ、深刻さがあるのです。

広告業務に携わる人、一人一人がこの現実を直視し、仮にも「身分」「人種」「性」「心身障害」などの理由によって、社会的に不利な立場に置かれた人の人権を侵害する表現を生産、流布するようなことがあってはなりません。

差別語さえ使わなければよいのだ、というような安易な問題ではありません。「エタ」「非人」などの言葉であっても、過去の身分制社会の非人間性、理不尽さを否定する文脈の中でなら、何ら問題とはなりません。この問題は、とかく事なかれ主義で考えがちですが、心の中にしっかりした問題意識を持って判断してください。

〈ヘイトスピーチと表現の自由〉

2016（平成28）年に「ヘイトスピーチ対策法」が施行されました。過激な言葉で特定の人種や民族への差別をあおり立てるヘイトスピーチを許さない差別解消の理念を掲げたもので、国や自治体に相談体制の整備や人権教育の充実を求める内容です。一方で憲法が保障する「表現の自由」に配慮し、表現活動を不当に制約することはあってはなりません。同法の施行の背景には、大都市を中心とした街頭で「朝鮮人を日本からたたき出せ」といった在日韓国・朝鮮人の排斥を訴えるデモが繰り

(1) 差別表現とは

返され、ネット上にはその動画が公開されてきた経緯があります。
　また2020（令和2）年には川崎市で違反者への刑事罰を盛り込んだ条例が全国で初めて施行されました。正当な表現活動まで萎縮させてしまうことがないよう適正な運用が望まれます。
　オピニオン誌を中心とした雑誌の広告見出しには、特定の国や民族への差別ともとれる文言が並ぶこともあり、表現の自由の範囲内でのチェックは欠かせません。ヘイトスピーチに関連する主な差別語には「鮮人」「第三国人」「半島人」「チャンコロ」「シナ人」などがあります。

（関連法規）
憲法第11条〜第14条　国際人権規約（経済・社会・文化的権利に関するA規約、市民・政治的権利に関するB規約、B規約が定める権利の侵害につき人権委員会への申し立てを認めた選択議定書、同第二選択議定書の四つからなるが、日本は選択議定書及び第二選択議定書を批准していない）

(2) ジェンダー表現とは

Q 「ジェンダー表現」で注意すべき点はどのようなことがありますか。

A 多様性の意識が高まりつつある昨今の社会情勢を受けて、社会的・文化的に作られた性差の概念であるジェンダー平等の視点から、今までは当たり前だと使ってきた表現でも一度立ち止まって再考し、おかしいと思われる表現に気づいていくことが重要です。

●

　世界経済フォーラムの「男女平等度ランキング」（2024年版）によりますと、「政治参加」「経済参画」「教育機会」「健康」の4分野の平均スコアで日本は146か国中118位と非常に低いランクにあり、先進国では類を見ない男女間格差が根強く残っています。
　一刻も早い格差解消が求められている日本社会でも、時代の流れとともに価値観の多様化も進みつつあり、「ジェンダー平等」視点で注意していかなければならない考え方があります。それは大きく分けて以下の3つになります。まず、①「性的対象」として見る意識です。女性の性的魅力を強調するようなケースは炎上することが多くなっています。コミックのキャラクターを描いた広告原稿には特に注意が必要です。次に②「性別役割分業」の意識です。女性の「役割」の押し付けとなるケースです。ブランド名に家事を想起させる表現で「お母さん」と入れたことで消費者から指摘があり、わずかな期間で変更を余儀なくされた事例もありました。担当者に「家事は女性の仕事」という役割意識が根強くあったのかもしれません。最後に③性別固定観念です。「女性はこうあるべき」「男性はこうあるべき」という表現です。思春期の女性への啓蒙広告で「結婚」「妊娠」「出産」というワードの近くに「白馬の王子様を待つ」という表現もあり、物議を醸したこともありました。
　またジェンダー平等、多様性を尊重した社会を目指し、普段から無意識に使っている語句も注意していかなければなりません。女性に関する主なものは以下の通りです。「女子力」「理系女子」「女こども」「女々しい」「処女作」「山ガール」「美しすぎる〇〇」「女房役」「内助の功」「看板娘」「シングル女子」「マドンナ議員」「ママさん選手」。女性の場合にだけ職業名の頭に「女」を付ける「女社長」「女子アナ」「女教師」「女流〇〇」などの表現にも注意が必要です。

(1) 意見広告

Q 意見広告として広告の申し込みがありました。「意見広告」である旨の表示をすることが必要でしょうか？　内容、表現で留意する点はありますか？

A 意見広告の特殊性を考慮してください。意見広告は広告主の考え方を述べる場ですから、表現は原則としては自由であるべきでしょう。もちろん、ひぼう、中傷、公序良俗に反する表現のほか、媒体の信用を著しく損なうものはこの限りではありません。また、その意見の主が誰であるのかは広告中に明示すべきでしょう。

●

　意見広告は、個人や団体がそれぞれの立場から、自分の考え方や意見を表明し、消費者に賛否を問う広告といえます。主観的であり、消費者に広く同意を求める点でも通常の広告とは異なります。従って、広告表示にさまざまな制約がかかってくる通常の広告とは異なり、意見広告はその性格上、できる限り制約を加えずに、広告主の主張を伝えるものでなければなりません。

　その主張には、批判や批評も含まれる場合があるでしょう。そうした時でも少なくとも内容が虚偽であったり、他をひぼう、中傷したり、事実誤認に基づく内容、名誉を毀損したり差別を助長する、プライバシーを侵害する、また、著しく常識に反する内容のものでなければ、できる限り制約を加えないことで、その機能が発揮されることとなります（Ⅰ-4（1）「信用毀損・業務妨害」、（2）「名誉毀損・プライバシーの侵害」参照）。

　広告主がその広告内容に責任を負えるかどうかが重要となります。どのような広告内容でも、その責任は広告主にありますが、特に意見広告ではその点が重視されます。掲載するに当たって、表示された広告主が実際に存在しているのか、つまり、他人名義で広告を行っていないかなどを十分注意する必要があります。当然のことながら、消費者に当該広告主が意見広告であることを明らかにするためにも、広告には広告主名を明示する必要がありますが、意見広告の性質上、広告主の所在地や広告についての連絡先は併記したほうがよいでしょう（Ⅰ-1（1）「広告主の名称・連絡先」参照）。

　意見広告は編集記事と紛らわしい場合もあるので、「意見広告」である旨の表示を広告主に求めるのもよいでしょう。また、場合によっては関連資料の提出を求めて内容を確認することも必要です。

(1) 謹告・リコール社告

Q 謹告の原稿作成の指針となる「消費生活用製品のリコール社告の記載項目及び作成方法（JIS S 0104）」が改正されましたが、主な改正点で注目すべきことはありますか。

A 2008（平成20）年以来16年ぶりに改正され、謹告のタイトルに掲載例にもあるような「リコール社告（自主回収）」または「リコール社告」をいかに使ってもらうかがポイントとなります。前回に比べてウェブメディアの利便性の向上もあり、新聞中心からのシフトが記載例に反映されています。ただ、新聞が発信する情報の信頼性はあらゆるメディアの中でも高く評価されていますので、消費者（読者）の注目度を高めることは引き続き重要になります。

●

謹告は、製造業者等が製品回収、交換、無償交換、部品交換、点検修理、無償点検、修理、代金返還、注意喚起などを行う場合に「お詫びとお知らせ」などのタイトルで掲載されるケースがよくあります。2024（令和6）年に改正されたJISではリコール社告を「事故が発生したとき又は事故が発生するおそれがあるとき、事故の拡大の可能性及び事故の発生を最小限とするよう消費者に対して適切に知らせるために行う」と定義しています。そして消費者に対してお詫びまたは説明だけを行う社告はリコール社告とはいわないとも規定しています。事の重大性を問わず人体への影響の可能性がある場合は、「リコール社告（自主回収）」または「リコール社告」というタイトルで緊急性と危険性をアピールする必要があります。

〈最初のリコール社告の例〉

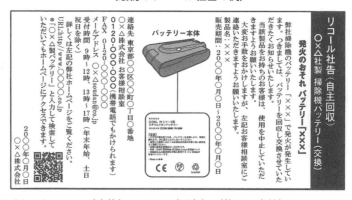

※副タイトルとしては（交換）のほか、（回収）、（修理・点検）などがあります。

（関連法規）産業標準化法　JIS S 0104　（問い合わせ先）日本規格協会

(1) インターネット誘導

Q 新聞広告で二次元コードなどを使ってインターネットに誘導することが増えています。注意する点はありますか？

A 新聞広告で二次元コードを使ったインターネット誘導は、商品・サービスの購入や募集内容への応募など、読者に詳細を説明したり申し込みの手続きを行う手段として表示されたりします。読者に対し必要とされる情報が漏れなく正確に伝えられるかを確かめるためには、広告原稿だけでなく誘導先のウェブサイトの内容にも注意が必要です。また業種によっては広告成立の条件が定められ、広告と誘導先の内容を全体的に連続した一つの広告と見なすことで法が適用される可能性もあります。

●

　例えば募集型企画旅行の広告で、申込先の住所、電話番号等が表示されていないものや、問い合わせや資料請求を求める場合、または情報の詳細をインターネットで閲覧させる告知広告の場合は、「この広告からのお申し込みは承っておりません。詳しくはホームページをご覧ください。」などの旅行契約の申し込みを受け付けない旨を明記する必要があります（Ⅲ-12「旅行広告」参照）。
　求人広告では、職業安定法第5条の3に基づく労働条件等の明示事項（Ⅲ-2「求人広告」参照）をできる限り記載しなければなりません。しかし、広告スペースが限られている場合は、リンク先のページでこれらの事項を表示することで掲載は可能です。
　通信販売の広告では、特定商取引法に定められた必要表示事項を記載しなければなりません。ただし、広告スペースの制約で全ての表示が困難な場合、以下の条件を満たせば必要表示事項の一部を省略することができます（Ⅲ-15「特定商取引の広告」参照）。

・広告内に「請求により、これらの事項を記載した書面を遅滞なく交付し、又はこれらの事項を記録した電磁的記録を遅滞なく提供する旨の表示」をする場合。

　これらの注意点を守りながら、インターネットに誘導することが重要です。このほか、病院・医薬品関連や選挙広告などでもインターネット誘導の際に留意すべき事項がありますので、各ページをご参照ください。

（関連法規）
募集型企画旅行の表示に関する公正競争規約（旅行業公正取引協議会、令和6年9月9日変更認定）　第4条7号の2・第6条の2・3　職業安定法第5条の3　特定商取引法第11条

新聞広告に携わる人のために

第Ⅱ部

価格表示・景品類の提供に関する事項

(1) 二重価格表示

Q 通信販売などの広告で「アロエジュースを通常価格5,000円のところ特別価格3,500円で販売中」「希望小売価格10,000円のところ30％OFFの7,000円」などの表示を見かけます。このような表示に問題がありますか？

A 事実に基づいた表示であれば問題ありません。このような価格表示を「二重価格表示」といいます。「5,000円」と「10,000円」は「比較対照価格」となります。「比較対照価格」には「過去の販売価格」「希望小売価格」「競争事業者の販売価格」「将来の販売価格」「他の顧客向けの販売価格」などのケースがあります。

●

「二重価格表示」は、商品やサービスなどを提供する際、自己の販売価格に当該販売価格よりも高い別の価格を併記したり、値引き率を表示するものです。比較対照価格の内容が適正な表示が行われていない場合は消費者に当該販売価格が安いと誤認を与えてしまい、不当表示のおそれがあります。

(1) **比較対照価格の種類**

　以下では、消費者庁から出ているガイドラインの「不当な価格表示についての景品表示法上の考え方」に基づき、比較対照価格の種類に応じ、許容される表示を整理するとともに（①～⑤）、その他の表示も確認します（⑥～⑦）。また、①～⑤は同じ販売チャネルでの比較になります。

①過去の販売価格：当該小売業者が当該商品と同一の商品を最近相当期間にわたって販売していた事実がある場合、当該商品をその期間販売していた価格。ただし、次の3要件を満たした場合に限ります。

・比較対照価格で販売されていた全期間が直近8週間（未満ならばその間）において過半

・比較対照価格で販売されていた期間が通算2週間以上

・比較対照価格で販売されていた最後の日から2週間以上経過していない

　（例）「自店旧価格」「当店通常価格」「セール前価格」

②希望小売価格：当該商品について製造業者、卸売業者、輸入総代理店など小売業者以外の者が付した価格であって、あらかじめ公表され、当該販売価格が安いかどうか判断する際の参考情報と認められうる価格

　（例）「メーカー希望小売価格」

③競争事業者の販売価格：当該小売業者が、同一の商品について自分の販売している地域内で競争関係にある小売業者の相当数が最近時に販売している価格で正確に調査するとともに、当該競争小売事業者の名称を明示する必要があります。

　（例）「○○店販売価格」

④将来の販売価格：販売当初の時期における需要喚起等を目的に、将来の時点に

Ⅱ-1　安売り広告

(1) 二重価格表示

おける販売価格やセール終了後の販売価格。ただし、その価格での販売期間がごく短期間ではないことが求められます。季節ものを除いて2週間以上継続した場合はごく短期間であったとはならないという考え方を消費者庁は示しています。

　　（例）「セール後価格」

⑤他の顧客向けの販売価格：同一商品で顧客の条件（顧客の購入時期を含む）に応じて販売価格が安くなっている場合、その価格とその他顧客向けの高い販売価格

　　（例）「非会員価格と会員価格」「標準価格と○日限定価格」

⑥他媒体での販売価格：自社公式HPやカタログなど店舗以外で継続して販売している価格

　　（例）「弊社HP通常価格」

⑦その他：合理的な根拠がある場合のみ比較対照価格として表示できます。

　　（例）「標準価格」「一般価格」

(2) 不当表示のおそれがある二重価格表示

　比較対照価格に用いる価格については事実に基づいて正確かつ適切でなければなりません。比較対照される商品の範囲や顧客の条件、さらに比較対照価格がどのようなものか（たとえば自店旧価格なのか希望小売価格なのかの別）などが判断できるよう表示されていなければ、不当表示に該当するおそれがあります。消費者庁から出ているガイドラインの「不当な価格表示についての景品表示法上の考え方」には、比較対照価格として用いることができない販売価格についての一般則が例示も含めて説明されています。

　また業界によっては公正取引協議会が二重価格表示の制限・禁止条項を設けている場合があります。

①同一でない商品との二重価格表示：「ボリュームディスカウント」「増量割引」「セット販売」などの場合、同一の事業者が単品も組み合わせ商品も同時に販売していれば、両者の違いを正確に表記する必要があります。商品の同一性の判断には銘柄、品質、規格などから見て同一と見られるか否かによります。衣料品については、色やサイズの違いがあっても同一の商品と見ることができます。ただし、中古品、汚れ物、キズ物、旧型または旧式の物は同一とはいえません。なお、生鮮食料品については、工業製品よりも商品の同一性が認められる場合は少ないですが全く考えられないわけではありません。タイムサービスや閉店間際の売れ残り回避のための見切り販売などはそれまで売っていた商品そのものの価格を引き下げるものですので、商品の同一性は明らかです。

②サンプル品の二重価格表示：実際に販売しているサンプル品の二重価格表示は制限されることはありません。販売されていないサンプル品を正規品との容量換算等により算出した価格を比較対照価格とした二重価格表示は、通常その価格で購入できると一般消費者に誤認を与えるおそれがあるため下記の例示のように特別価格のみを表示することが望ましいとされています。基本的に比較対

(1) 二重価格表示

照価格に根拠があるかどうかが問われますが、比較対照価格があいまいな表示である場合は不当表示に該当するおそれがあります。
　（例）「商品A（60粒）5000円のサンプル品B（15粒）が今回特別価格500円」
③将来の販売価格との二重価格表示：セール期間終了後も表示された価格に引き上げない場合、または特段の事情がないにもかかわらずセール終了後ごく短期間しか表示された価格で販売しない場合は、不当表示に該当するおそれがあります。ただし、クリスマスケーキ、恵方巻、年越しそば、おせち料理などのいわゆる季節もの商品について、当該特定の期間等に販売される価格を比較対照価格として、割引価格に併記した二重価格表示を行い、割引価格で先行予約販売を行う場合は、通常、当該特定の期間等が2週間未満であっても有利誤認とされることはありません。

〈消費税の総額表示〉

2021（令和3）年4月1日から消費税を含めた総額表示が義務化されています。これは事業者が消費者に対して価格表示する場合で、事業者間の取引は総額表示義務とはなりません。よって「メーカー希望小売価格」などは直接消費者に対する表示ではないので総額表示の必要はありません。ただし、小売店において、製造業者等が表示した「希望小売価格」を自店の小売価格として販売している場合には、その価格が総額表示義務の対象となりますので、「希望小売価格」が「税抜価格」で表示されているときは小売店において「税込価格」を棚札などに表示する必要が生じます。
[税別100円、税込110円の場合]
　①110円
　②110円（税込み）
　③110円（本体価格100円）
　④110円（うち消費税額10円）
　⑤110円（本体価格100円、消費税額10円）
　⑥100円（税込み110円）

（関連法規）
景品表示法第5条　不当な価格表示についての景品表示法上の考え方（公正取引委員会：平成12年6月30日、消費者庁：平成28年4月1日改定）　消費税法63条　事業者が消費者に対して価格を表示する場合の価格表示に関する消費税法の考え方（財務省、令和3年1月7日）
（問い合わせ先）
消費者庁表示対策課　各公正取引協議会

(2) おとり広告

Q 「超廉売価格」と広告にあったので買いに行ったところ、「その商品は 2 個限りで売り切れました。代わりにこの商品をお薦めします」と言われました。こうした広告に問題はありませんか？

A それは「おとり広告」です。景品表示法では、販売数量の制限があるのにその旨の表示がなかったり、商品の準備がされていないのに掲載したりする広告を「おとり広告」として禁止しています。

●

(1)「おとり広告」となる背景

景品表示法第 5 条第 3 号の規定に基づく告示「おとり広告に関する表示」は、どのような実態が背景にあると「おとり広告」となるかについて、以下の 4 類型を挙げています。

① 取引を行うための準備がなされていない場合、その他実際には取引に応じることができない場合
② 供給量が著しく限定されているにもかかわらず、その限定の内容が明瞭に記載されていない場合
③ 供給期間、供給の相手方または顧客 1 人当たりの供給量が限定されているにもかかわらず、その限定の内容が明瞭に記載されていない場合
④ 合理的理由がないのに取引の成立を妨げる行為が行われる場合、その他実際には取引する意思がない場合

(2)「おとり広告に関する表示」等の運用基準

「おとり広告に関する表示」等の運用基準では、上記(1)の①～④に関する考え方が整理されています。加えて、それとは別に、広告、ビラ等の表示が優良誤認表示や有利誤認表示となる場合にも言及されています。

① 優良誤認表示
　(a) 実際に販売される商品が、キズ物、ハンパ物、中古品などであるにもかかわらず、その旨の表示がない場合
　(b) 新型の商品であるかのように表示されているにもかかわらず、実際に販売される商品が旧型品である場合
　(c) 実際に販売される商品が特売用のものであり、通常販売品と内容が異なるにもかかわらず、通常販売品であるかのように表示されている場合

② 有利誤認表示
　(a) 実際には値引き除外品または値引き率のより小さい商品があるにもかかわらず、その旨の明瞭な記載がなく、「全店 3 割引」「全商品 3 割引」「○○メーカー製品 3 割引」などと表示されている場合
　(b) 実際の販売価格が自店通常価格と変わらないにもかかわらず、自店通常価格より廉価で販売するかのように表示されている場合

(2) おとり広告

(c) 広告商品などの購入に際し、広告、ビラなどに表示された価格に加え、通常は費用を請求されない配送料、加工料などの付帯費用、容器・包装料、手数料などの支払いを要するにもかかわらず、その内容が明瞭に記載されていない場合
(d)「閉店」「倒産」などの特売を行う特別の理由または「直輸入」「直取引」など特に安い価格で販売することが可能となる理由が表示され、これらの理由により特に安い価格で販売するかのように表示しているにもかかわらず、実際には自店通常価格で販売を行っている場合

③不当な二重価格表示の場合（Ⅱ-1（1）「二重価格表示」参照）
④消費税、容器料など込みのメーカー希望小売価格などを比較対照価格とした二重価格表示において、当該店舗における販売価格が消費税、容器料など抜きで記載されている場合

〈景品表示法第5条　不当表示〉
景品表示法第5条は「不当な表示」を、①優良誤認表示（商品またはサービスの品質、規格その他の内容についての不当表示）、②有利誤認表示（商品またはサービスの価格、その他の取引条件についての不当表示）、③誤認されるおそれのある表示（商品またはサービスの取引に関する事項で、一般消費者に誤認されるおそれがあると認められ、内閣総理大臣が指定する表示）の三つに分類しています。「優良誤認」には「不当な比較広告」「素材や品質の不当表示」などが含まれ、「有利誤認」には「不当な二重価格」「根拠のない他社比較」などが含まれます。また、③には「無果汁の清涼飲料水等についての表示」「商品の原産国に関する不当な表示」「消費者信用の融資費用に関する不当な表示」「不動産のおとり広告に関する表示」「おとり広告に関する表示」「有料老人ホームに関する不当な表示」「一般消費者が事業者の表示であることを判別することが困難である表示」の7項目が指定されています。

(関連法規)
景品表示法第5条　不当な価格表示についての景品表示法上の考え方（公正取引委員会：平成12年6月30日、消費者庁：平成28年4月1日改定）　おとり広告に関する表示（昭和57年6月10日公正取引委員会告示第13号制定、平成5年公正取引委員会告示第17号）「おとり広告に関する表示」等の運用基準（平成5年4月28日公正取引委員会事務局長通達第6号、平成28年4月1日消費者庁長官決定変更）

(問い合わせ先)
消費者庁表示対策課　各公正取引協議会

Ⅱ-2 賞品・景品などを提供する広告

(1) 一般懸賞・共同懸賞・総付け景品

Q 「5,000円以上お買い上げの方に抽選で自転車が当たる」「○○商店街で年末大売り出し中。期間中に1,000円以上お買い上げの方に抽選でソウル旅行プレゼント」「10,000円以上お買い上げの方にもれなく2,000円相当の買い物券進呈」などの広告のチェックポイントを説明してください。

A それぞれ取引に付随した景品提供として最高額、総額の最高限度額が決められています。前二者は「一般懸賞」「共同懸賞」といわれ、懸賞による景品類の提供に当たります。後者は「総付け景品」といわれ、懸賞によらない景品類の提供です。

●

　公正取引委員会告示は「懸賞」について、①くじその他偶然性を利用して当選者を定める方法、②特定の行為の優劣または正誤によって当選者を定める方法によって景品類の提供の相手方または提供する景品類の価額を定めること——としており、それ以外の方法によるものは景品表示法でいう「懸賞」には当たりません。また、「景品類」とは、およそ「経済上の利益」の全てを指しますが、以下の(5)に述べるような「経済上の利益」は景品表示法でいう「景品類」には当たりません。あくまで業種や商慣習によるため事例ごとの検討が必要です。医薬品は「医薬品等適正広告基準」で景品類にすることが禁止されています。

　商品・サービスの購入者または入店者（取引に付随）を対象とした懸賞による景品類の提供は、個々の店舗が行う「一般懸賞」と、商店街などが共同で年末大売り出しなど時期を限って行う「共同懸賞」に分けられます。「総付け景品」は商品購入者または入店者の全員もしくは先着順に景品類を提供するものです。これらは「不当な顧客の誘引の防止」を目的として、一般懸賞、共同懸賞が景品表示法の「懸賞景品告示」で、総付け景品は「一般消費者告示」で規制されています。

　取引に付随しない懸賞は「オープン懸賞」と呼ばれています（Ⅱ-2（2）「オープン懸賞」参照）。

(1) 一般懸賞・共同懸賞・総付け景品の「景品類」の最高額、総額の最高限度

区　分	取引価格	最　高　額	総額の最高限度額
一　般　懸　賞	5000円未満	取引価格の20倍	売上予定総額の2％
	5000円以上	10万円	
共　同　懸　賞	——	30万円	売上予定総額の3％
総付け景品	1000円未満	200円	——
	1000円以上	取引価格の10分の2	

※ただし、新聞業（Ⅱ-2（4）「新開業の景品規制」参照）、雑誌業、出版物小売業、不動産業、医療用医薬品製造販売業、医療用医薬品卸売業、医療機器業、衛生検査所業などは各業界の公正競争規約で景品類の最高額、提供方法などを

告示より低く決めていますので、注意してください。
※全国公正取引協議会連合会のホームページで各業界の規約が確認できます。

(2)「取引の価額」の算定について
　①購入額に応じて景品類を提供する場合は、購入額を「取引の価額」とします。
　②購入額の多少を問わないで景品類を提供する場合の「取引の価額」は、原則として100円とします。ただし、当該店舗において通常行われる取引価額のうち、最低のものが100円を超えると認められるときは、最低のものを「取引の価額」とすることができます。
　③購入を条件とせずに、入店者に対して景品類を提供する場合の「取引の価額」は、原則として100円とします。ただし、当該店舗において通常行われる取引価額のうち、最低のものが100円を超えると認められるときは、最低のものを「取引の価額」とすることができます。この場合、特定の種類の商品などについてダイレクトメールを送り、それに応じて来店した顧客に対してだけ「景品類の提供」を行う場合は、その特定種類の商品等の価額を「取引の価額」とします。

(3)「景品類の価額」の算定について
　①景品類と同じものが市販されている場合は、景品類の提供を受ける者が、それを通常購入するときの価格によります。
　②景品類と同じものが市販されていない場合は、景品類を提供する者がそれを入手した価格、類似品の市価などを勘案して、景品類の提供を受ける者が、それを通常購入することとしたときの価格を算定し、その価格によります。
　③海外旅行への招待または優待を景品類として提供する場合の価額の算定も①、②によります。

(4)「懸賞」とみなされる方法
　①くじその他偶然性を利用して定める方法
　　(a)抽選券を用いる方法
　　(b)レシート、商品の容器・包装などを抽選券として用いる方法
　　(c)商品のうち、一部のものにのみ景品類を添付し、購入の際には消費者がいずれに添付されているかを判別できないようにしておく方法
　　(d)すべての商品に景品類を添付するが、その価額に差などがあり、購入の際には消費者がその価額を判別できないようにしておく方法
　　(e)いわゆる宝探し、じゃんけんなどによる方法
　②特定の行為の優劣または正誤によって定める方法
　　(a)応募の際、一般に明らかでない事項について予想を募集し、その回答の優劣または正誤によって定める方法
　　(b)キャッチフレーズ、写真、商品の改良の工夫などを募集し、その優劣によって定める方法
　　(c)パズル、クイズなどの解答を募集し、その正誤によって定める方法
　　(d)ボウリング、魚釣り、○○コンテストその他の競技、演技または遊技などの

(1) 一般懸賞・共同懸賞・総付け景品

優劣によって定める方法

(5)「景品類」に当たらない場合

① 「自己の供給する商品等の取引」とは認められない場合
　(a)自己が商品等の供給を一方的に受ける取引
　　（例）雇用契約（採用した従業員へのお祝い金の提供）
　(b)自己の供給する原材料甲で製造された商品乙の取引は、製造工程で原材料が変質し、別種の商品となった場合は原材料供給業者の取引に当たりません。ただし、商品乙の原材料が甲であると需要者に認識されている場合は、原材料供給業者にとっても取引に当たります。
　　（例）コーラ飲料の原液の供給業者が、その原液を使用した瓶詰めコーラ飲料について景品類の提供を行う場合

② 「取引付随」と認められない場合
　(a)正常な商慣習に照らして取引の本来の内容をなすと認められる経済上の利益
　　（例）喫茶店のコーヒーに添えられる砂糖・クリーム
　(b)2以上の商品などが提供される場合であっても次の3種のうちいずれかに該当する場合。ただし、懸賞により提供する場合を除く
　・商品などを2以上組み合わせて販売していることが明らかな場合
　　（例）「ハンバーガーとドリンクをセットで○○円」
　・商品などを2以上組み合わせて販売することが商慣習となっている場合
　　（例）乗用車とスペアタイヤ
　・商品などが2以上組み合わされたことにより独自の機能、効用を持つ一つの商品などになっている場合
　　（例）パック旅行
　(c)オープン懸賞の応募者の中にたまたま当該事業者の供給する商品などの購入者が含まれるとき
　(d)自己の供給する商品などの購入者を紹介してくれた人に対する謝礼。ただし、紹介者を当該商品などの購入者に限定する場合を除く

③ 「物品、金銭その他の経済上の利益」とは認められない場合
　(a)提供される者から見て経済的対価を支払って取得すると認められないもの
　　（例）表彰盾
　(b)仕事の報酬などと認められる金品の提供
　　（例）企業がその商品の購入者の中から応募したモニターに対して支払うその仕事に相応する報酬

④ 正常な商慣習に照らして値引きと認められる経済上の利益
　(a)取引の相手方に対し、支払うべき対価を減額すること。複数回の取引を条件とする場合を含む
　　（例）「○個以上買う方には、○○円引き」
　(b)取引の相手方に対し、支払った代金について割り戻し（キャッシュバック）をすること。複数回の取引を条件とする場合を含む

(例)「レシート合計金額の○%割り戻し（キャッシュバック）」
(c) 商品などの購入者に対し、同じ対価で、それと同一の商品などを付加して提供すること。実質的に同一の商品などを付加して提供する場合及び複数回の取引を条件として付加して提供する場合を含む
(例)「コーヒー5回飲んだらコーヒー1杯分無料券をサービス」。
※ただし、「コーヒー5回飲んだらジュース1杯分無料券をサービス」は、「コーヒー」と「ジュース」が異なる商品のため、景品類の提供になります。

ただし、値引きに相当するものでも（4）の方法をとった場合や、広告表示に「プレゼント」などを表記した場合、景品類と見なされます。また、同一の企画内に割り戻し（○万円キャッシュバック）と景品類の提供（抽選で○万円プレゼント）を同時に行った場合、景品類の提供と見なされます。

⑤正常な商慣習に照らしてアフターサービスや当該取引に係る商品などに付属すると認められる経済上の利益。当該商品などの特徴、そのサービス内容、必要性、当該取引の約定、その経済上の利益の内容などを勘案し、公正な競争秩序の観点から判断します。

⑥景品類に当たるが「総付け景品」規制が適用されない場合
(a) 商品の販売や使用、役務の提供のために必要な物品またはサービスであって、正常な商慣習に照らして適当と認められるもの
(例) 重量家具の配送サービス、ポータブルラジオの電池
(b) 見本その他宣伝用の物品またはサービスであって、正常な商慣習に照らして適当と認められるもの
(例) 食品や日用品の小型の見本・試供品、化粧品売場におけるメーキャップサービス
(c) 自己の供給する商品などの取引において用いられる割引券その他割引を約する証票であって、正常な商慣習に照らして適当と認められるもの。「証票」には、金額を示して取引の対価の支払いに充当される金額証（特定の商品などと引き換えることにしか用いることのできないものを除く）ならびに自己の供給する商品などの取引及び他の事業者の供給する商品などの取引において共通して用いられるものであって、同額の割引を約する証票を含む
(d) 開店披露、創業記念などの行事に際して提供する物品またはサービスであって、正常な商慣習に照らして適当と認められるもの

(6) 共同懸賞の要件
商店街などが行う「共同懸賞」は、以下の3要件のいずれかに該当することが必要です。
①一定の地域における小売業者などの相当多数が共同して行う場合
②一の商店街に属する小売業者などの相当多数が共同して行う場合。ただし、中元、年末などの時期において、年3回を限度とし、かつ、年間通算して70日の期間内で行う場合に限る
③一定の地域において一定の種類の事業を行う事業者の相当多数が共同して行う

(1) 一般懸賞・共同懸賞・総付け景品

場合

(7) **同一の取引に付随して2以上の景品類の提供が行われる場合**

同一の取引に付随して2以上の景品類の提供が行われる場合の最高額は以下の規定によります。なお、ここでいう「2以上の景品類の提供」とは、「懸賞と懸賞」または「総付け景品と総付け景品」が重複した場合を指しますから、同時に懸賞と総付け景品が行われていても、それらの額は加算されません。

① 同一の事業者が行う場合は、別の企画によるときであっても、これらを合算した額の景品類を提供したことになります。

② 他の事業者と共同で行う場合は、別の企画であっても、共同した事業者が、それぞれ、これらを合算した額の景品類を提供したことになります。

③ 他の事業者と共同しないで景品類を追加した場合は、追加した事業者が、これらを合算した額の景品類を提供したことになります。

④ 懸賞にかかる一の取引について、同一の企画で数回の景品類獲得の機会を与える場合であっても、その取引について定められている制限額を超えて景品類を提供してはなりません。

(関連法規) 景品表示法第2条・第3条 不当景品類及び不当表示防止法第二条の規定により景品類及び表示を指定する件（昭和37年6月30日公正取引委員会告示第3号、平成21年8月28日公正取引委員会告示第13号） 景品類の価額の算定基準について（昭和53年11月30日公正取引委員会事務局長通達第9号） 景品類等の指定の告示の運用基準について（昭和52年4月1日公正取引委員会事務局長通達第7号、令和6年4月18日消費者庁長官決定） 懸賞による景品類の提供に関する事項の制限（昭和52年3月1日公正取引委員会告示第3号、平成8年2月16日公正取引委員会告示第1号） 同の運用基準（平成24年消費者庁長官通達第1号） 一般消費者に対する景品類の提供に関する事項の制限（昭和52年3月1日公正取引委員会告示第5号、平成28年4月1日内閣府告示第123号） 同の運用基準について（昭和52年4月1日公正取引委員会事務局長通達第6号、平成8年2月16日公正取引委員会事務局長通達第1号） 医薬品等適正広告基準第4（基準）11

(問い合わせ先) 消費者庁表示対策課

(参考図書) 『景品表示法関係法令集』（全国公正取引協議会連合会、2022年）

(2) オープン懸賞

Q 「創業50周年記念。郵便はがきにクイズの答えを記入してお送りください。抽選で2名様に1,000万円を差し上げます」という新聞広告の申し込みがありましたが、これも「懸賞」でしょうか？

A 懸賞です。ただし、一般懸賞、共同懸賞と異なり、店舗に出向いたり、商品を購入しなくても新聞広告を見ただけで応募できます。応募の条件が開かれているため「オープン懸賞」といわれます。

●

　消費者を対象としたオープン懸賞は、応募者が商品を購入したり入店を条件としない（取引に付随しない）で、新聞、テレビなどの懸賞告知広告を見ただけで、郵便はがき、電話、ファクス、インターネットで応募し、その結果も取引を条件とすることなく分かるものです。

　「一般懸賞・共同懸賞」「総付け景品」は、商品を購入するか入店（取引に付随）すれば応募できますから「広告」は必ずしも必要はないのに対し、「オープン懸賞」は、広く告知しなければ成立しませんから「広告」は必要条件となります。

(1) オープン懸賞について

　オープン懸賞を規定した「オープン懸賞告示」、「オープン懸賞告示運用基準」は廃止されましたが、オープン懸賞の考え方による懸賞は現在も行われています。それを理解していただくため、廃止前の規定を紹介します。

①オープン懸賞とは：オープン懸賞は、次の行為を求め、くじの方法またはその内容の正誤もしくは優劣により選びます。
　(a)当該事業者の定める様式により氏名、住所、職業などを回答すること
　(b)応募の際、一般には明らかでない事実についての予想もしくは推測の募集に応ずること
　(c)趣味、娯楽、教養などに関する問題の回答の募集に応ずること
　(d)キャッチフレーズ、商品名、感想文などの募集に応ずること
　(e)演技その他特定の行為をすること

②オープン懸賞に当たらないもの
　(a)高度の知識、技能などを必要とする論文、小説、図案などの精神的労作であって、消費者が容易に応募することができないものを募集し、その内容の優劣により特定の者を選ぶものであること
　(b)提供する経済上の利益は、当該精神的労作に対する対価ないし褒賞として社会的通念上妥当と認められる範囲内のものであること
　(c)当該精神的労作の内容の優劣判定は、社会的に信用のある機関、学者、評論家、芸術家などが行うものであること

(2) 注意事項

　次のような場合は取引付随性があり、オープン懸賞とは認められず、一般懸賞

(2) オープン懸賞

または共同懸賞になります。

① 商品などを購入することにより、経済上の利益の提供を受けることが可能または容易になる場合

　　（例）商品を購入しなければ解答やそのヒントが分からない場合、または商品のラベルの模様を模写させるなどのクイズを新聞広告に出題し、解答者に対して提供する場合

② 次のような自己と特定の関連がある小売業者またはサービス業者の店舗への入店者に対し提供する場合

　(a) 自己が資本の過半を拠出している小売業者またはサービス業者
　(b) 自己とフランチャイズ契約を締結しているフランチャイジー
　(c) その小売業者またはサービス業者の店舗への入店者の大部分が、自己の供給する商品などの取引の相手方であると認められる場合

　　（例）元売業者と系列ガソリンスタンド

③ 当選者発表を店舗内だけで行う場合

④ 当選者に店舗まで賞品を取りに来てもらうことは、原則として問題ないが、応募者のほとんどを当選者とし、取りに来させる場合

（関連法規）
独占禁止法第19条　不公正な取引方法（昭和57年6月18日公正取引委員会告示第15号、平成21年10月28日公正取引委員会告示第18号）　広告においてくじの方法等による経済上の利益の提供を申し出る場合の不公正な取引方法の廃止について（平成18年4月27日公正取引委員会告示第9号）

（問い合わせ先）
消費者庁表示対策課

（参考図書）
公正取引委員会事務総局編『独占禁止法関係法令集』（公正取引協会、2021年）

(3) クーポン付き広告

Q クーポン付き広告の審査では、どのようなところに留意すべきでしょうか？

A クーポン付き広告とは新聞紙面や折り込み広告上で、クーポン券という経済上の利益を刷り込み提供を企図する広告です。新聞の取引に付随しないことが前提で、表示や提供の仕方によっては景品類に該当し、規約の制限を受ける場合があるので注意が必要です。

●

　クーポン券とは「自己の供給する商品または役務の割引を約する証票、見本等の無料提供を約する証票」で、割引券、見本（等）請求券、資料請求券の3種類です。
　主なクーポン付き広告のルールは以下の通りです。

(1) 体裁・形状

　クーポン付き広告はクーポン券の部分を切り取って使用するものです。「掲載紙全体を提示すること」や「広告全体を提示すること」、「掲載紙名を告知すること」を割引や商品引き換えの条件にすれば、掲載した新聞との取引付随性が問われることになります。そのため、切り取って使用することが読者に理解されるようにしておくことが必要です。紙面に掲載されたクーポン部分のみをスマートフォン等で撮影し、その画像を提示しても問題ありません。

(2) 記載事項

　新聞公正競争規約施行規則5条ではクーポン付き広告の具体的な要件は示していませんが、読者が見て分かりやすいように伝える必要があります。以下のような券面表示を参考にしてください。

・広告主または実施店舗名および住所
・対象商品名または役務の内容
・割引の額または割引の率
・割引のもととなる金額
・数量、重量および形状等
・クーポン券の使用有効期限

(3) 景品類に該当するケース

　広告主など新聞事業者以外によるクーポン付き広告は、独占禁止法、景品表示法の範囲内であれば原則自由ですが、以下の場合は新聞の取引に付随した景品類に該当し公正競争規約の制限を受けます。

・割引券ではなく無料券
・商品を特定せず利用できる「〇〇円券」
・新聞社が企画に参加していると想起させるような表示

(4) 新聞の取引付随性

　新聞の取引付随性については十分に注意しましょう。切り取り線がなく広告全

Ⅱ-2　賞品・景品などを提供する広告

(3) クーポン付き広告

体を切り抜くようにしたり、クーポン付き広告を一面に掲載、または中面に掲載の場合でも誘導広告を一面で掲載する場合などは、新聞の購読誘引とみなされる恐れがあります。

新聞事業者のクーポン付き広告では、内容によっては景品類提供に当たることがありますので、新聞公正競争規約の範囲を超えないよう留意しなければなりません。

規約に抵触するかどうか不明な場合は、新聞公正取引協議委員会に問い合わせをするなど、慎重に審査をする必要があります。

(5) その他

広告主の店舗へ持参すれば福引等に参加できる抽選券はクーポン券には該当せず、新聞の取引に付随した景品類となるので注意が必要です。

クーポン券上に先着表示は可能ですが、表示どおりの運用とする必要があります。

〈買い取り査定額アップのクーポン付き広告〉

消費者庁は2024（令和6）年4月、景品表示法の運用基準を改正しました。これまで事業者による物品等の買い取りは景品表示法の対象外でしたが、査定や鑑定を伴った買い取りを「自己の供給する商品又は役務の取引」に当たるとして同法の規制対象としました。運用基準改正を受けて新聞公正取引協議委員会は以下の見解を周知しています。

〇買い取り査定額の上乗せを約するクーポン付き広告は、規約におけるクーポン付き広告の趣旨には反しない（割引券と同等である）と考えられる。

〇同クーポンを広告掲載したことで不測の消費者トラブル等が起こる可能性がある一方で、当該買い取りが景品表示法の規制対象となるか否かは、個別事情を踏まえ判断される。

〇運用開始前の慎重な検討が必要であり、現時点ではクーポン券の種類と範囲についての考え方は変更しない。

（関連法規）　景品表示法第4条　新聞業における景品類の提供の制限に関する公正競争規約（平成10年8月31日公正取引委員会告示第17号、平成21年8月31日公正取引委員会告示第17号）　同施行規則（令和2年）第5条　景品類等の指定の告示の運用基準について（昭和52年4月1日公正取引委員会事務局長通達第7号、令和6年4月18日消費者庁長官決定）

（問い合わせ先）　日本新聞協会経営業務部

（参考図書）　新聞公正取引協議委員会『わかりやすい新聞販売の諸規則（改訂5版）』（同、2024年）

Ⅱ-2　賞品・景品などを提供する広告

(4) 新聞業の景品規制

Q 新聞事業者が消費者に景品類を提供することはできますか？

A できます。ただし、新聞購読に伴う（取引に付随する）「一般懸賞」「共同懸賞」「総付け景品」については新聞業における公正競争規約により一般の額よりも低く定められています。

　新聞事業者が消費者に景品類を提供することは認められていますが、新聞公正競争規約により一般ルールとは異なる額の制限がありますので注意してください。また、販売所は発行本社の関与なしに単独で懸賞を実施することはできません。新聞事業者が取引に付随して提供できる景品類の最高額および総額については以下の通りです。なお、新聞業における取引価額とは1部売り定価、または月決め購読料を指します。

(1) **新聞業における一般懸賞・共同懸賞・総付け景品の「景品類」の最高額、総額の最高限度額**

区　　分	取引価格	最　高　額	総額の最高限度額
一　般　懸　賞	5000円未満	取引価額の10倍	売上予定総額の0.7％
	5000円以上	5万円	
共　同　懸　賞	――――	30万円	売上予定総額の3％
総　付　け　景　品		取引価額の8％または6か月分の購読料金の8％のいずれか低い金額	――――

(2) **新聞販売店が共同懸賞を行う場合の最高額**
　一定の地域内または商店街で、小売業者が行う共同懸賞に販売所が参加する場合、または一定の地域内で新聞社が共同懸賞を行う場合は、上記のように一般ルールの最高額、総額と同じです。ただし、販売所のみが共同懸賞を行う場合は、最高額は15万円まで、総額は売上予定総額の1.5％という制限があります。

(3) **編集企画の場合の最高額**
　新聞社が、その新聞の編集に関連してアンケート、クイズなどの回答、将来の予想などの募集を行い、その対象者を自己の発行する新聞購読者に限定しないで懸賞により景品類を提供する場合のいわゆる「編集企画」の場合は、上記とは別に3万円が限度となっています。

〈新聞業における景品類の提供の制限に関する公正競争規約とは〉
　新聞公正競争規約は、新聞業において、どのようなものが「景品類」か、どのような行為が「景品類の提供の制限」に当たるのかを明らかにし、これを守るため、

(4) 新聞業の景品規制

新聞事業者(新聞社および新聞販売業者)が必要なことを定めた自主規制で、公正取引委員会と消費者庁の認定を受け、告示されています。新聞業界では、新聞公正取引協議会(新聞公取協)をつくり、その仕事を定めています。

(関連法規)
新聞業における景品類の提供に関する事項の制限(昭和39年10月9日公正取引委員会告示第15号、平成12年8月15日公正取引委員会告示第29号)新聞業における景品類の提供の制限に関する公正競争規約(平成10年8月31日公正取引委員会告示第17号、平成21年8月31日公正取引委員会告示第17号) 同施行規則(令和2年)

(問い合わせ先)
日本新聞協会経営業務部　各地区または支部新聞公正取引協議会事務局

新聞広告に携わる人のために

第Ⅲ部

広告の種類・広告主の業種ごとの注意事項

Ⅲ−1　割賦販売関係

(1) 割賦販売の必要表示事項

Q 一般的には月賦とかクレジットといわれている割賦販売ですが、割賦販売の広告はどのような法律の規制を受けるのでしょうか？

A 割賦販売法です。この法律は、購入者などの利益を保護し、商品の流通や役務の提供をスムーズにすることを目的としており、商品は先渡しを原則としています。販売条件などの表示事項も定められています

●

　割賦販売法は、いろいろな形態のクレジットを規制の対象としていますが、新聞広告に見られるシステムの多くは個々の取引ごとに個別の契約を結ぶ「個品方式」のもので、ここでは「個品方式」の割賦販売を中心に説明します。
　割賦販売法は、割賦販売（自社割賦）を「購入者から代金を2か月以上の期間にわたり、かつ3回以上に分割して受領することを条件にして『指定商品』『指定権利』『指定役務』を販売または提供すること」としています。
　「指定商品」「指定権利」「指定役務」については、同法の施行令に明記されており、動植物、食品（健康食品を除く）以外の大部分の商品はこの中に含まれていると考えて差し支えありません。なお、「指定商品」「指定権利」「指定役務」に含まれていないものでも、それらが割賦販売される場合は、消費者保護の観点から同法に準じてチェックしたほうがよいでしょう。
　割賦販売（自社割賦）の販売条件について広告する場合の必要表示事項は次の通りです。
　①広告主名、所在地または電話番号
　②現金販売価格
　③割賦販売価格
　④支払期間・支払回数
　⑤割賦手数料の料率（実質年率で少なくとも0.1％の単位まで表示。割賦手数料が2,500円未満のときは、表示しなくても構いません。また「前払式割賦販売」の場合は不要です）
　⑥「前払式割賦販売」の場合（次ページ参照）は、商品の引き渡し時期
　頭金（初回金）、各回の支払い金（賦払金）、解約条件なども明記してあれば、一層親切な広告となります。なお、単に割賦販売を扱う旨のみの広告であれば、上記の必要表示事項を表示する必要はありません。

（関連法規）　割賦販売法第2条第1項・第3条　同施行令第1条第1項～第3項　同施行規則第1条～第4条
（問い合わせ先）　経済産業省商務情報政策局商務流通保安グループ商取引・消費経済政策課　商取引監督課各地方経済産業局　沖縄総合事務局経済産業部　消費者庁取引対策課　日本クレジット協会

(2) 前払式割賦販売・前払式特定取引

Q 商品の引き渡し前に代金の全部または一部を分割払いする「前払式割賦販売広告」はどんな業者でもできるのでしょうか？ また商品やサービスの購入に先だって、例えば毎月一定額の会費を支払うデパートや専門店の「友の会」や「冠婚葬祭互助会」のような広告では、どのような点に気をつければよいのでしょうか？

A どちらも経済産業大臣の許可を受けた業者だけです。従って、広告主が許可を得ている業者かどうか確認しましょう。後者は「前払式特定取引」に該当するでしょう。商品売買の取り次ぎや指定役務の提供を取り次ぐ取引で、商品などの引き渡しに先立って購入者から代金を2か月以上の期間にわたり、かつ3回以上に分割して受領することをいいます。

●

　前払式割賦販売は、「指定商品を引き渡すに先立って、購入者から2回以上にわたり、その代金の全部または一部を受領する割賦販売」と定義されており、購入者が月掛けなどで積み立てた額が、代金の全部またはあらかじめ決められた一定額に達した後に指定商品を渡す方式です。

　この方式は一般的に、購入者は高額商品を代金後払い式よりも安く買える利点がありますが、場合によっては、積立金を受け取った業者が商品を渡さないということも考えられます。そこで「割賦販売法」では、経済産業大臣の許可を得た業者でなければ前払い式割賦販売は行えないとしており、業者に対しては購入者の損害を保全するため、営業保証金の供託や前受け金の保全措置を求めています。前払式割賦販売の販売条件についての広告表示としては、商品先渡し式の場合の表示事項に加え、「商品の引き渡し時期」の表示が必要です。

　前払式特定取引は、前払い金を受け取った業者自身が商品やサービスを利用者に提供するのではないという点が、前者の前払式割賦販売と異なります。なお、特に広告表示の規制はありません。

(関連法規)
割賦販売法第2条第6項・第11条・第12条・第15条～第18条の5・第35条の3の61
同施行令第1条第4項・第4条・第5条

(問い合わせ先)
経済産業省商務・サービスグループ商取引監督課　各地方経済産業局　沖縄総合事務局経済産業部　消費者庁取引対策課　日本クレジット協会　全日本冠婚葬祭互助協会

(3) ローン提携販売

Q 「ローン提携販売」の広告は、どのような点に注意すればよいのでしょうか？

A この取引も割賦販売法の規制対象となっています。販売条件などのチェックが必要です。「ローン提携販売」は、購入者がメーカーや販売業者の保証のもとに金融機関から融資を受けて指定商品や指定権利を購入、または指定役務の提供を受け、その後、購入者が金融機関に借入金を2か月以上の期間にわたって、かつ3回以上に分割して返済する方法です。広告で販売条件に触れる場合、必要表示事項をチェックしましょう。

●

　自動車・家電などの各業界で、さまざまな商品が「ローン提携販売」方式によって販売されています。
　ローン提携販売の販売条件について広告する場合の必要表示事項は次の通りです。
①広告主名、所在地または電話番号
②借入金の返還（利息の支払いを含む）の期間および回数
③借入金の利息、その他の手数料の料率（実質年率で少なくとも0.1%の単位まで表示）
④支払総額の具体的算定例
⑤極度額について定めがあるときは、その金額
⑥カード等の利用に関する特約があるときは、その内容
　なお、頭金の額や解約条件なども明記することが望ましいでしょう。

〈ローン提携販売の仕組み〉

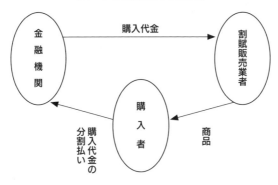

（関連法規）　割賦販売法第2条第2項・第29条の2　同施行規則第27条～第29条

(4) 信用購入あっせん

Q ある信販会社から、「消費者向けのクレジットカードを発行したので、PRしたい」と相談を受けました。このようなシステムではどのような点に注意すればよいのでしょうか？

A 商品などの購入に際し、クレジット会社のように販売者と購入者の間に入り、代金支払いを代行することを「信用購入あっせん」といいます。クレジットカードなどを利用し、一定金額の範囲内で包括的に与信を与えるものを「包括信用購入あっせん」、クレジットカードなどを使用せず、商品などの購入ごとに与信を与えるものを「個別信用購入あっせん」といいます。必要表示事項をそれぞれチェックしましょう。

●

　信用購入あっせんとは「購入者から代金を2か月を超える期間にわたって受領することを条件にして『商品』『指定権利』『役務』を販売または提供すること」をいいます。ここではクレジットカードを使用する「包括信用購入あっせん」の取引条件について広告する場合の必要表示事項を取り上げます。
　①広告主名、所在地または電話番号
　②商品などの代金・対価（包括信用購入あっせんの手数料を含む）の支払期間および支払回数
　③包括信用購入あっせんの手数料の料率
　④支払総額の具体的算定例
　⑤極度額について定めがあるときは、その金額
　⑥カードなどの利用に関する特約があるときは、その内容
　また、後払い決済サービス事業者を介してクレジットカードを使わない後払いもあります。利用時から実際に代金を支払うまでの期間が2か月以内の場合、割賦販売法の規制を受けません（ただし、これらの業者もクレジットカードを利用する場合は割賦販売法に基づくクレジットカード情報の管理義務の規制を受けます）。そのためクレジットカードビジネスに比べ、参入障壁が低く、問題のある販売事業者でも後払いが利用できる可能性があります。消費者トラブルにつながるケースもあり、注意が必要です。
　なお、割賦販売法の改正に伴い2021（令和3）年4月より「登録少額包括信用購入あっせん業者」が新設されました。これは極度額10万円以下の範囲内で包括信用購入あっせん業を営むことができる事業者です。少額の範囲であることに伴い参入規制等が一部緩和されています。同改正では、「認定包括信用購入あっせん業者」の新設や書面交付の電子化などの内容が盛り込まれています。

（関連法規）　割賦販売法第2条第3項～第4項・第30条の4・第31条　同施行規則第36条～第38条

(5) 使用義務のある用語と使用文字の大きさ

Ⅲ－1　割賦販売関係

Q 割賦販売やローン提携販売などの取引条件について広告をする場合、使用する用語に決まりはありますか？

A 「割賦販売法」で定義とともに使用すべき用語が定められています。また、あわせて文字・数字の大きさも定められています。

　定められた用語使用の義務づけは、紛らわしい表示を野放しにしておくことによって生ずる消費者の誤認を防ぐことが目的です。それらの用語を形態別にまとめると、次の表のようになります。

　書面により広告を行う場合、これらについては8ポイント以上の大きさの文字および数字を用いることになっています。

　なお、割賦販売の手数料などの料率は（実質年率）は、割賦販売法に定められた算出方法より計算された料率で、年利建てで少なくとも0.1％の単位まで表示することとなっています。実質年率を併記する形をとっても、アド・オン率は表示できません。

割　賦　販　売	ローン提携販売	包括信用購入あっせん	個別信用購入あっせん
現金販売価格	現金販売価格	現金販売価格	現金販売価格
現金提供価格	現金提供価格	現金提供価格	現金提供価格
現金価格	現金価格	現金価格	現金価格
割賦販売価格	返済総額	支払総額	支払総額
割賦提供価格	頭金	頭金	頭金
割賦価格	申込金	申込金	申込金
分割払価格			
月賦価格	返還期間	支払期間	支払期間
前払式割賦販売価格	返還回数	支払回数	支払回数
予約積立価格	返済回数	分割回数	分割回数
月掛予約価格	融資手数料	包括信用購入あっせんの手数料	個別信用購入あっせんの手数料
		分割払手数料	分割払手数料
頭金	実質年率	実質年率	実質年率
初回金			
申込金	分割返済金	支払分	支払分
	分割返済額	分割支払額	分割支払額
		分割支払金	分割支払金
支払期間	弁済金	弁済金	
支払回数			
分割回数			

Ⅲ-1　割賦販売関係

(5) 使用義務のある用語と使用文字の大きさ

割賦手数料 分割払手数料 実質年率 賦払金 分割払金 月掛金 弁済金			

(関連法規)
割賦販売法第 3 条・第29条の 2・第30条・第35条の 3 の 2
同施行規則第 1 条〜第 4 条・第27条〜第29条・第36条〜第38条・第69条〜第70条

(1) 求人広告で望まれる表示事項

Q 職業安定法施行規則が改正され、2024（令和6）年4月から労働者の募集時等に明示すべき事項が追加されました。どのようなところに留意して審査すればよろしいでしょうか？

A 求人企業・職業紹介事業者等が労働者の募集を行う場合は、募集する労働者の労働条件を明示することが必要です。新たに追加されたのは、従事すべき業務の変更の範囲、就業の場所の変更の範囲、有期労働契約を更新する場合の基準に関する事項です。
また、昨今インターネットで犯罪実行者の募集が行われる、いわゆる「闇バイト」の事案がみられることから、通常の労働者募集と誤解を生じさせないよう必要事項を表示してください。

●

　労働基準法や職業安定法などには、求人に当たっては「労働条件を明示しなければならない」と定められています。求人広告でも、これらの法の趣旨に基づいて、以下のような事項を正確に表示することが望ましいでしょう。
　①求人者（雇用主）の名称・所在地ならびに電話番号
　②当該企業の業種と求職者が就業する職種または仕事の内容（営業・非営業など）
　③応募資格（学歴・職歴・経験など）
　④勤務条件（労働時間・特殊な時間帯勤務の場合はその旨・交通費負担の有無・社会保険の有無・就業地が所在地〈本社〉と異なるときはその就業地など）
　⑤給与（賃金）及びその内容（固定給・歩合給・手当・日給・時給などの別）
　⑥雇用関係（正社員・契約社員・パート社員・アルバイト社員などの別）
　⑦応募方法
　以上の各項目の表示があいまいだと、雇用契約の内容をめぐって、就業後、応募者と求人企業との間でトラブルが起こるおそれがあります。応募者がこれから自分が働こうとしている職場を正しく理解できるかどうかをチェックしましょう。例外事由を除き（Ⅲ-2（7）「男女雇用機会均等について」、（9）「その他の注意事項」参照）、労働者の募集・採用時における年齢制限、性別による区別はできません。
　また、職業安定法施行規則改正に伴い、2024（令和6）年4月から労働者の募集時や職業紹介を行う場合等に①従事すべき業務の変更の範囲、②就業の場所の変更の範囲、③有期労働契約を更新する場合の基準（通算契約期間または更新回数の上限を含む）──についても明示することが必要となります。
　昨今、インターネットでいわゆる「闇バイト」といった犯罪実行者の募集が行われる事案がみられ、その中には通常の労働者募集と誤解を生じさせるような広告等も見受けられます。誤解が生じないよう、①募集主の氏名（または名称）、②住所、③連絡先（電話番号等）、④業務内容、⑤就業場所、⑥賃金──は必ず表示してください。

(1) 求人広告で望まれる表示事項

（関連法規）
労働基準法第15条　同施行規則第5条　職業安定法第5条の3・4・第42条・第63条の2　同施行規則第4条の2　職業安定法第5条の4第1項で求めている内容について（令和6年12月18日職需1218第1号）　職業安定法第63条第2号に規定する公衆道徳上有害な業務、又は違法・有害と疑われる事案への対応について（令和7年2月17日職発0217第5号）　労働施策総合推進法第9条　男女雇用機会均等法第5条

(2) 業種・職種の表示

Q 求人者側の業種や職種、または仕事の内容については、何が注意点でしょうか？

A 具体的な表示が必要です。問題なのは、業種や職種をはっきり表示しなかったり、不明確な外来語などを用いて応募者に誤認を与えたりすることです。採用後、どんな仕事に従事するか、応募者側にはっきり分かるよう表示することが必要です。

●

　業種については、求人者側の名称（社名・団体名など）だけでその業種を理解できる場合は、特に明記しなくても差し支えありません。しかし、名称だけでは業種が分からない場合（例えば「○○産業」「△△屋」など）は、業種が明示されていないと、応募者に不親切であるばかりでなく、就業後、求人者側との間にトラブルが起こるおそれもあります。
　また、同一企業であってもさまざまな職種があり、応募者側もそれぞれ個性がある上、得手・不得手もあり、やりたい仕事の内容も異なるわけですから、求人者側はどういう職種で人を求めているのか、具体的に表示することが肝要です。
　例えば、販売会社であれば営業（販売）なのか、経理なのか、宣伝なのか、商品管理なのかなど、仕事の区別を明示すべきです。メーカー関係であれば事務職なのか、製造職なのか、さらに、製造職の中でも設計、組み立てなどなるべく細かく表示することが望ましいでしょう。
　問題なのは、業種や職種をはっきり表示せず、具体性のない美辞麗句を並べてあるだけのものや、不明確な外来語などあいまいな表現を用いて応募者に誤認を与えてしまうような例があることです。このような求人者は、人が敬遠しがちな業種や職種のカムフラージュをしている場合もありますので、広告文面に十分注意して応募者に迷惑がかからないよう配慮しましょう。
　なお、問題となった例としては、次のようなものがあります。
① 「教育的な仕事」「教材取り扱いの仕事」がワークブックや語学テープなどの訪問販売であった。
② 「健康コンサルタント要員」が健康食品や健康器具の委託販売であった。
③ 「すてきな男性にかこまれた楽しい仕事」が、特殊浴場、同伴クラブなどの従業員であった。

（関連法規）
労働基準法第15条　同施行規則第5条
職業安定法第5条の3・4・第42条　同施行規則第4条の2

(3) 給与表示

Q 給与・賞与、およびその内容の表示ではどこがチェックポイントになりますか？

A 求職者の誤認を招かない表示が肝要です。給与の表示は、勤務状況や業績によって変動しない基本給などの固定給部分と、変動する歩合給や時間外手当・臨時手当などの非固定給部分に区別して明示します。また、誰もが、高給を固定的に得られるかのような表示には注意が必要です。

●

　単に給与といっても、その支給単位によって呼称が変わります。これを分類すると、年俸、月給、週給、日給、時給などがあります。
　特に月給の場合は、日本で最も一般的な給与支給制度でもあり、よく問題となります。具体的な月給の表示としては、
「固定給　○○万円」（固定給だけの場合）
「固定給　○○万円＋諸手当」
「固定給　○○万円＋歩合給」
「固定給　○○万円＋歩合給＋諸手当」
の４通りが考えられます。このように固定給部分と歩合給部分をはっきり分けて表示することが大切です。「月給（月収・給与）○○万円」または「平均月収○○万円」などというあいまいな表示は誤認のもととなります。
　歩合給や不確定な諸手当などは、その性格上、金額を明示すべきではありません。また、固定給の額が、募集職種などから判断して、常識を超えて高いものは注意が必要です。
　給与の支給実績を表示する場合は、その額の内訳や、支給を受けた被雇用者の年齢・勤務年数などを記載するのが望ましいでしょう。
　また、賞与について言及する場合は「年○回」または「前回の実績率」を表示することが必要です。具体的な賞与の表示としては、「賞年２回　昨年実績○か月」が考えられます。この場合、金額は併記しないほうがよいでしょう。
　なお、給与については、できる限り具体的に表示するよう努める必要がありますが、給与体系が複雑で、広告スペース上記載が困難な場合や、経験などを勘案の上、給与を決定するような場合は、「当社規定による」や「面談の上、決定」などと表示すれば差し支えありません。

（関連法規）
労働基準法第15条　同施行規則第５条
職業安定法第５条の３・４・第42条　同施行規則第４条の２

(4) 委託販売員の募集広告

Q 業務委託契約による販売員を募集する場合、表示上で注意すべきポイントはどこでしょうか？

A 委託販売員は、求人企業と通常の雇用関係（一般雇用）になく、委託契約により商品を販売した実績によって報酬を受けます。従って、あたかも一般雇用と誤認されるような表示、固定給を保証するかのような表示などに注意してください。

●

　委託販売員は、書籍類、語学教材、教育機器、化粧品、美容・健康食品、消火器、エクステリアなどを販売する業種に多く見られます。
　この種の求人広告では、次の点に特に注意してください。

(1) 広告主名の表示は正確か
　　有名企業と関連があるかのように装ってはいないか
(2) 業種の表示は誤認を与えないか
　　販売する商品が明確に表示されているか
(3) 職種・業務内容が明確に表示されているか
　　①委託販売の場合は「委託販売員（業務委託社員）」であることがはっきり分かるように表示されているか
　　②業務内容の説明だけで、委託販売員であることを隠していないか
(4) 社員でないのに「幹部候補」など、将来社員になれるかのような表現がないか
　　「部長」「社員」「部員」など一般雇用と誤認される呼称の表示はないか
(5) 賃金が歩合制なのに、その旨を明示していないものはないか
　　「日給」「月給」「給与」「賞与」など固定的な給与体系と誤認される表示はないか完全歩合制の場合は「完全歩合制」または「フルコミッション（フルコミ）」と表示することもあります。

（関連法規）
労働基準法第15条
職業安定法第5条の3・第42条

Ⅲ-2　求人広告

(5) 派遣労働者の募集広告

Q 派遣労働者を募集する求人広告において注意すべきポイントはどこでしょうか？

A 許可された企業・団体かどうかがポイントです。募集する職種が職業安定法等で認められたものであるかどうかもチェックする必要があります。また、紹介予定派遣が認められています。

●

　労働者派遣事業とは、派遣元の雇用する労働者を派遣先の指揮命令を受けて労働に従事させる事業で、法令で定める次の業務以外のすべての業務を対象とします。
【派遣禁止業務】
　①港湾運送の業務
　②建設の業務
　③警備の業務
　④医師・歯科医師などの行う医療行為にかかる業務、看護師などが行う診療補助などの業務（紹介予定派遣、病院等以外の施設で行われる業務、産前産後休業などの代替業務、へき地等で、厚生労働省令で定める場所における医師の業務を除く）
　⑤人事労務管理関係業務のうち派遣先の団体交渉、労働基準法の労使協定締結などのための労使協議の際に使用者側の直接当事者として行う業務（派遣業の許可基準に抵触）
　⑥いわゆる「士業」の弁護士、外国法事務弁護士、司法書士、土地家屋調査士、公認会計士（一部を除く）、税理士（一部を除く）、弁理士（一部を除く）、社会保険労務士（一部を除く）、行政書士（一部を除く）、管理建築士

　労働者派遣事業は、厚生労働大臣の許可を得なければ事業を行うことができません（※許可は事業主単位）。従って、労働者派遣元事業主による募集広告の掲載に当たっては、必ず厚生労働大臣の許可番号を確認するか、広告内に表示するのが望ましいでしょう。
・紹介予定派遣：正社員として就業する前に、一定期間派遣スタッフとして就業し、就業先企業と就業スタッフ（求職者）との両者の希望が一致した場合、正社員（契約社員）への雇用切り替えを行うシステムです。

(関連法規)
労働者派遣法第2条・第4条・第5条第1項
(問い合わせ先)
厚生労働省職業安定局　各都道府県労働局

(5) 派遣労働者の募集広告

〈業務委託、請負、労働者派遣の違い〉

業務委託とは、民法の「契約」において、一般的に一定の法律行為または事実行為を成すことを他人に依頼することをいいます。

請負とは、注文主との請負契約（注文）に従い、請負業者（受注者）が自らの責任で、自ら雇用する労働者を直接使用して仕事の完成に当たるものをいいます。このように請負は仕事の完成にまで責任を負う点で業務委託と異なります。

しかしながら、労働法上では両者は明確な区別はつけられていません。請負としてひとくくりにされています。労働法上で重要なことは、請負にしろ、業務委託にしろ注文主と労働者の間には雇用関係が発生しないため、労働法の労働者保護に関する規定の大部分が適用されなくなる、という点です。

この場合でも受注者と労働者の間には雇用関係が存在するので、そこにおいては労働者は保護されますが、近年、特にIT業界などで多く見られる個人事業主による請負においては、労働者保護の概念が入り込む余地がありません。

労働者派遣は、労働者を「派遣先の指揮命令を受けて、その派遣先のために労働に従事させること」をいいます。この場合、労働者派遣法の規定で派遣先と派遣元は双方で案分して労働者に対して労働法上の責務を負います。

製造業に関しては、労働者派遣法改正前は、労働者派遣が禁止されていたことから、請負の形態で労働者を業務に従事させていました。

しかし、現実の労働の場において請負は、特に注文主の事業場などで仕事が行われる場合、注文主の指揮命令下に置かれることがしばしばあり、これは請負を逸脱した労働者派遣、あるいは法的には原則禁止されている労働者供給に該当してしまうことになります。これがいわゆる「偽装請負」です。

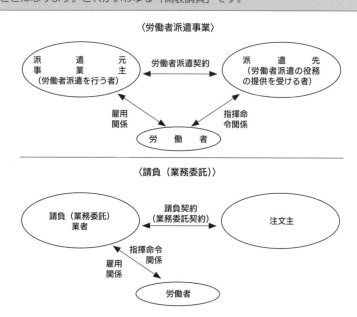

(6) 職業紹介事業（有料・無料）

Q モデル養成所の広告に「養成コース修了後、就職をあっせんします」という表示があります。このまま掲載して問題ありませんか？

A 就職のあっせんは、職業安定法上の職業紹介事業に当たるおそれがあります。公共職業安定所が行うほかは、厚生労働大臣の許可または届け出が必要となります。

●

　職業安定法では、職業紹介事業を有料と無料に区分して次のように規定しています。これ以外の職業紹介事業は認められません。
　有料職業紹介事業、無料職業紹介事業ともに原則、厚生労働大臣の許可が必要です。この許可は事業主単位（会社単位）で取得します。

(1) 有料職業紹介事業
　　港湾運送業務、建設業務などについては、職業を紹介することは禁じられています。

(2) 無料職業紹介事業
　　学校教育法で規定する学校（幼稚園、小学校を除く）、専修学校、職業訓練校などは厚生労働大臣に届け出れば行えますが、モデル・タレント養成所などが生徒に対して無料で職業先を紹介する場合は許可を受けていなければなりません。
　　また、地方公共団体が施策に関する業務で必要性を認めたときや、特別の法律により設立された法人（農協、漁協、商工会議所など）も、届け出によって無料職業紹介が行える場合があります。

〈その他の注意事項〉
　モデルやタレントの仕事のあっせんを受けるために、登録料や売り込み用の写真代、レッスン料などを必要とする場合が多く見られます。しかし、支払ったにもかかわらず、なかなか仕事を紹介されないという苦情が少なくありません。業者の中には、登録料などの金集めだけを目的としているのではないかとの疑念を抱かせるケースもあります。タレントとしての活動を保証するような表示や、すぐにでも出演が可能であるかのような表示には注意を払う必要があります。

（関連法規）
職業安定法第4条・第30条・第32条の3・11・第33条
（問い合わせ先）
各都道府県労働局

(7) 男女雇用機会均等について

Q 募集または採用に当たり、対象を男性のみにしたり、女性を表す職種の名称を用いたりした表示を用いることはできますか？

A 男女雇用機会均等法に違反します。特別な場合を除き、募集・採用に当たり、年齢・婚姻の有無・通勤状況などの募集条件で男女異なる取り扱いをしたり、男女どちらか一方の求人や優遇する表示を行ったりすることなどは禁じられています。

●

男女雇用機会均等法では、男女双方に対する差別的取り扱いを禁止しています。次のような場合は法律違反と見なされます。
①募集または採用に当たって、その対象から男女のいずれかを排除すること
（例）「男子営業社員募集」「ウエートレス募集」「男性歓迎」「女性向きの職種」
②募集または採用に当たっての条件を男女で異なるものとすること
（例）「男子30歳、女子28歳まで」「女性は未婚者」「男性未経験者可、女性は経験者のみ」
③採用選考において、能力及び資質の有無等の判断方法や基準について男女で異なる取り扱いをすること
（例）「女性についてのみ採用試験を実施」「男女共通の採用試験の他に、女性についてのみ別の試験を実施」
④募集または採用に当たって男女のいずれかを優先すること
（例）「男子10名、女子5名募集」
⑤求人の内容の説明等募集または採用にかかる情報の提供について、男女で異なる取り扱いをすること
（例）「会社説明会実施　男性9月1日、女性10月1日」

ただし、以下の場合は適用除外として、男女異なる取り扱いも認められます。
(1) 業務の正常な遂行上、一方の性でなければならない場合。ただし、単に一方の性に適していると考えられるものは該当しません。
　①芸術・芸能の分野における表現上、一方の性に従事させる必要がある職業
　②警備員など防犯上の要請から男性に従事させる必要がある職業
　③宗教、風紀、スポーツ競技などの性質上、一方の性に従事させることについて①②と同程度の必要性があると認められる職業
(2) 労働基準法により、坑内労働、危険有害業務など女性の労働が制限、もしくは禁止されている職業・業務について、また、保健師助産師看護師法（第3条）により男性を就業させることができない業務について、性別にかかわりなく均等な機会や取り扱いを与えることが困難だと認められる場合
(3) 風習の違いにより女性が能力を発揮し難い海外での勤務など、特別の事情で、女性に男性と同等の機会や取り扱いを与えることが困難だと認められる場合

(7) 男女雇用機会均等について

　なお、女性労働者が男性労働者と比較して相当程度少ない（4割を下回る）区分（各企業における雇用管理区分）における募集または採用に当たって、求人情報の提供などに有利な取り扱いをすること、その他男性と比較して女性に有利な取り扱いをすること（ポジティブ・アクション）は違法ではありません。
　雇用の分野における男女の機会均等を定めた男女雇用機会均等法は、事業主が守るべき禁止規定であり、男女平等の原則に反するような広告原稿を受けた場合は、広告主に禁止規定があることを指摘し、特別な事情がある場合はその内容を確認しましょう。

〈間接差別の禁止〉

　法律改正によって、女性に対する差別の禁止が、男女を問わない性差別の禁止に拡大されました。あわせて、表面上は差別と無関係に見えながら、実際は男女の一方の不利益につながっている規定や慣行の禁止などが盛り込まれました。次の事項について、合理的な理由がない場合は「間接差別」として禁止されます。
①募集・採用に当たり、身長、体重または体力を要件とすること
②募集・採用、昇進または職種の変更に当たり、転居を伴う転勤に応じることができることを要件とすること
③昇進に当たり、転勤の経験があることを要件とすること

（関連法規）
男女雇用機会均等法第1条・第5条　労働者に対する性別を理由とする差別の禁止等に関する規定に定める事項に関し、事業者が適切に対処するための指針（平成18年厚生労働省告示第614号、平成27年厚生労働省告示458号）　労働基準法第4条・第64条の2・3
（問い合わせ先）
厚生労働省雇用環境・均等局雇用機会均等課　各都道府県労働局

(8) 求人広告に見せかけた広告

Q 求人広告の形をとりつつも、実際は別の目的があり、広告が悪用されるケースがあると聞きますが、例えばどのようなものですか？

A 登録商法、紹介商法などがあります。講習料を取ったり、物品や機械、材料を売りつけたりすることが目的であるもの、さらには詐欺商法などがあり、応募した消費者に被害が及びやすいのが特徴です。

●

要注意の事例を以下に挙げてみます。

(1) **実態は不良商法である場合**
　①自社のパソコン講習を受けて登録しておけば、仕事を発注する、という広告内容であるが、実際は講習料やパソコン購入料だけとられて仕事の発注はない（登録商法）
　②短期アルバイト販売員を高給で求めるという広告内容だが、実際は家族や友人を紹介して買わせるノルマを与え、できない場合はアルバイト料も約束通りに支払わない（紹介商法）
　③ダイレクトメール（DM）のあて名書きをする人を募集する内容だが、実際はDMによる通信販売に注文があった場合のみ一定の歩合金が支払われるというケースで、無報酬に終わるケースや、場合によっては登録代や資料代をとられるだけで終わる（あて名書き商法）
　④マーケットリサーチなどと称しているが、実態はパチンコの「打ち子」であり、保証料、預託金などの名目での支払いをさせられた上で違法行為の片棒をかつがされる（打ち子商法）
　※上記例については「副業に適している…」という形で行われる場合が多くみられます。

(2) **実態は「詐欺」である場合**
　「幹部として招へいします」「共同経営者を求めます」などと表示されたものが、実際は応募者の持っている金銭目当ての場合があります。出資が必要などと偽って、退職金などをまき上げるケースもあります（詐欺商法）。

(3) **その他**
　求人広告と見せかけた求縁広告や、売春の勧誘・あっせんにつながりそうなもの、違法輸入の名義貸しや戸籍の売買など、危険な例も数多くあります。

また、次から次へと新手の求人まがい広告が出てくる可能性もありますので、十分注意しましょう。

(問い合わせ先)
各都道府県消費生活センター

(9) その他の注意事項

Q 求人広告では、前項までの表示上の問題点や求人まがいの不良広告のほか、さらにどのような点に注意してチェックすべきでしょうか？

A 法令や規則によって禁止または規制を受けているものや、官公庁の指導や業界の協定などに配慮を要するもの、常識または社会通念として配慮すべきものなどが考えられます。

●

(1) 年少者

満15歳未満の年少者は原則として労働者として使用できません。ただし、修学時間外の軽労働や演劇出演などは、行政官庁の許可を得ればできることになっています。

(2) 年齢制限の禁止

労働者の募集・採用に当たっては、年齢制限をしてはいけないことが義務化されました。ただし、例外的に年齢制限を認める場合があり、次の項目が該当します。
①定年年齢を下回ることを条件として募集・採用するとき
②労働基準法などで年齢制限が設けられている業務のとき
③長期勤続による職業能力の開発を図る目的で、若年者らを募集・採用するとき
④技能・知識の継承の観点から、特定の職種のいびつな年齢構成を是正する目的で募集・採用するとき
⑤芸術・芸能分野で特定の年齢層を募集・採用するとき
⑥高齢者の雇用を促進する目的で60歳以上を募集・採用するとき

(3) 労働争議中

労働争議中の企業の求人広告は、中立の立場からも慎重に扱うべきです。公共職業安定所は、特にストライキや作業所閉鎖中の事業所を扱っていません。

(4) 車の持ち込み

自家用車を運送の用に供することは、原則として禁止されていますが、持ち込みの契約内容によっては、国土交通大臣の許可、または届け出があれば可能な場合があります。

(5) 前借り制度など

労働することを条件に前貸ししたものを、労働賃金と相殺するような行為は禁止されています。

(6) 一般企業の新卒者採用について

高校新卒者の採用選考開始期日については、厚生労働省・文部科学省と全国高等学校長協会、主要経済団体による協議を受けて決定されます。なお、中学新卒者を新聞広告で募集することは、文科省・厚労省の通知で禁止されています。

(7) 不動産業、貸金業など

業界自体が免許制、許可制、認可制、登録制をとっているものについては、求人広告であっても、募集主体が合法なものかどうか留意すべきでしょう。

(9) その他の注意事項

(8) **私書箱・局留めなど**
　企業の所在地を明記せず、ホテル、私書箱など臨時のあて先だけを用いている場合、責任の所在が明確ではありませんので、十分な検討が必要です。

(9) **用語**
　国籍、男女、職業などの差別を感じさせるような表現はやめ、誤解を生じないよう配慮しましょう。

(10) **将来の保証**
　将来の昇格や収入などを確約するような表現には注意しましょう。

(関連法規)
労働基準法第17条・第56条　児童福祉法第34条　労働施策総合推進法第4条・第9条　同施行規則第1条の3　職業安定法第20条　道路運送法第78条〜第81条

(問い合わせ先)
厚生労働省人材開発統括官　同省若年者・キャリア形成支援担当参事官室

(1) 認可と名称

Q 新規の生徒募集広告の原稿が持ちこまれました。「学校」という名称を使用するのに規制がありますか？

A 学校の名称は認可を受けていないと使用できないものがあります。学校の受け入れ体制が広告表示と一致しているかどうかを確認しましょう。

●

　教育サービスの提供は、学校、塾、講習会、通信教育などさまざまな形で行われています。特に「学校」は所轄官庁の認可を得なければ設置することはできません。従って、学校の認可を受けていなければ、「専門学校」などと称することもできません。

　学校はその目的・内容に従って名称が決められています。名称は認可どおりのものを使用しなければなりません。例えば、専修学校や各種学校として認可を受けた学校が「○○大学」や「○○高等専門学校」などの名称を使用することはできません。広告表示の名称が認可どおりであるか、確認する必要があります。

　また、学校として認可を受けていない塾、教室、講習会などでは、「学校」の名称は使えませんので、「○○専門学院」や「○○専門校」などの名称を使っている場合があります。これらの名称は法律では禁止されていませんが、あたかも認可を受けて設置されたような印象を与える名称です。消費者に誤認を招くおそれのある場合には、広告表示全般を見て、場合によっては「当校は法律に定める学校ではありません」などの表示をする必要があるでしょう。

　学校教育法は無認可の教育施設が使用してはならない名称を次の通り定めています。

① 「……幼稚園」
② 「……小学校」
③ 「……中学校」
④ 「……義務教育学校」
⑤ 「……高等学校」
⑥ 「……中等教育学校」
⑦ 「……大学」
⑧ 「……大学院」
⑨ 「……高等専門学校」
⑩ 「……特別支援学校」
⑪ 「……専修学校」
　（「……高等専修学校」「……専門学校」）
⑫ 「……各種学校」

(関連法規)
学校教育法第1条・第2条・第4条・第124条・第126条・第127条・第130条・第135条・第136条　私立学校法第2条・第30条・第65条　社会教育法第51条

(2) 合格率の表示

Q 生徒募集広告で就職先や資格試験の合格率を表示した原稿が持ち込まれました。チェックポイントはどこですか？

A 客観的な根拠に基づいた表示である必要があります。教育の成果を表示する場合は、募集広告の効果に大きな影響を与えるので注意が必要です。客観的な根拠に基づいたものや不当表示になるおそれがなければ、表示は可能です。

●

　教育事業は知識、技能、技術などの修得を第一の目的としています。広告表示もこの本来の目的を主体にするのが望ましいでしょう。
　一方、広告主が他社との差別化を図る目的を持って、提供した教育サービスによって生徒や受講者にどのような成果をもたらしたかを表示することがあります。このような成果は教育設備だけではなく、本人の努力などがあいまって評価されるものです。
　入学合格率、資格合格率などの表示は客観的な裏付けがあって初めて表示が可能となります。次のように根拠がない数字や広告主に都合のよい数字を使ったものなどは、虚偽あるいは誤認を招く表示となりますので注意してください。
　①広告主の模擬テストに参加しただけで、正式な生徒・受講生でないものまで出身合格者に含めて合格者数や合格率を表示する。
　②広告主の学校の合格者数や合格率に、教育や施設を異にする系列校の合格者数を含めて表示する。
　③2次試験に受かって初めて合格になるにもかかわらず、最終合格として1次試験の合格者数や合格率を表示する。

〈全国学習塾協会の自主基準〉

　全国学習塾協会は自主基準の実施細則で、情報開示項目を細かく列挙しています。
　例えば合格実績生徒の対象基準を、受験直前の6か月間のいずれかに①「在籍」があり、かつ②同期間に受講契約に基づく30時間以上の「受講」の実態がある生徒、あるいは継続して3か月以上の「受講」の実態がある生徒としています。
　また誇大広告を以下の通り禁止しています。
　①「日本一」「全国一」「ナンバーワン」「最高」「最大」などの最高級の優位性又は唯一性を意味する用語は、客観的事実に基づく数値又は確実な根拠なしに使用しない。
　②「完全」「100%」「絶対」等の完璧性を意味するような用語は使用しない。
　③「全員合格」「○○点上昇確実」等生徒の将来を保証するような表示は使用しない。

(2) 合格率の表示

　また、契約期間が2か月間を超え、契約金額（入学金・受講料・教材費・関連商品代）が5万円を超える「語学教室」「家庭教師派遣」「学習塾」は特定商取引法の「特定継続的役務提供」の対象となり、誇大広告や不実の告知の禁止、契約書面の交付の義務づけ、クーリングオフや中途解約などを認めなければならないことが定められています（Ⅲ-15〈5〉「特定商取引法が規制するその他の業務」参照）。「家庭教師派遣」および「学習塾」には、小学校または幼稚園に入学するためのいわゆる「お受験」対策は含まれていません。また、「学習塾」には、浪人生のみを対象にした役務（コース）は対象になりません。

（関連法規）
特定商取引法第43条　同施行規則　学習塾業界における事業活動の適正化に関する自主基準（全国学習塾協会、平成11年11月22日施行、平成23年10月10日改正）　同自主基準実施細則（同、令和6年7月1日改正）

（問い合わせ先）
全国学習塾協会

Ⅲ-3 教育関連広告

(3) 資格・称号などの表示

Q 資格を取得して就職に生かせるとの表示がありますが、その資格の性格がはっきりしません。どうしたらよいでしょうか？

A 不当表示にならないよう資格の性格を明らかにすべきでしょう。資格はその内容、性格などで評価されます。社会的な評価がほとんどないのに公的な資格であるかのように表示がされている場合もありますので、注意してください。

●

　教育課程を修了する、学校を卒業する、あるいは試験に合格することで資格や称号が与えられることがあります。資格や称号には公的な権威のあるものもあれば、社会的には全く価値のないものまでさまざまです。国家資格としては医師、公認会計士、建築士、弁理士、司法書士などが知られています。また、商工会議所の簿記・珠算能力検定や各省認定の検定に基づいて与えられるものなどは、社会的な評価・認知が高い資格でしょう。

　民間団体の中にも、受講修了者や試験・検定を受けて資格や称号を与えるものがあります。このような場合、その資格や称号が社会的に評価・認知されているものもあれば、全く通用しないものもあります。その中には、社会的評価の高い資格・称号に類似した名称を使用している場合があります。消費者に誤認を与えるおそれがある時は、「当社認定の資格」である旨などを表示して、広告主独自の民間の資格・称号であることを明確にする必要があります。

　さらに、その資格・称号に関して、実際には法的には行えない業務にもかかわらず、行えると表示することや、資格・称号が必要ない行為にもかかわらず、なくてはできないといった表示をすることは、不当表示になりますので、資格内容の把握も必要です。

　資格の中には、一定の教育課程を修了しなくては受験資格が与えられないものがあります。広告主の行う教育では受験資格しか与えられないにもかかわらず、資格が与えられるような表示をしている場合があります。資格取得要件にも注意することが大切です。

105

(1) 不動産広告の必要表示事項

Q 不動産広告には土地、マンション、戸建て住宅などがありますが、それぞれ必ず表示しなければならない事項は決められているのですか？

A 「不動産の表示に関する公正競争規約（表示規約）」で、物件の種類別・媒体別に不動産の内容や価格、その他の取引条件を正しく理解して購入できるよう、表示すべき事項を定めています。必要な表示事項が欠けると、違反広告として扱われますので注意が必要です。

●

　表示規約では、不動産広告は物件の種別及び広告媒体別に定められた必要事項を、見やすい場所に、原則7ポイント以上の大きさの文字、見やすい色彩の文字により分かりやすい表現で明瞭に表示するとしています。
　物件の種別および表示媒体はそれぞれ以下のように分類されています。
【物件の種別】
　①分譲宅地、②現況有姿分譲地、③売地、④貸地、⑤新築分譲住宅、⑥新築住宅、⑦中古住宅、⑧マンション、⑨新築分譲マンション、⑩中古マンション、⑪一棟リノベーションマンション、⑫新築賃貸マンション、⑬中古賃貸マンション、⑭貸家、⑮新築賃貸アパート、⑯中古賃貸アパート、⑰一棟売りマンション・アパート、⑱小規模団地、⑲共有制リゾートクラブ会員権
【表示媒体】
　①新聞・雑誌、②新聞折込チラシ等、③パンフレット等、④インターネット広告
　新聞広告等における物件の種別ごとの必要表示事項を表1～10に掲載していますので、これにより表示漏れがないかチェックしてください。

〈不動産の表示に関する公正競争規約とは？〉

　「不動産の表示に関する公正競争規約」は、事業者が行う一般消費者向けの不動産の広告・表示について、不動産公正取引協議会連合会が内閣総理大臣（消費者庁長官に権限委任）および公正取引委員会の共同認定を受けている自主規制です。

〈「ホームページをご覧ください」でOK？〉

　不動産広告の特定物件の名称を掲げ、「詳しくは当社ホームページ（物件紹介アドレス）をご覧ください」と表示している広告も見られますが、インターネット上に必要表示事項を掲載しても、当該広告に必要表示事項がない場合は違反広告となります。

(1) 不動産広告の必要表示事項

〈使用に制限がある用語〉

以下の用語は、合理的な根拠を示す資料を有する場合を除き広告では使用できず、また④⑤については、根拠となる事実をあわせて表示することが求められます。以下にあげた以外の用語であっても、類似するものや同じ意味の用語は同様に制限されます。

① 全く欠けることがないこと、または全く落ち度のないことを意味する用語：「完ぺき」「完全」「絶対」「万全」など
② 競合物件や業者よりも優位に立つことを意味する用語：「日本一」「日本初」「業界一」「超」「当社だけ」「他に類を見ない」「抜群」など
③ 一定の基準により選別されたことを意味する用語：「特選」「厳選」など
④ 最上級表現：「最高」「最高級」「極」「特級」など
⑤ 著しく安いという印象を与える用語：「買得」「掘出」「土地値」「格安」「投売り」「破格」「特安」「激安」「バーゲンセール」「安値」など
⑥ 著しく人気が高く、売れ行きがよいという印象を与える用語：「完売」など

（関連法規）
宅地建物取引業法第2条・第3条・第12条・第32条～第34条　景品表示法第2条・第31条
不動産の表示に関する公正競争規約（不動産公正取引協議会連合会、2022年9月1日）第4条・第8条・第15条・第17条～第18条・第20条～第23条　別表1・2～10　同施行規則第1条～第6条・第8条～第9条・第11条～第13条

（問い合わせ先）
消費者庁表示対策課　国土交通省不動産・建設経済局不動産業課　不動産公正取引協議会（北海道、東北地区、首都圏、東海、北陸、近畿地区、中国地区、四国地区、九州）

Ⅲ-4　不動産広告

(1) 不動産広告の必要表示事項

表1　分譲宅地（小規模団地を含み、販売区画数が1区画のものを除く。）

事項	媒体	新聞折込チラシ・新聞記事下広告等	その他の新聞・雑誌広告	パンフレット等	インターネット広告
1	広告主の名称又は商号	○	○	○	○
2	広告主の事務所の所在地			○	○
3	広告主の事務所（宅建業法施行規則第15条の5の2の施設を含む。）の電話番号	○	○	○	○
4	広告主の宅建業法による免許証番号	○	○	○	○
5	広告主の所属団体名及び公正取引協議会加盟事業者である旨			○	○
6	広告主の取引態様（売主、代理、媒介（仲介）の別）	○	○	○	○
7	広告主と売主とが異なる場合は、売主の名称又は商号及び免許証番号	○☆	○	○	○☆
8	売主と事業主（宅地造成事業の主体者）とが異なる場合は、事業主の名称又は商号			○	
9	物件の所在地（パンフレット等の媒体を除き、小規模団地及び副次的表示にあっては地番を省略することができる。）	○	○	○	○
10	交通の利便（公共交通機関がない場合には、記載しないことができる。）	○	○	○	○
11	開発面積	○☆			○☆
12	総区画数	○☆			○
13	販売区画数	●	●	●	●
14	土地面積及び私道負担面積（パンフレット等の媒体を除き、最小面積及び最大面積のみで表示することができる。）	○	○	○	○
15	地目及び用途地域（注1）			○	○
16	建ぺい率及び容積率（容積率の制限があるときは、制限の内容）			○	○
17	宅建業法第33条に規定する許可等の処分の番号（パンフレット等の媒体を除き、造成工事が完了済みの場合は省略することができる。）	○		○	○
18	道路の幅員			○	○
19	主たる設備等の概要			●	
20	工事の完了予定年月（パンフレット等の媒体を除き、造成工事が完了済みの場合は省略することができる。）	○	○		○
21 ①	価格（パンフレット等の媒体を除き、最低価格、最高価格並びに最多価格帯及びその区画数のみで表示することができる。）				
21 ②	上下水道施設、都市ガス供給施設等以外の施設であって、共用施設又は特別の施設について負担金等があるときはその旨及びその額並びにこれらの維持・管理費を必要とするときはその旨及びその額	●	●	●	●
22 ①	借地の場合はその旨	○	○	○	○
22 ②	当該借地権の種類、内容、借地期間並びに保証金、敷金を必要とするときはその旨及びその額				
22 ③	1か月当たりの借料	●	●	●	●
23	取引条件の有効期限	●		●	●
24	情報公開日（又は直前の更新日）及び次回の更新予定日				●

(注)　1 市街化調整区域の土地にあっては、用途地域に代えて市街化調整区域である旨を明示するほか、都市計画法第34条第1項第11号又は第12号、同法施行令第36条第1項第3号ロ又はハのいずれかに該当するものについては、住宅等を建築するための許可条件を記載すること。
　　2 パンフレット等には、規則第4条第2項各号に定めるいわゆるデメリット事項を記載すること。
　　3 予告広告においては、規則第5条第2項に定める事項を記載すること。
　　4 「●」の事項は、予告広告において省略することができる。
　　5 「○」に「☆」が付された事項は、小規模団地及び副次的表示において省略することができる。

(1) 不動産広告の必要表示事項

表2 売地・貸地・分譲宅地で販売区画数が1区画のもの

事項	その他の新聞・雑誌広告	パンフレット等	インターネット広告
1 広告主の名称又は商号	○	○	○
2 広告主の事務所の所在地		○	○
3 広告主の事務所(宅建業法施行規則第15条の5の2の施設を含む。)の電話番号	○	○	○
4 広告主の宅建業法による免許証番号		○	○
5 広告主の所属団体名及び公正取引協議会加盟事業者である旨		○	○
6 広告主の取引態様(売主、代理、媒介(仲介)の別)	○	○	○
7 物件の所在地(町又は字の名称まで)	○	○	○
8 交通の利便(公共交通機関がない場合には、記載しないことができる。)	○	○	○
9 土地面積及び私道負担面積	○	○	○
10 地目及び用途地域(注)	○	○	○
11 建ぺい率及び容積率(容積率の制限があるときは、制限の内容)。	○	○	○
12 都市計画法その他の法令に基づく制限で、宅建業法施行令第3条に定めるものに関する事項		○	○
13 ① 価格 ② 上下水道施設、都市ガス供給施設等以外の施設であって、共用施設又は特別の施設について負担金等があるときはその旨及びその額並びにこれらの維持・管理費を必要とするときはその旨及びその額	○	○	○
14 ① 借地の場合はその旨 ② 当該借地権の種類、内容、借地期間並びに保証金、敷金を必要とするときはその旨及びその額 ③ 1か月当たりの借地料	○	○	○
15 取引条件の有効期限		○	
16 情報公開日(又は直前の更新日)及び次回の更新予定日			○

〈「業として行う」とは？〉

マンション1棟あるいは土地を所有している個人が、これを処分しようと分譲形式で売り出すと宅地建物取引業法違反になるおそれがあります。宅建業法では宅地建物取引業を「宅地建物の売買、交換もしくは貸借の代理もしくは媒介をする行為で業として行うもの」と定義し、「業として行う」の意味を「不特定多数の人を相手に反復継続して行う行為」としています。つまり、分譲するということは、営利を目的としているか否かに関係なく「業として行う」と見なされ、宅建業者でなければ無免許営業とされてしまいます。なお、マンション1棟あるいは土地全部を一括売りにする場合でも、最初から転売を目的とし(業として行い)、または、不動産物件を繰り返し(反復継続して)売買した場合は宅建業法違反となるおそれがあります。

なお、個人が売主の場合、税制上で消費税がかからない場合があります。

III-4 不動産広告

(1) 不動産広告の必要表示事項

表3 新築分譲住宅（小規模団地を含み、販売戸数が1戸のものを除く。）

	事項	新聞折込チラシ等新聞記事下広告	その他の新聞・雑誌広告	パンフレット等	インターネット広告
1	広告主の名称又は商号	○	○	○	○
2	広告主の事務所の所在地			○	○
3	広告主の事務所（宅建業法施行規則第15条の5の2の施設を含む。）の電話番号	○	○	○	○
4	広告主の宅建業法による免許証番号			○	○
5	広告主の所属団体名及び公正取引協議会加盟事業者である旨			○	○
6	広告主の取引態様（売主、代理、媒介（仲介）の別）	○	○	○	○
7	広告主と売主とが異なる場合は、売主の名称又は商号及び免許証番号	○☆		○	○☆
8	売主と事業主（宅地造成事業又は建物建築事業の主体者）とが異なる場合は、事業主の名称又は商号			○	
9	物件の所在地（パンフレット等の媒体を除き、小規模団地及び副次的表示にあっては、地番を省略することができる。）	○	○	○	○
10	交通の利便（公共交通機関がない場合には、記載しないことができる。）	○	○	○	○
11	総戸数	○☆		○	○
12	販売戸数	●	●	●	●
13	土地面積及び私道負担面積（パンフレット等の媒体を除き、最小面積及び最大面積のみで表示することができる。）	○	○	○	○
14	用途地域			○	○
15	建物面積（パンフレット等の媒体を除き、最小面積及び最大面積のみで表示することができる。）	○	○	○	○
16	建物の主たる部分の構造	○☆		○	○
17	連棟式建物であるときは、その旨	○	○	○	○
18	宅建業法第33条に規定する許可等の処分の番号（パンフレット等の媒体を除き、建築工事が完了済みの場合は省略することができる。）			○	○
19	建物の建築年月（建築工事が完了していない場合は、工事の完了予定年月）	○	○	○	○
20	引渡し可能年月			○	○
21	主たる設備等の概要	●		○	●
22	道路の幅員	○☆		○	○
23 ①	価格（パンフレット等の媒体を除き、最低価格、最高価格並びに最多価格帯及びその戸数のみで表示することができる。）	○	○	○	○
23 ②	上下水道施設、都市ガス供給施設等以外の施設であって、共用施設又は特別の施設について負担金等があるときはその旨及びその額並びにこれらの維持・管理費を必要とするときはその旨及びその額	●	●	●	●
24 ①	借地の場合はその旨	○	○	○	○
24 ②	当該借地権の種類、内容、借地期間並びに保証金、敷金を必要とするときはその旨及びその額	●	●	●	●
24 ③	1か月当たりの借地料			○	
25	取引条件の有効期限	●		●	●
26	情報公開日（又は直前の更新日）及び次回の更新予定日				○

(注) 1 パンフレット等には、規則第4条第2項各号に定めるいわゆるデメリット事項を記載すること。
　　 2 予告広告においては、規則第5条第2項に定める事項を記載すること。
　　 3 「●」の事項は、予告広告において省略することができる。
　　 4 「○」に「☆」が付された事項は、小規模団地及び副次的表示において省略することができる。

(1) 不動産広告の必要表示事項

表4 新築住宅・中古住宅・新築分譲住宅で販売戸数が１戸のもの又は一棟売りマンション・アパート

事項		媒体 → 新聞・雑誌広告	新聞折込チラシ等	インターネット広告
1	広告主の名称又は商号	○	○	○
2	広告主の事務所の所在地	○	○	○
3	広告主の事務所（宅建業法施行規則第15条の5の2の施設を含む。）の電話番号	○	○	○
4	広告主の宅建業法による免許証番号		○	○
5	広告主の所属団体名及び公正取引協議会加盟事業者である旨			○
6	広告主の取引態様（売主、代理、媒介（仲介）の別）	○	○	○
9	物件の所在地（町又は字の名称まで）	○	○	○
10	交通の利便（公共交通機関がない場合には、記載しないことができる。）	○	○	○
11	土地面積及び私道負担面積		○	○
12	建物面積		○	○
17	連棟式建物であるときは、その旨		○	○
18	宅建業法第33条に規定する許可等の処分の番号（建築工事が完了済みの場合は省略可）		○	○
19	建物の建築年月（建築工事が完了していない場合は、工事の完了予定年月）	○	○	○
20	引渡し可能年月			○
23	① 価格	○	○	○
	② 上下水道施設、都市ガス供給施設等以外の施設であって、共用施設又は特別の施設について負担等があるときはその旨及びその額並びにこれらの維持・管理費を必要とするときはその旨及びその額	○	○	○
24	① 借地の場合はその旨	○	○	○
	② 当該借地権の種類、内容、借地期間並びに保証金、敷金を必要とするときはその旨及びその額	○	○	○
	③ １か月当たりの借地料	○	○	○
	① １棟売りマンション・アパートの場合は、その旨	○	○	○
	② １棟売りマンション・アパートの場合は、建物内の住戸数、各住戸の専有面積（最小面積及び最大面積）、建物の主たる部分の構造及び階数		○	○
25	取引条件の有効期限		○	
26	情報公開日（又は直前の更新日）及び次回の更新予定日			○

〈不当な表示とは？〉

表示規約では、①不当な二重価格表示、②おとり広告、③不当な比較広告、④その他の不当表示──の項目があります。不動産広告では、表示または一定の事実を表示しないことにより、「一般消費者が実際のものより優良・有利と誤認されるおそれがあるもの」を不当な表示としています。

〈特定事項等の明示義務（瑕疵物件）とは？〉

一般消費者が通常予期することができない物件の地勢、形質、立地、環境などに関する事項、または、取引の相手方に著しく不利な取引条件は、瑕疵（かし）の内容を明示（原則として７ポイント以上の大きさの文字で見やすい場所に見やすい色彩の文字により、分かりやすい表現で明瞭に）しなければならないと定められています。掲載していない場合は違反広告となります。瑕疵を知らずに安いと思って買った人は損害を被ることになりますので、必ず表示するようにしてください。

Ⅲ－4　不動産広告

Ⅲ-4 不動産広告

(1) 不動産広告の必要表示事項

表5 新築分譲マンション・一棟リノベーションマンション（小規模団地を含み、販売戸数が1戸のものを除く。）

事項	新聞記事下広告	新聞折込チラシ等	その他の新聞・雑誌広告	パンフレット等	インターネット広告
1 広告主の名称又は商号	○	○	○	○	○
2 広告主の事務所の所在地		○	○	○	○
3 広告主の事務所（宅建業法施行規則第15条の5の2の施設を含む。）の電話番号		○	○	○	○
4 広告主の宅建業法による免許証番号				○	○
5 広告主の所属団体名及び公正取引協議会加盟事業者である旨				○	
6 広告主の取引態様（売主、代理、媒介（仲介）の別）	○	○	○	○	○
7 広告主と売主とが異なる場合は、売主の名称又は商号及び免許証番号	○☆			○	○☆
8 新築分譲マンションの場合は、施工会社の名称又は商号				○	
9 売主と事業主（宅地造成事業又は建物建築事業の主体者）とが異なる場合は、事業主の名称又は商号				○	
10 物件の所在地（パンフレット等の媒体を除き、小規模団地及び副次的表示にあっては、地番を省略することができる。）	○	○	○	○	○
11 交通の利便（公共交通機関がない場合には、記載しないことができる。）	○	○	○	○	○
12 総戸数	○☆	○	○	○	○
13 販売戸数	●	●	●	●	●
14 敷地面積		○	○	○	○
15 用途地域		○	○	○	○
16 建物の主たる部分の構造及び階数		○	○	○	○
17 専有面積（パンフレット等の媒体を除き、最小面積及び最大面積のみで表示することができる。）		○	○	○	○
18 バルコニー面積				○	
19 専有面積が壁心面積である旨及び登記面積はこれより少ない旨				○	
20 管理形態		○	○	○	○
21 管理員の勤務形態	●		●	●	●
22 宅建業法第33条に規定する許可等の処分の番号（パンフレット等の媒体を除き、建築工事又は規則第3条第11号に定める工事が完了済みの場合は省略することができる。）		○		○	○
23 建物の建築年月（建築工事が完了していない新築分譲マンションの場合は、工事の完了予定年月）		○		○	○
24 一棟リノベーションマンションの場合は、その旨、規則第3条第11号に定める工事の内容及び当該工事の完了年月（当該工事が完了していない場合は、完了予定年月）		○		○	○
25 引渡し可能年月				○	○
26 主たる設備等の概要及び設備等の利用について条件があるときは、その条件の内容（敷地外駐車場についてはその旨及び将来の取扱い）	●			●	●
27 ① 価格（パンフレット等の媒体を除き、最低価格、最高価格並びに最多価格帯及びその戸数のみで表示することができる。）	●	●	●	●	●
27 ② 上下水道施設、都市ガス供給施設等以外の施設であって、共用施設又は特別の施設について負担金等があるときはその旨及びその額	●	●	●	●	●
28 ① 借地の場合はその旨	○	○	○	○	○
28 ② 当該借地権の種類、内容、借地期間並びに保証金、敷金を必要とするときはその旨及びその額	●	●	●	●	●
29 建物の配置図及び方位				○	
30 管理費及び修繕積立金等	●	●	●	●	●
31 取引条件の有効期限	●				●
32 情報公開日（又は直前の更新日）及び次回の更新予定日					●

（注） 1 パンフレット等には、規則第4条第2項各号に定めるいわゆるデメリット事項を記載すること。
　　　 2 予告広告においては、規則第5条第2項に定める事項を記載すること。
　　　 3 「●」の事項は、予告広告において省略することができる。
　　　 4 「○」に「☆」が付された事項は、小規模団地及び副次的表示において省略することができる。

(1) 不動産広告の必要表示事項

表6 中古マンション・新築分譲マンションで販売戸数が1戸のもの

事項	新聞・雑誌広告	新聞折込チラシ等	インターネット広告
1 広告主の名称又は商号	○	○	○
2 広告主の事務所の所在地		○	○
3 広告主の事務所（宅建業法施行規則第15条の5の2の施設を含む。）の電話番号	○	○	○
4 広告主の宅建業法による免許証番号		○	○
5 広告主の所属団体名及び公正取引協議会加盟事業者である旨			○
6 広告主の取引態様（売主、代理、媒介（仲介）の別）	○	○	○
7 物件の所在地（町又は字の名称まで）	○	○	○
8 交通の利便（公共交通機関がない場合には、記載しないことができる。）	○	○	○
9 階数及び当該物件が存在する階	○	○	○
10 専有面積	○	○	○
11 バルコニー面積		○	○
12 建物の建築年月（建築工事が完了していない新築分譲マンションの場合は、工事の完了予定年月）	○	○	○
13 引渡し可能年月			○
14 ① 価格 ② 上下水道施設、都市ガス供給施設等以外の施設であって、共用施設又は特別の施設について負担金等があるときはその旨及びその額	○	○	○
15 借地の場合はその旨及び当該借地権の種類、内容、借地期間並びに保証金、敷金を必要とするときはその旨及びその額	○	○	○
16 管理費及び修繕積立金等	○	○	○
17 管理形態及び管理員の勤務形態		○	○
18 取引条件の有効期限		○	
19 情報公開日（又は直前の更新日）及び次回の更新予定日			○

〈面積はメートル法〉

面積は、メートル法により表示することになっています。この場合、1平方メートル未満の数値は、切り捨てで表示することができます。坪表示をしたい場合は、平方メートル表示と併記することが求められます。

〈徒歩による所要時間〉

徒歩による所要時間は、道路距離80メートルにつき1分間を要するものとして算出した数値を表示することと決められており、1分未満の端数が生じたときは1分として算出することになっています。したがって、不動産広告において、「約0分」といった表示は不適切な表示となります。

Ⅲ-4 不動産広告

(1) 不動産広告の必要表示事項

表7 新築賃貸マンション・新築賃貸アパート（賃貸戸数が1戸のものを除く。）

	事項	新聞記事下広告	新聞折込チラシ等	その他の新聞・雑誌広告	パンフレット等	インターネット広告
1	広告主の名称又は商号	○	○	○	○	○
2	広告主の事務所の所在地		○		○	○
3	広告主の事務所（宅建業法施行規則第15条の5の2の施設を含む。）の電話番号		○		○	○
4	広告主の宅建業法による免許証番号		○		○	○
5	広告主の所属団体名及び公正取引協議会加盟事業者である旨		○		○	○
6	広告主の取引態様（貸主、代理、媒介（仲介）の別）	○	○	○	○	○
7	物件の所在地番又は住居表示	○	○	○	○	○
8	交通の利便（公共交通機関がない場合には、記載しないことができる。）	○	○	○	○	○
9	賃貸戸数	●	●	●	●	●
10	専有面積（パンフレット等の媒体を除き、最小面積及び最大面積のみで表示することができる。）	○	○	○	○	○
11	建物の主たる部分の構造及び階数（インターネット広告、パンフレット等の媒体を除き、賃貸戸数が10未満の場合は省略することができる。）	○	○	○	○	○
12	建物の建築年月（建築工事が完了していない場合は、工事の完了予定年月）	○	○	○	○	○
13	入居可能時期				○	○
14	賃料（パンフレット等の媒体を除き、最低賃料及び最高賃料のみで表示することができる。）	●	●	●	●	●
15	礼金等を必要とするときはその旨及びその額		●	●	●	●
16	敷金、保証金等を必要とするときは、その旨及びその額（償却をする場合は、その旨及びその額又はその割合）	●	●	●	●	●
17	住宅総合保険等の損害保険料等を必要とするときはその旨	○	○	○	○	○
18	家賃保証会社等と契約することを条件とするときはその旨及びその額	●	●	●	●	●
19	管理費又は共益費等		●	●	●	●
20	駐車場、倉庫等の設備の利用条件（敷地外の駐車場についてはその旨及び将来の取扱い）	●			●	●
21	定期建物賃貸借であるときはその旨	○	○	○	○	○
22	契約期間（普通賃貸借で契約期間が2年以上のものを除く。）	○	○	○	○	○
23	取引条件の有効期限	●	●		●	
24	情報公開日（又は直前の更新日）及び次回の更新予定日					●

(注) 1 当初の契約時からその期間満了時までに、事項番号14から20以外の費用を必要とするときは、その費目及びその額を記載すること。
 2 予告広告においては、規則第5条第2項に定める事項を記載すること。
 3 「●」の事項は、予告広告において省略することができる。

〈入札方式の表示とは？〉

不動産を入札方式で販売する場合、通常の表示事項に加え、以下を表示する必要があります。

①入札を行う旨、②入札参加手続の概要、③入札の期日または期間、④最低売却価格または最低取引賃料、⑤入札物件の概要および現地確認方法

III-4　不動産広告

(1) 不動産広告の必要表示事項

表8　中古賃貸マンション・貸家・中古賃貸アパート・新築賃貸マンション又は新築賃貸アパートで賃貸戸数が1戸のもの

事項	新聞・雑誌広告	新聞折込チラシ等	インターネット広告
1 広告主の名称又は商号	○	○	○
2 広告主の事務所の所在地		○	○
3 広告主の事務所（宅建業法施行規則第15条の5の2の施設を含む。）の電話番号	○	○	○
4 広告主の宅建業法による免許証番号		○	○
5 広告主の所属団体名及び公正取引協議会加盟事業者である旨		○	○
6 広告主の取引態様（貸主、代理、媒介（仲介）の別）	○	○	○
7 物件の所在地（町又は字の名称まで）	○	○	○
8 交通の利便（公共交通機関がない場合には、記載しないことができる。）	○	○	○
9 建物の主たる部分の構造、階数及び当該物件が存在する階			○
12 建物面積又は専有面積	○	○	○
13 建物の建築年月（建築工事が完了していない場合は、工事の完了予定年月）	○	○	○
14 入居可能時期			○
15 賃料	○	○	○
16 礼金等を必要とするときはその旨及びその額		○	○
17 敷金、保証金等を必要とするときは、その旨及びその額（償却をする場合は、その旨及びその額又はその割合）	○	○	○
18 住宅総合保険等の損害保険料等を必要とするときはその旨		○	○
19 家賃保証会社等と契約することを条件とするときはその旨及びその額		○	○
20 管理費又は共益費等		○	○
21 定期建物賃貸借であるときはその旨		○	○
22 契約期間（普通賃貸借で契約期間が2年以上のものを除く。）	○	○	○
23 取引条件の有効期限		○	
24 情報公開日（又は直前の更新日）及び次回の更新予定日			○

(注)　当初の契約時からその期間満了時までに、事項番号13から18以外の費用を必要とするときは、その費目及びその額を記載すること。

〈定期借地権とは？〉

普通借地権では地主が借地期間満了に際して、契約更新を拒絶するには正当な事由を必要としますが、定期借地権では契約期間を50年以上と定めた場合に限り、①契約の更新をしないこと、②建物の築造による期間の延長をしないこと、③建物の買い取り請求ができないことを特約できます。借り主は期間満了時に建物を撤去して更地で返還します。

Ⅲ-4 不動産広告

(1) 不動産広告の必要表示事項

表9 共有制リゾートクラブ会員権

事項 / 媒体	中吊広告	新聞折込チラシ等	住宅専門雑誌記事下広告	その他の新聞・雑誌広告記事	パンフレット等	インターネット広告
1 広告主の名称又は商号	○	○		○	○	○
2 広告主の事務所の所在地		○			○	○
3 広告主の事務所（宅建業法施行規則第15条の5の2の施設を含む。）の電話番号		○		○	○	○
4 広告主の宅建業法による免許証番号		○			○	○
5 広告主の所属団体名及び公正取引協議会加盟事業者である旨		○			○	○
6 広告主の取引態様（売主、代理、媒介（仲介）の別）		○		○	○	○
7 広告主と売主とが異なる場合は、売主の名称又は商号及び免許証番号		○			○	○
8 売主と事業主（宅地造成事業又は建物建築事業の主体者）とが異なる場合は、事業主の名称又は商号					○	
9 物件の所在地		○	○	○	○	○
10 交通の利便（公共交通機関がない場合には、記載しないことができる。）		○	○		○	○
11 敷地面積		○			○	○
12 借地の場合はその旨		○			○	○
13 当該借地権の種類、内容、借地期間並びに保証金、敷金を必要とするときはその旨及びその額					○	
14 建築面積及び延べ面積		○			○	○
15 専有面積		○		○	○	○
16 建物の主たる部分の構造及び階数		○			○	○
17 宅建業法第33条に規定する許可等の処分の番号（パンフレット等の媒体を除き、建築工事が完了済みの場合は省略することができる。）		○				○
18 会員権の種類（共有制、合有制等の別等）		○		○	○	○
19 会員権の価格（入会金等を含む総額）		○		○	○	○
20 会員権の価格の内訳（預り金等返還するものについては返還条件）		○			○	○
21 会費・管理費等の額		○		○	○	○
22 会員資格に制限があるときはその旨		○			○	○
23 会員権の譲渡又は退会の可否及びその条件					○	○
24 会員権の総口数及び今回募集口数		○		○	○	○
25 総客室数及び1室当たりの口数		○			○	○
26 建築年月（建築工事が完了していない場合は、工事の完了予定年月）		○			○	○
27 ① 施設の利用開始時期		○			○	○
② 施設の利用料金		○		○	○	○
③ 施設の予約調整方法					○	○
④ 施設の利用の制限		○		○	○	○
⑤ 1口当たりの年間利用可能日数		○		○	○	○
28 付帯施設（譲渡対象物件以外のレストラン、売店、大浴場、レジャー施設等当該施設において会員が利用できる施設をいう。）の概要及びその利用条件（有料であることが明らかなものを除く。）		○			○	○
29 会員権の売主と施設の運営主体とが異なる場合は、運営主体の名称					○	
30 相互利用施設（譲渡対象物件及び付帯施設以外で会員相互の施設相互利用契約に基づいて会員が利用できる施設をいう。）の有無	○				○	○
31 相互利用施設の数及びその利用条件					○	
32 会員以外の者がクラブ施設を利用することができる場合はその旨					○	
33 施設を運用するときは、その旨とその内容					○	
34 取引条件の有効期限		○			○	○
35 情報公開日（又は直前の更新日）及び次回の更新予定日						○

(注) 提携施設（共有制リゾートクラブの運営主体が、他のリゾート施設運営業者と提携して、会員に当該業者の保有又は管理しているリゾート施設を一般より有利な条件で利用させることを目的とした施設提携契約を締結している施設をいう。）について表示するときは、その利用条件の概要を記載すること。

Ⅲ-4　不動産広告

(2) 必要表示事項の適用除外

Q 不動産会社の企業広告の中で「会員募集」としてマンション名が複数記載されていますが、それぞれの概要がありません。必要表示事項がなくてもよいのでしょうか？

A それは、いわゆる会員募集広告と思われます。公正競争規約には必要な表示事項を記載しなくてもよい適用除外の規定があります。ただし、例外的に認められている事項ですから、適用除外として規定された許容範囲を逸脱することは許されません。

●

　いわゆる会員募集広告など、直接物件の販売につながらず、しかも消費者の利益を損なわないと認められる広告を下記の4類型に分け、これらの広告において示される特定物件が広告表示の開始時期の制限に適合するものであって、物件に関する情報内容が(1)～(4)に揚げる範囲内である場合に限り、必要な表示事項の規制が適用されません。この許容範囲を超えて物件の内容または価格その他取引条件を表示しようとする場合は、物件広告として取り扱われますので、必要表示事項をすべて表示しなければなりません。

(1) **ネーミング募集広告**
　　分譲宅地・新築分譲住宅・新築分譲マンションまたは一棟リノベーションマンションの販売に先立ち、物件の名称を募集するため、または、名称を考案するための手がかりとして当該物件のおおむねの所在地、物件種別、おおむねの規模及び開発理念のみを表示する広告。

(2) **展示会等の開催案内広告等**
　　物件情報展示会その他の催事の開催場所、開催時期または常設の営業所の場所を案内する広告表示であって、展示している物件数、当該物件の種別及び価格の幅のみを表示するもの。

(3) **会員募集広告**
　　住宅友の会などの会員募集広告で、現在販売中の物件または将来販売予定の物件について、その物件の種別、販売（賃貸を含む）中か販売予定かの別、及び最寄駅のみを表示するもの。

(4) **企業広告**
　　企業広告の構成要素として現に取引している物件または将来取引しようとする物件の広告表示であって、その物件の種別、販売中であるか販売予定であるかの別、及び最寄駅のみを表示するもの。

　このほかに、シリーズ広告・予告広告の特例があります。これらの特例は次ページ以降にまとめてありますので参照してください。

（関連法規） 不動産の表示に関する公正競争規約（不動産公正取引協議会連合会、2022年9月1日）第12条

(3) シリーズ広告・予告広告

Q 価格などが決まっていなくても広告を開始できるシリーズ広告や予告広告には、どのような規定があるのでしょうか？

A 消費者が住まいの情報をいち早く入手して比較・検討できるように特例として認められているのがシリーズ広告や予告広告です。価格が未定の段階でも広告を開始できる代わりに、それぞれ独自の表示事項などが定められていますので注意してください。

●

(1) シリーズ広告

「分譲宅地」「新築分譲住宅」「新築分譲マンション」「一棟リノベーションマンション」または「新築賃貸マンション」「新築賃貸アパート」に関する広告表示であって、一つの企画に基づき、1年以内に、順次、連続して4回以上または6か月以内に3回以上にわたって行う一連の広告表示をいいます。シリーズ広告では、広告表示の開始時期の制限に適合するもので、かつ、以下の要件を満たす場合に限り、その一連の広告表示をもって、一つの広告表示と見なすことが認められています。

次の事項はシリーズ広告の「各回に必要な表示事項」です。

①シリーズ広告である旨、②広告の回数、③シリーズ中の順位、④次回の掲載予定日（最終広告を除く）、⑤契約・予約の申し込みに応じない旨、および申し込みの順位を確保しない旨（最終広告を除く）、⑥最終広告において、規定する必要な表示事項を表示していること。

> **〈シリーズ広告を中止することはできません〉**
> 最終広告は必要表示事項のすべてが記載された「本広告」とすることになっています。また、広告主の都合で最終回を待たず、シリーズ広告を中止することはできません。

(2) 予告広告

広告表示の開始時期の制限に適合するものの、価格等が確定していないため、直ちに取引ができない「分譲宅地」「新築分譲住宅」「新築分譲マンション」「一棟リノベーションマンション」または「新築賃貸マンション」「新築賃貸アパート」について、本広告（必要な表示事項をすべて表示している広告をいう）に先立ち、その取引開始時期などをあらかじめ告知するのが予告広告です。

予告広告では、価格などの数事項は記載されませんが、そのかわり次の付加された事項を記載しなければなりません。「省略できる事項」はⅢ-4（1）「不動産広告の必要表示事項」の表を参照してください。

①予告広告である旨（目立つ場所に14ポイント以上）

(3) シリーズ広告・予告広告

②価格（賃料）が未定である旨または予定最低価格（賃料）、予定最高価格（賃料）及び予定最多価格帯
③販売予定時期または取引開始予定時期
④本広告を行い取引を開始するまでは、契約・予約の申し込みに一切応じない旨および申し込みの順位の確保に関する措置を講じない旨
⑤予告広告をする時点において、販売区画、販売戸数または賃貸戸数が確定していない場合は、次に掲げる事項を明示すること。
　(a)販売区画数、販売戸数または賃貸戸数が未定である旨
　(b)物件の取引内容および取引条件は、全ての予定販売区画、予定販売戸数または予定賃貸戸数を基に表示している旨およびその区画数または戸数
　(c)当該予定広告以降に行う本広告において販売区画数、販売戸数または賃貸戸数を明示する旨

②および④は、①に近接する場所に掲載しなければなりません。また、定期借地権などの借地権が設定されている場合はその旨を表示することとなっています。

〈本広告を忘れずに〉

予告広告を行う場合においては、当該予告広告にかかる物件の取引開始前に、当該予告広告を行った媒体と同一の媒体を用い、かつ、当該予告広告を行った地域と同一またはより広域において、「本広告」をしなければなりません。もしくはインターネット広告による実施も可能ですがその場合は、当該予告広告において、インターネットサイト名（アドレスを含む）及び掲載予定時期を明示しなければならないことになっています。

（関連法規）
不動産の表示に関する公正競争規約（不動産公正取引協議会連合会、2022年9月1日）第4条・第9条・第11条　同施行規則第5条

(4) 広告開始時期の制限

Q 計画段階の分譲住宅で、まだ建築確認を受けていません。この段階で広告を掲載したら問題でしょうか？

A 宅地建物取引業法および公正競争規約は、広告を開始できる時期を定めており、開発許可や建築確認を受けた後でなければ広告してはいけないことになっています。それ以前に広告すると、法律や規約に違反するばかりでなく、時には購入しても建物が建てられないなど、購入者に大きな被害を及ぼすことになりかねません。また、シリーズ広告、予告広告や建築条件付き宅地販売などにおいても、同様に開始時期の制限を受けます。

●

　事業者が宅地開発や建築を計画しても、計画どおりに完成するとは限りません。
　計画段階で広告を開始し、その後、開発許可や建築確認を受けることができなかったり、大幅な設計変更を受けて、既に行った広告どおりの物件を購入者に提供することができなくなったりして、多くの人々に不測の損害をもたらすおそれもあります。
　そこで宅地建物取引業法は、「宅地の造成または建物の建築に関する工事の完了前には、その工事に必要な許可、確認を受けた後でなければ宅地または建物の広告をしてはならない」と定めています。公正競争規約も同様の制限をしています。

(関連法規)
宅地建物取引業法第33条　都市計画法第29条　建築基準法第6条　不動産の表示に関する公正競争規約（不動産公正取引協議会連合会、2022年9月1日）第5条

(5) 建築条件付き土地の広告

Q 「建築条件付き土地における建築表示例」について説明してください。

A 「建築条件付き土地」とは、土地を販売するに当たり、土地購入者と売主が指定する建築業者との間に、建築する建物について一定の期間内に建築請負契約が成立することを条件に売買される土地のことをいいます（建築請負契約の相手方となる者を制限しない場合を含む）。この方式の場合の必要表示事項は、通常の土地取引に関する表示に加え、表示規約で別途決められています。また、規約では、建築プランの表示についての基準も示されています。

●

建築条件付き土地の広告において、建築プランを表示する場合の追加表示事項は以下のとおりです。
①取引の対象が建築条件付き土地である旨
②建築請負契約を締結すべき期限（土地購入者が建物の設計を協議するために必要な相当の期間を経過した以降に設定される期限）
③建築条件が成就しない場合は、土地売買契約は解除され、かつ、土地購入者から受領した金銭は、名目のいかんに関わらず、全て遅滞なく返還される旨
④表示にかかる建築プランは次に挙げる要件が満たされれば違反にはなりません。
　(a)設計プランの参考のための一例であって、採用するか否かは購入者の自由な判断に委ねられている旨
　(b)プランにかかる建物の建築代金ならびにこれ以外に必要となる費用の内容及びその額
⑤その他土地の売買に関する必要表示事項

〈建築条件の例〉
「この土地は、土地売買契約後3か月以内に、○○工務店（株）と建物の建築請負契約を締結することを条件に販売します。この期間内に建築請負契約を締結されなかった場合は、土地売買契約は白紙となり、受領した手付金などの土地代金を全てお返しします。」などです。

（関連法規）
不動産の表示に関する公正競争規約（不動産公正取引協議会連合会、2022年9月1日）第4条・第6条・第13条　同施行規則第7条

(6) 二重価格表示

Q 当初の売り出し価格から値段を下げてマンションを販売する場合、値下げ前の価格を広告に表示することは可能でしょうか？

A 不動産業の公正競争規約は、不当な二重価格表示を禁止しています。ただし、定められた要件を満たす場合に限り認められています。

●

(1) 値下げ表示

次のすべての要件を満たすと、二重価格表示が可能です。
① 過去の販売価格の公表日及び値下げした日を明示すること。
② 「過去の販売価格」は、値下げの直前の価格であって、かつ、値下げ前2か月以上にわたり実際に販売するために公表していた価格であり、その資料を有すること。
③ 値下げ時期から6か月以内に表示するものであること。
④ 過去の販売価格公表日から二重価格表示を実施する日までの物件の価値に同一性が認められるものであること。
⑤ 土地（現況有姿分譲地を除く）または、建物（共有制リゾートクラブ会員権を除く）について行う表示であること。

(2) その他の割引表示について

土地・建物両方において、一定の条件を明示して、一定率または一定額の割引を表示することは認められています。
　（例）① 代金全額を購入者の自己資金で支払う場合2％値引きする
　　　　② マンションを2戸（分譲地を2区画）購入する場合、総額から5％の値引き
　　　　③ 賃貸（アパートなど）の場合、学割、シニア割引など一定の値引き

（関連法規）
不動産の表示に関する公正競争規約（不動産公正取引協議会連合会、2022年9月1日）第20条　同施行規則第12条・第13条

Ⅲ-4　不動産広告

(7) 不動産広告と景品表示法および景品規則

Q マンションの購入者やモデルルームへの来場者に景品を提供する旨を広告に掲載する場合の注意点はありますか？

A 取引付随性を持った消費者への経済上の利益の提供は、景品表示法や公正競争規約において規制の対象となります。従って、景品類の提供の方法や景品の最高限度額などに注意を要します。

●

景品類に関しては、不動産業における景品類の提供の制限に関する公正競争規約と同施行規則において下記のように規制されています。

1　一般消費者に対する景品類の提供の制限（景品規約第3条関係）

景品類の提供の方法	景品類の最高限度額
①一般懸賞景品（来場者、購入者等に抽選等で提供する場合）	取引価額の20倍または10万円のいずれか低い価額（取引予定総額の2％以内）
②総付け景品（購入者全員に、または先着順で提供する場合）	取引価額の10％または100万円のいずれか低い価額
③共同懸賞景品（多数の事業者が共同して実施する年末大売り出し等で抽選等で提供する場合）	30万円（取引予定総額の3％以内）
④取引の勧誘をする旨を明示しないで行う旅行等への招待、優待	0円（禁止）

2　取引価額（景品規約施行規則第5条関係）

取引態様等		取引価額
①売買等で売主または代理の場合		物件価格
②賃貸	貸主または代理の場合で賃貸住宅等の場合	・賃貸借契約を締結するために必要な費用の額（敷金など賃貸借契約満了後に返還される金銭を除く。） ・契約締結前に、一定期間契約を継続した後、賃借人に景品類を提供する旨を告知した場合は、上記費用に加え、当該期間内に賃借人が支払った賃料等の総額
	貸主または代理の場合で借地権付物件の場合	権利金など返還されない金銭の授受があるものは、当該権利金の額（保証金、敷金など賃貸借契約満了後に返還される金銭を除く。）
③媒介の場合		媒介報酬限度額（ただし、売主、貸主等と共同して行う場合はそれぞれ上記による。）

（注）「先着○名様」の場合は総付け景品（最高額100万円）となります。

(7) 不動産広告と景品表示法および景品規則

〈景品類には該当しない取引〉

値引きまたはアフターサービスと認められる経済上の利益や、不動産または不動産の取引に付属すると認められる経済上の利益は、景品類の扱いとはなりません。

〈不動産取得による相続・事業継承対策を標ぼうした広告表示〉

相続税対策としてマンション購入を勧める広告を見かけるようになりました。中には具体的な節税額を表示しているものもあります。このような広告表示に問題はないのでしょうか。

現行の相続税では、現金を資産で保有するより、不動産を購入していた方が相続評価額は低くなります。ただし、今後の税制の変更の可能性や物件相場の変動により、当初に見込んだような結果がでるといった保証はありません。その場合の結果は購入者が全てを負うことになります。

読者保護の観点からは、「算出方法」の表示と「広告における事例は一例で、条件によっては期待した節税効果が得られない可能性がある旨」等の注釈による注意喚起が望まれます。

（関連法規）
景品表示法　独占禁止法　不動産業における景品類の提供の制限に関する公正競争規約
（不動産公正取引協議会連合会、2019年11月13日付規則変更）　同施行規則第5条

(8) 投資用ワンルームマンションなどに関する表示

Q 購入後のリースを想定したワンルームマンションの広告で、「節税効果」「賃料収入」や「利回り」など投資効果を表示する場合の注意点はありますか？

A 不動産から得られる収益や節税効果を表現することは可能です。しかし、ことさら投機性をあおる表現や、収入がいつまでも確保できるといった表現は、不動産広告としては認められるものではなく、使用可能な表現について表示規約で規定されています。

●

(1) リースマンションなどの節税効果の表示

　節税効果については「不動産所得が赤字となる場合であり、黒字となる場合は納税額が増加する旨を表示」し、さらに「不動産所得にかかわる必要経費が減少した場合、節税効果も減少する旨を表示」することになっています。また、具体的な計算例を表示する場合は「当該物件を購入した年度（初年度）の次の年度以降のものを表示し、次年度以降の計算例と併せて表示し、かつ、初年度の節税効果を強調しないときに限り、初年度の計算例を表示することができる」となっています。

(2) リースマンションなどの賃料収入の表示

　転貸目的で家主から賃借し、賃料を支払うことを条件としている借り上げ契約（サブリース）の場合には、家主との間に結ばれる賃貸借契約に関する以下の表示が必要となります。

　①権利金、礼金、敷金、保証金などの支払いの有無及び支払うときはその額、②月額賃料、③賃料のほかに管理費などを支払うかどうかの別、④賃借期間、⑤契約更新及び賃料改定に関する事項など

　また、裏付ける合理的な根拠を示す資料を有している場合を除き、以下の表示はできません。

　①将来にわたって、賃貸市場における商品価値を確実に保持するかのような表示、②将来にわたって、確実に安定した賃貸収入が確保されるかのような表示、③将来にわたって、資産価値が確実に増大するかのような表示

(3) 投資用物件などの「利回り」表示

　「利回り」を表示するときは、①「1年間の予定賃料収入の不動産取得対価に対する割合である旨」、②「公租公課や物件の維持管理費用など必要経費の控除前である旨」、③「予定賃料収入が確実に得られることを保証するものではない旨」など、利回りの算定根拠の明示が必要です。賃貸契約や実績がない新築物件における賃料表示には、近隣で同等物件を参考に想定賃料を算出することになります。実勢とかけ離れた賃料を記載すると不当表示になります。

（関連法規） 不動産の表示に関する公正競争規約（不動産公正取引協議会連合会、2022年9月1日）第15条・第16条　同施行規則第9条（46）・第10条

(1) 有料老人ホームの広告

Q 有料老人ホームの広告を審査する際は、どのような点に注意すればよいでしょうか？

A 有料老人ホームを運営するには、都道府県知事に届け出をしなければなりませんので、まず当該有料老人ホームが届け出された施設かどうかを確認することが重要です。届け出が受理されるまでは、有料老人ホームとして入居者を募集することはできません。また、広告表示については、入居者に不当に期待を抱かせたり、それによって損害を与えることがないよう、実態と乖離（かいり）のない正確な表示をしなければなりません。

●

(1) 有料老人ホームの定義

　有料老人ホームとは、老人を入居させ、入浴、排せつ、食事の介護、食事の提供、またはその他の日常生活上必要な便宜であって厚生労働省令で定めるものの供与（他に委託して供与をする場合及び将来において供与をすることを約する場合を含む）をする事業を行う施設のことをいいます。ただし、以下のものは有料老人ホームに含まれません。
○老人福祉施設（老人デイサービスセンター、特別養護老人ホームなど）
○認知症対応型老人共同生活援助事業を行う住居（認知症高齢者グループホーム）

　有料老人ホームを設置しようとする者は、あらかじめ、その施設を設置しようとする地の都道府県知事に、以下の事項を届け出なければなりません。
　①施設の名称および設置予定地
　②設置しようとする者の氏名および住所または名称および所在地
　③設置しようとする者の登録事項証明書または条例等
　④事業開始の予定年月日
　⑤施設の管理者の氏名および住所
　⑥施設において供与される介護等の内容
　⑦その他厚生労働省令で定める事項

(2) 有料老人ホームの類型

　有料老人ホームは、厚生労働省より通知された「有料老人ホーム設置運営標準指導指針」により、以下の4つの類型に分類されます。
①介護付有料老人ホーム（一般型特定施設入居者生活介護）
　介護などのサービスが付いた高齢者向けの居住施設で、介護が必要となっても、当該有料老人ホームが提供する特定施設入居者生活介護を利用しながら当該有料老人ホームの居室で生活を継続することが可能です（介護サービスは有料老人ホームの職員が提供）。
②介護付有料老人ホーム（外部サービス利用型特定施設入居者生活介護

介護等のサービスが付いた高齢者向けの居住施設で、介護が必要となっても、当該有料老人ホームが提供する特定施設入居者生活介護を利用しながら、当該有料老人ホームの居室で生活を継続することが可能です（有料老人ホームの職員が安否確認や計画作成などを実施し、介護サービスは委託先の介護サービス事業所が提供）。

③住宅型有料老人ホーム（※）
生活支援等のサービスが付いた高齢者向けの居住施設で、介護が必要となった場合、入居者自身の選択により、地域の訪問介護などの介護サービスを利用しながら当該有料老人ホームの居室での生活を継続することが可能です。

④健康型有料老人ホーム（※）
食事などのサービスが付いた高齢者向けの居住施設で、介護が必要となった場合には、契約を解除し退去しなければなりません。

（※）特定施設入居者生活介護の指定を受けていないホームは、「介護付き」、「ケア付き」などの表示をすることはできません。

(3) 広告表示事項

有料老人ホームの広告においては、都道府県知事への届出事項及び厚生労働省より通知された「有料老人ホーム設置運営標準指導指針」における有料老人ホームの類型及び表示事項を踏まえ、以下の事項を表示することが消費者にとっては必要でしょう（各自治体の定める有料老人ホーム設置運営指導指針は、厚生労働省通知と異なる場合があります）。

また、その表示にあたっては、公正取引委員会が施行した、「有料老人ホームに関する不当な表示」及び「有料老人ホームに関する不当な表示の運用基準」にも注意しなければなりません。業界団体である（公社）全国有料老人ホーム協会も「有料老人ホームの広告等に関する表示ガイドライン」を定めていますので、そちらも参考にすると良いでしょう。

①施設の名称、所在地、交通の利便（距離表示）
②広告主の名称または商号、所在地、電話番号
③広告主と事業主体者が異なる場合、事業主体者の名称
④事業主体者と運営主体者が異なる場合、運営主体者の名称
⑤施設の類型
⑥事業開始年月日
⑦施設において供与される介護等の内容、費用
　(a)入居者に介護が必要となった場合、外部の事業者による訪問介護等の介護サービスを利用する必要がある場合はその旨を表示
　(b)介護保険法の規定に基づく保険給付の対象とならない介護サービスについては、当該介護サービスの内容及び費用を表示
　「介護一時金」や「月額介護料」、「健康管理費」等の費用の表示を行う場合、次の使途について金額を分離して表示する必要があります。
・要介護者等に対する、個別的な選択による個別的な介護サービス費用

(1) 有料老人ホームの広告

具体的内容、金額、及び徴収方法を表示する必要があります。
（例）「週〇回以上の入浴介助：1回△△円」
- 要介護者等に対し、介護保険法上の職員配置基準よりも配置が手厚いとして徴収する費用
  上記個別的な選択による個別的なサービス費用にかかるサービス提供時間を除外した上で、要介護者等の人数に応じた介護職員等の配置人数を表示する必要があります。
  （例）「要介護者等〇人に対し、週△時間換算で介護・看護職員□人」
- 上記2点以外の使途として、要介護者等以外の入居者に対する生活支援サービス費用が含まれている場合も金額を分離して表示する必要があります。

⑧建物の規模、構造、設備の概要
- 土地、建物が当該有料老人ホームの所有ではない場合は、その旨を表示
  （例）「土地・建物の権利形態賃借（定期借地権契約期間〇年〈令和△年契約〉）」
- 当該有料老人ホームが設置しているものではない施設、設備である場合は、その旨を表示
  （例）「〇〇会運営のクリニックが施設内に併設」
- 当該有料老人ホームの敷地、建物内に設置されていない施設、設備を表示する場合は、施設外にある旨と有料老人ホームからの距離や所要時間を表示
- 設備について、利用するごとに費用を支払う必要がある場合は、その旨を表示
- 共用施設が複数の用途で使用されている場合は、その旨を表示
  （例）「機能訓練室（教養娯楽室と共用）」
- 当該設備の構造、仕様の一部に異なるものがある場合は、その旨を表示
  （例）「南向き居室　〇室中△室」「居室（〇〇、△△付〈□タイプには◇◇がありません〉）」

⑨入居定員及び居室数

⑩入居一時金、利用料、その他の入居者の費用負担の額（利用料等のかかる消費税の表示は総額表示とする）
- 介護サービスや居室利用に関する費用以外に、入居者が支払う管理費等の費用については、その内訳を表示
  （例）「管理費の使途：事務・管理部門の人件費、自立者に対する生活支援サービス提供のための人件費、共用施設の維持管理費」

※家賃相当額や敷金、サービスの対価以外の、権利金その他の受領はできない

⑪入居金の償却と返還の規定

⑫医療施設との連携内容
- 協力医療機関の名称、該当診療科名、具体的な協力内容を表示
  （例）「〇〇病院（内科）年に〇回の健康診断」
- 入居者が費用を負担する必要がある場合は、その旨を表示（健康保険法等に

(1) 有料老人ホームの広告

基づく医療または療養の給付を受ける際の一部負担金を除く）
⑬居住の権利形態
　(a)利用権方式（居住部分と介護、生活支援等のサービス部分の契約が一体となっているもの）
　(b)建物賃貸借方式（居住部分と介護等のサービス部分の契約が別々になっているもの。入居者の死亡をもって契約を終了するという内容は有効になりません）
　(c)終身建物賃貸借方式（都道府県知事から高齢者の居住の安定確保に関する法律の規定に基づく終身建物賃貸借事業の認可を受けたもの。入居者の死亡をもって契約を終了するという内容が有効）
⑭利用料の支払い方式
　(a)全額前払い・一部前払い・一部月払い方式（終身にわたって受領する家賃またはサービス費用の全部または一部を前払金として一括して受領する方式）
　(b)月払い方式（前払金を受領せず、家賃またはサービス費用を月払いする方式）
　(c)選択方式（入居者により、全額前払い・一部前払い・一部月払いと月払い方式のいずれかを選択する方式）
⑮入居時の要件
　(a)入居時自立
　(b)入居時要介護
　(c)入居時要支援・要介護
　(d)入居時自立・要支援・要介護
⑯介護保険
　(a)○○県（市）指定介護保険特定施設（一般型特定施設）
　(b)○○県指定介護保険特定施設（外部サービス利用型特定施設）
　(c)在宅サービス利用可
⑰居室区分（介護居室区分）
　(a)全室個室　　(b)相部屋あり（○人部屋〜△人部屋）
⑱一般型特定施設である有料老人ホームの介護にかかわる職員体制（要介護者数：職員数）
　(a)1.5：1以上　(b)2：1以上　(c)2.5：1以上　(d)3：1以上
　・介護職員数を表示する場合は、常勤換算方法による人数を表示し、夜間最少人数を併記
⑲外部サービス利用型特定施設である有料老人ホームの介護サービス提供体制
　(a)有料老人ホームの職員○人
　(b)委託先である介護サービス事業所名（訪問介護・訪問看護・通所介護）
⑳提携ホームの利用が可能である旨・提携ホームへの移行が可能である旨
㉑その他
　・入居者の状態などにより、将来他の居室への住み替えが発生する場合は、その旨を表示。また、住み替え時の、占有面積の減少、居室の利用に関する権

(1) 有料老人ホームの広告

　　利の変更（消滅）、追加費用の発生、占有面積減少に伴う入居金の費用調整等の有無についても併せて表示。
・入居者の状態によっては、当該有料老人ホームにおいて終身にわたって居住し、また介護サービスの提供を受けられない場合があるにもかかわらず、その旨を明瞭に表示せず、「終身介護」、「生涯介護」、「終身利用」、「最後までお世話します」、「入居一時金について追加の費用はいりません」等の文言を使用することはできない。
・施設外観の写真やイラスト（完成図又は完成予想図と表示）を表示する際に、土地、建物が当該有料老人ホームの所有ではない場合は、その権利形態を表示。定期借地（家）契約の場合は存続期間について記載すること。

（関連法規）
老人福祉法第29条　同施行規則第20条の3～10　介護保険法　介護保険法施行規則　景品表示法第5条第1項　有料老人ホームの設置運営標準指導指針について（平成14年7月18日老発第0718003号、令和3年4月1日老発0401第14号）　有料老人ホームの広告等に関する表示ガイドライン（全国有料老人ホーム協会、平成16年8月26日施行、平成18年12月21日改正）　有料老人ホームに関する不当な表示（平成16年4月2日公正取引委員会告示第3号、平成18年11月1日公正取引委員会告示第35号）「有料老人ホームに関する不当な表示」の運用基準（平成16年6月16日公正取引委員会事務総長通達第11号、平成18年10月12日公正取引委員会事務総長通達第13号）

（問い合わせ先）
厚生労働省老健局高齢者支援課　各都道府県高齢者福祉担当部局　消費者庁表示対策課
全国有料老人ホーム協会

(2) サービス付き高齢者向け住宅の広告

Q サービス付き高齢者向け住宅とは、どのようなものですか？

A 「高齢者の居住の安定確保に関する法律」の改正に伴い、高齢者単身・夫婦世帯が安心して居住できる賃貸等の住まいとして、2011（平成23）年10月に創設された制度です。改正前の高齢者円滑入居賃貸住宅、高齢者専用賃貸住宅、高齢者向け優良賃貸住宅を一本化する形で、行政への事前の登録手続きが義務づけられました。所管は国土交通省と厚生労働省、登録と事業者への指導・監督を都道府県・政令市・中核市が行っています。

●

　サービス付き高齢者向け住宅の登録にあたっては、バリアフリー構造のほか規模・設備に一定の基準があり、安否確認や生活相談といった高齢者支援サービスが必須とされています。また、受領できる金銭が敷金・家賃（共益費含む）・サービスの対価に制限されるなど、契約関係の基準も定められています。さらに、都道府県知事が策定する高齢者居住安定確保計画において、別途基準が設けられる場合がありますので、確認が必要でしょう。

　それらの基準を満たして、都道府県知事・政令市長・中核市長が登録届を受理したもの、あるいは登録の届出手続き中であって行政の確認を得たものが、サービス付き高齢者向け住宅としての入居者募集が可能になります。また、誇大広告の禁止も義務づけられていることから、正確な情報提供が欠かせません。

　入居者募集にあたっては、入居希望者の適切な判断のために、以下のような表示が求められます。なお、有料老人ホームも基準を満たせばサービス付き高齢者向け住宅の登録ができますので、（1）「有料老人ホームの広告」の項目も参照してください。

①広告主の名称または商号、所在地、電話番号
②広告主と事業主体者が異なる場合、事業主体者の名称
③事業主体者と運営主体者が異なる場合、運営主体者の名称
④施設の名称、所在地、交通の利便、総戸数・募集戸数、居住面積、敷地面積、建物の規模・構造・建築年月
⑤サービス付き高齢者向け住宅の登録番号（登録手続き中の場合、その旨）
⑥事業主体者が土地・建物を所有していない場合、その権利形態
⑦居住の権利形態
　(a)利用権方式　(b)建物賃貸借方式　(c)終身建物賃貸借方式
⑧入居の要件
⑨生活支援サービスの内容（外部委託の場合、その旨）
⑩生活支援サービスの費用（介護保険給付の対象とならないサービスは、その旨）
⑪敷金、家賃、管理費または共益費　※権利金その他の金銭の受領はできない
⑫前払い金を受領する場合、その旨

(2) サービス付き高齢者向け住宅の広告

⑬有料老人ホームの届け出もされていることを同時に表示する場合、有料老人ホームとして必要な表示事項

⑭入居者が利用する施設または設備が次のいずれかに該当する場合、その旨
　(a)事業者が設置しているものではない
　(b)登録住宅の敷地内に設置されていない
　(c)入居者が利用するごとに費用を払う必要がある
　(d)特定の用途のための専用の施設または設備として設置されまたは使用されていない

⑮設備の構造または仕様の一部に異なるものがある場合、その旨

⑯入居者の居住部分について、国土交通省・厚生労働省関係高齢者の居住の安定確保に関する法律施行規則第13条各号の理由以外（または同条ただし書きの場合）で変更する場合、さらに変更が次のいずれかに該当する場合、その旨
　(a)変更後の居住部分の床面積が当初より減少する
　(b)他の居住部分に住み替える場合、当初の居住部分の利用に関する権利が変更するまたは消滅する
　(c)変更後の居住部分の利用に関し、追加的な費用を支払う
　(d)当初の居住部分の利用に関する費用について、居住部分の変更による居住部分の構造・設備の変更または居住部分の床面積の減少に応じた調整が行われない

⑰終身にわたって居住または介護サービスの提供を受けることができることを表示する際、国土交通省・厚生労働省関係高齢者の居住の安定確保に関する法律施行規則第13条各号の理由以外（または同条ただし書きの場合）により居住または介護サービスの提供が受けられない場合、その旨

⑱高齢者の居住の安定確保に関する法律第6条第1項第10号の高齢者生活支援サービスを提供する者の人数を表示する場合、次の人数を表示
　(a)サービスを提供する者の総人数及びサービスごとの内訳の人数
　(b)要介護者等以外の入居者に対してサービスを提供する場合、サービスを提供する者の総人数及びサービスごとの内訳の人数
　(c)夜間におけるサービスを提供する者の総人数及びサービスごとの内訳の人数

⑲高齢者生活支援サービスを提供する者のうち介護に関する有資格者を表示する場合、その人数を常勤または非常勤の別ごとに表示

⑳施設外観の写真やイラスト（完成図または完成予想図と表示）を表示する際に、土地・建物が事業主体者の所有ではない場合、その権利形態

Ⅲ-5　有料老人ホームなどの広告

(2) サービス付き高齢者向け住宅の広告

〈見学会・入居体験会の開催告知〉

　有料老人ホームやサービス付き高齢者向け住宅の施設の名称を表示した、見学会や入居体験会の開催告知広告では、入居者募集広告と誤認させないように、開催時に入居者募集を行わない旨を表示することが、景品表示法の観点から望ましいでしょう。そして、広告主名（事業主体者及び運営主体者が異なる場合、その名称）、施設の名称・所在地・交通の利便、施設の類型、見学会・体験会の開催日時、その定員や費用などの募集要領を表示して下さい。また、施設外観の写真やイラストを表示する際の留意点は入居者募集広告と同様です。

（関連法規）
高齢者の居住の安定確保に関する法律第15条　同施行規則第7条　国土交通省・厚生労働省関係高齢者の居住の安定確保に関する法律施行規則第18条・第22条　同第22条第1号の国土交通大臣及び厚生労働大臣が定める表示についての方法（平成23年10月7日厚生労働省・国土交通省告示第5号）　介護保険法　同施行規則　老人福祉法　同施行規則
（問い合わせ先）
国土交通省住宅局安心居住推進課　各都道府県住宅担当部局　厚生労働省老健局高齢者支援課　高齢者住宅財団　サービス付き高齢者向け住宅協会

(1) 病院などの広告

Q 病院関係の広告で、建物や最新医療機器の写真などの表示は可能ですか？ また、あん摩、助産所やカイロプラクティックなどの広告規制はどうなっているのですか？

A 広告主の建物や医療機器の写真は表示が可能ですが、限定的に認められた事項以外は広告できない原則は堅持されています。助産所なども同様です。カイロプラクティックなどには規制はありませんが、注意が必要です。

●

(1) 医業及び歯科医業に関する広告

　医療法は、原則として、法定された広告可能事項以外「広告」できないというスタンスです。美容医療サービスに関する情報提供を契機として消費者トラブルが発生していること等から、2017（平成29）年に改正され、広告規制の対象範囲が単なる「広告」から「広告その他の医療を受ける者を誘引するための手段としての表示」へと変更され、ウェブサイトによる情報提供も規制の対象となりました。原則的なスタンスには上記から変更ありませんが、他方で、患者等が自ら求めて入手する情報については、適切な情報提供が円滑に行われる必要があるとの考えから、一定の要件を満たす場合には、広告可能事項の限定を解除し、他の事項を広告することができます。本書は「新聞広告」に焦点を当てていますので、限定解除の要件を満たすことは前提としていません。

　広告可能な事項を分かりやすい文言で表現したり、その説明を加えることを認め、これにより記事体広告も可能となりました。ただし、記事に付きもののカット、見出し、写真、イラストなども医療法の規制対象であることを忘れないでください。また、間接罰を導入（虚偽広告は直接罰を維持）し、都道府県段階でより迅速に広告指導が行えるようにしました。さらに、「医療広告ガイドライン」では、広告の定義、広告媒体・規制対象者も記載し、タイアップ本やバイブル本も広告と明記されました。

◇ガイドラインの主な内容

【広告の定義】
①患者の受診等を誘引する意図があること（誘引性）
②医業、歯科医業を提供する者の氏名、名称、病院・診療所の名称が特定可能（特定性）
①及び②の要件を満たした場合、広告に該当

【広告媒体と規制対象者】
〔広告媒体〕
①チラシ、パンフレット等の紙媒体
②ポスター、看板等の掲示物

③新聞、書籍、雑誌その他出版物
④テレビ、ラジオ、交通機関のアナウンス等の放送
⑤医療機関が運営するホームページ等のウェブサイト
⑥医療機関が運営するフェイスブック、X（旧ツイッター）、インスタグラム等のSNS
⑦アフィリエイターの記事
⑧口コミサイト、ポータルサイト
〔規制対象者〕
　「何人も」であり、ガイドラインで医療従事者、医療機関のほかに、広告会社、マスコミ、一般人など、日本国内向けなら海外の事業者も規制対象と明示

【通常、医療広告とは見なさないもの】
①学術論文、学術発表など
②新聞や雑誌などの記事
③患者が個人的に表現した体験談や手記を記載したブログやSNS
④院内掲示や院内で配布するパンフレットや資料
　※患者からの資料請求に基づいて送られたパンフレットは広告に該当
⑤医療機関の職員募集広告

【広告できない事項】
　「医療広告ガイドライン」では以下の広告を禁止事項として挙げて特に注意を促しています。
①広告が可能とされていない事項の広告
　(a)専門外来（広告が可能な診療科名と誤認を与えるため）
　(b)死亡率、術後生存率など（適切な選択に資する情報であるとの評価が可能な段階にないため）
　(c)未承認医薬品（海外の医薬品、健康食品等）による治療（医薬品医療機器等法で承認された医薬品による治療等に限定されている）
②内容が虚偽にわたる広告（虚偽広告）
　(a)「絶対安全な手術」（医学上ありえない）
　(b)「厚生労働省が認可した○○専門医」（資格認定は学会が実施）
　(c)「○％の満足度」（根拠、調査方法の提示がない場合）
③他の病院、医療機関と比較して優良である旨の広告（比較優良広告）
　(a)「日本一」「No.1」「最高」などの最上級を示唆する表現（事実であっても使用不可）
　(b)「最良の治療法」「最上の医療機器」
　(c)「著名人も当院で治療を受けている」「著名人の推薦を受けた」（事実であっても不可）
④誇大広告（必ずしも虚偽ではないが、施設の規模、人員配置、提供する医療の内容等で、事実を不当に誇張したり、人を誤認させるもの）
　(a)「最先端の医療」「最適の医療」

(1) 病院などの広告

　(b)「知事の許可を取得した病院です！」（特別な許可を得た病院であるかの誤認を与える）

　(c)「医師数〇名（〇年〇月現在）」（示された年月の時点で事実であっても、その後大きく減少した場合）

　(d)（美容外科の自由診療の際の費用として）「顔面の〇〇術1か所〇〇円」（大きく表示されているが、5か所以上同時に実施したときの費用であり、1か所のみの実施で倍近い費用がかかる旨は小さく書かれているなど、注釈を見落とすものと常識的判断から認識できる場合）

　(e)「比較的安全な手術です」（何と比較して安全であるか不明）

　(f) 伝聞や科学的根拠に乏しい情報の引用（医学的・科学的根拠に乏しい文献やテレビで紹介された情報は、それだけをもっては客観的な証明はできない）

⑤客観的事実であることを証明することができない内容の広告（患者や医療従事者の主観によるものや客観的な事実の証明ができない事項）

　(a) 患者の体験談（治療内容や効果以外の体験は不可ではない）

　(b)「理想的な医療提供環境です」（「理想的な」は客観的な証明はできない）

⑥治療等の内容または効果について患者等を誤認させるおそれがある治療等の前後の写真（いわゆるビフォーアフター写真）、治療等の前のみまたは治療等の後のみの写真

　ただし、下記3つの要件を隣接して記載した場合は例外的に広告可能となります。

　・通常必要とされる治療内容
　・治療にかかる費用
　・治療等によるリスクと副作用

⑦公序良俗に反する内容の広告（わいせつもしくは残虐な写真・映像または差別を助長する表現など）

⑧その他

　(a) 品位を損ねる内容の広告

　・「今なら〇円でキャンペーン実施中」、「期間限定で〇〇療法を50％ OFF」（費用を強調した広告）

　・「無料相談をされた方全員に〇〇プレゼント」（提供される医療内容とは直接関係ない事項による誘引）

　・ふざけた表現、ドタバタ的な表現

　(b) 薬機法、健康増進法、景品表示法、不正競争防止法などの法令または他法令の広告ガイドラインで禁止される内容の広告

　　未承認医薬品、医療用医薬品に関する広告などは、医療機関に関する広告としても不可。

【暗示的または間接的な表現の扱い】

　以下のようなものは医療広告に該当するので、広告可能とされていない事項や虚偽・誇大広告等に該当する場合は認められません。

①名称またはキャッチフレーズにより表示するもの

アンチエイジングクリニック、アンチエイジング→不可（診療科名として認められておらず、公的医療保険の対象や医薬品医療機器等法上の承認を得た医薬品等による診療の内容でもない）
②写真、イラスト、絵文字によるもの
当該病院の建物の写真→可能（他の病院の写真は不可）
病人が元気になるイラスト→不可（効果に関する事項は広告可能な事項ではなく、また回復を保障すると誤認を与えるおそれがあり、誇大広告に該当）
③新聞・雑誌等の記事、医師・学者等の談話、学説、体験談などを引用または掲載するもの
新聞が特集した治療法の記事を引用するもの→可能（医療法第6条の5第3項13号の「治療の内容」の範囲であり、改善率等の広告が認められていない事項を含まない場合）
自らの医療機関や勤務する医師等が雑誌や新聞で紹介された旨の記載→不可
専門家の談話を引用→不可（談話内容が保障されたものと誤認を与えるおそれ）
④病院等のウェブサイトのURLや電子メールアドレス等によるもの
www.gannkieru.ne.jp→不可（「がん消える」を暗示。治療の効果は広告不可）

【広告できる事項（表現方法）】

医療法6条の5第3項関係で記載する事項や医療機能情報提供制度により開示できる事項（専門外来を除く）が広告でき、その表現も客観性・正確性を確保できれば、以下のように幅広く認めています。
①表記として認められたものの写真、イラスト、映像、音声などによる表現
②患者等の理解が可能となるように、分かりやすい表現の使用や説明を追加すること
③略号、記号も正確な情報伝達が可能なら差し支えない
たとえば、医師名は医療法第6条の5第1項7号で表記できることから、写真、イラスト、映像、音声などによる表現も認められます。また、「人工透析」も分かりやすい表現として表示可能です。

〔医療法第6条の5第3項関係〕
①医師または歯科医師である旨
②診療科名（**※別掲1参照**）
③病院または診療所の名称、電話番号及び所在の場所を表示する事項、管理者の氏名
④診療日、診療時間、予約診療の実施の有無
⑤法令に基づき一定の医療を担うものとして指定を受けた病院・診療所または医師・歯科医師である旨
⑥入院設備の有無、病床の種別ごとの数、医師・歯科医師・薬剤師・看護師・その他の従業者の人数、病院・診療所の施設・設備または従業者に関する事項
（据え置き型の医療機器の一般名称〈CT、MRIなど〉、写真・映像、導入台数、導入日なども可。ただし、「未承認の医療機器」「医療機器の特定できる販売名

(1) 病院などの広告

や型式番号」は表示できない)
⑦医療従事者の氏名、年齢、性別、役職、略歴、専門性
- 医療従事者の具体的な範囲：医師、歯科医師、薬剤師、保健師、助産師、看護師、准看護師、理学療法士、作業療法士、視能訓練士、言語聴覚士、義肢装具士、診療放射線技師、臨床検査技師、衛生検査技師、臨床工学技士、歯科衛生士、歯科技工士、救急救命士、管理栄養士及び栄養士
- 非常勤の医療従事者については、非常勤である旨や勤務する日時を示せば表示できる
- 略歴は、生年月日、出身校、学位、免許取得日、勤務した医療機関、診療科等について一連の履歴を総合的に記載する
- 研修については広告不可
- 医療従事者の専門性については、日本専門医機構または日本歯科専門医機構が認定する専門医の広告は可能。ただし、「機構認定専門医」として認定された場合は「学会認定専門医」として広告ができなくなります。ただし、学会専門医認定を受けた旨について適用期日において現に広告しているときは、専門医機構専門医認定を受けた旨を広告するまでの間は、引き続き当分の間は、学会専門医認定を受けた旨を広告することは可能。
- 認定医と指導医については、新聞では広告できません。

⑧医療相談、医療安全のための措置、個人情報取扱いその他管理・運営に関する事項（**※別掲2**参照）

⑨紹介することのできる他の病院、保健医療・福祉サービス事業者などの名称・所在地・連絡先など、これらとの施設・設備・器具の共同利用の状況、連携に関する事項（紹介率・逆紹介率も表示可）

⑩診療録その他の診療に関する諸記録に係る情報の提供、その他医療情報の提供に関する事項（ホームページアドレス、電子メール、二次元コードなど表示可）

※二次元コードのリンク先の内容について、限定解除要件を満たす内容でなければ表示できない場合もあります。

⑪病院・診療所において提供される医療の内容に関する事項（検査、手術その他の治療の方法については医療の選択に資するものとして厚生労働大臣が定めるもの）（**※別掲3**参照）

⑫患者の平均的な入院日数、平均的な外来・入院患者の数、その他医療の提供の結果に関する事項であって医療の選択に資するものとして厚生労働大臣が定めるもの（**※別掲4**参照）

⑬その他各号に掲げる事項に準ずるものとして厚生労働大臣の定める事項（**※別掲5**参照）

※別掲1

単独で診療科名として広告が可能なものと、それと組み合わせることで広告可能な診療科名があります。不合理な組み合わせや、法令上根拠のない名称、診療

(1) 病院などの広告

〔単独で広告可能な診療科名と組み合わせることで広告可能なもの〕

	例
身体や臓器の名称	消化器内科、心臓血管外科、気管食道・耳鼻いんこう科
患者の年齢・性別等の特性	小児眼科、老年精神科、女性内科、小児歯科
診療方法の名称	人工透析内科、ペインクリニック外科、美容皮膚科、矯正歯科
患者の症状や疾患の名称	内科（感染症）、外科（がん）、腫瘍放射線科
複数の事項を組み合わせたもの	血液・腫瘍内科、女性乳腺外科、消化器内科（内視鏡）、歯科口腔外科

〔広告できない診療科〕

2008（平成20）年の改正で認められなくなったもの	神経科、呼吸器科、消化器科、胃腸科、循環器科、皮膚泌尿器科、性病科、こう門科、気管食道科
法令上根拠のない名称で認められないもの	女性科、老年科、化学療法科、疼痛緩和科、ペインクリニック科、糖尿病科、性感染症科など
不適切な組み合わせのもの	整形内科、心療外科、循環器皮膚科、大腸泌尿器科、児童産婦人科、心臓眼科、消化器耳鼻いんこう科など

その他、詳しい組み合わせの例は厚生労働省の医療広告ガイドラインを参考にしてください。

内容が明瞭でないものは広告することができません。また、勤務する医師または歯科医師1名に対して診療科名を原則2つ以内とし、主たる診療科名を大きく表示することが望ましいとしています。

〔単独で診療科名として広告可能なもの〕
　内科、外科、精神科、アレルギー科、リウマチ科、小児科、皮膚科、泌尿器科、産婦人科、産科、婦人科、眼科、耳鼻いんこう科、リハビリテーション科、放射線科、放射線治療科、放射線診断科、救急科、病理診断科、臨床検査科、麻酔科（厚生労働大臣の許可を受けた医師の氏名をあわせて表示すること。他との組み合わせはない）、歯科

※別掲2
　休日または夜間における診療の実施、診療録を電子化している旨、セカンドオピニオンの実施に関すること（費用や予約の受け付けに関することも可能）、医療の安全を確保するための措置、個人情報の取り扱いについて（保護ポリシー、教育訓練の実施状況、漏えい防止策など）、平均待ち時間（診療科別や曜日別などに広告可能）、開設日・診療科別の診療開始日など

※別掲3
検査、手術その他の治療の方法
①保険診療（〈例〉PET検査によるがんの検査を実施、白内障の日帰り手術を実施など）
②評価療養、患者申出療養および選定療養（内容、制度、負担金額などについて、あわせて示すことが望ましい）
③分娩（分娩費、出産育児一時金受領委任払いの説明などについても広告可能）
④自由診療のうち、保険診療または評価療養、患者申出療養および選定療養と

(1) 病院などの広告

　同一の検査、手術その他の治療の方法（美容等の目的であるため、公的医療保険が適用されないが、その手技等は、保険診療または評価療養・選定療養と同一である自由診療での治療の内容は広告可能。〔例〕顔のしみ取り、イボ・ホクロの除去、歯列矯正）

⑤自由診療のうち医薬品医療機器等法の承認または認証を得た医薬品・医療機器による検査、手術その他の治療の方法（〔例〕内服の医薬品によるED治療、眼科用レーザー角膜手術装置の使用による近視手術）

（注）④⑤は公的医療保険が適用されない旨と標準的な費用の併記が必要。標準的な費用は、窓口で実際に支払う費用の総額が容易に分かるように記載。二重価格は表示不可。

　治療の内容について、患者などの情報の受け手にとって分かりやすい表現やその説明を記載すること。治療の方針についても、成功率、治癒率等の治療効果等を説明することなく、広告可能な事項の範囲であれば可能（〔例〕「術中迅速診断を行い、可能な限り温存手術を行います」「手術療法のほかにいくつかの薬物療法の適用があるので、それぞれのメリット・デメリットを説明し、話し合いの下で治療方針を決定するようにしています」）。

提供される医療の内容（上記の「検査、手術その他の治療の方法」以外）
①法令や国の事業による医療の給付を行っている旨
②基準を満たす保健医療機関として届け出た旨
③往診の実施（往診に応じる医師名、対応する時間、訪問可能な地域等も広告可能）
④在宅医療の実施（訪問看護ステーションを設置している旨など）

※別掲4

　手術の件数、分娩の件数、患者の平均的な入院日数、在宅患者・外来患者及び入院患者の数、平均的な在宅患者・外来患者及び入院患者の数、平均病床利用率（以上の事項の表示には、当該数値に係る期間の暦月単位での併記とウェブサイト・年報等での公表が必要）、治療結果に関する分析を行っている旨または分析結果を提供している旨（分析結果そのものは広告不可）、セカンドオピニオンの実績、患者満足度調査を実施している旨または調査結果を提供している旨（調査結果そのものは広告不可）

※別掲5

　従業員（医療従事者を除く）の氏名・年齢・性別・役職・略歴（略歴は一連の履歴を総合的に記載）、健康検査の実施（実施日、実施時間、費用、取り扱う人数、宿泊の有無等）、保健指導・健康相談の実施（日時、実施する医師の氏名、費用等）、予防接種の実施（接種を勧める対象者、回数、1回当たりの費用等）、治験に関する事項（実施医療機関名、治験薬の成分名・開発コード〈商品名は不可〉等）、患者の受診の便宜を図るためのサービス（費用の支払い方法、入院患者に提供する医療に関するものを除くサービス・費用〈貸しテレビ、インターネットの接続環境等〉、駐車設備、送迎サービス、携帯電話の使用等）

(1) 病院などの広告

【美容医療の広告】

　美容医療を標ぼうする医療機関は2021（令和3）年度全国に3000以上あると言われ、2022（令和4）〜2023（令和5）年度にかけてトラブル相談が急増しました。2024（令和6）年には美容医療の適切なあり方について厚生労働省を中心に検討会も立ち上がり、「報告制度」など安全対策の強化に向けて動き始めています。

　美容外科は自由診療を行う医院、公的医療保険が適用されない治療が多い診療科です。広告表示を認められた、①保険診療または評価療養・選定療養と同一である治療②医薬品医療機器等法の承認または認証を得た医薬品・医療機器による検査、手術その他の治療であるのか、分かりづらい面がありますので、日本美容医療協会（https://jaam.or.jp/）で広告掲載が可能な治療を開示していますので参考にしてください。

【歯科インプラントの広告】

　医薬品医療機器等法上の医療機器として承認されたインプラントを使用する治療は公的医療保険が適用されない旨と治療にかかる標準的な費用が併記されていれば広告可能です。ただし、歯科医師の個人輸入により入手したインプラントによる治療は広告できません。

【医療関連の広告の審査】

　広告の定義は、誘引性と特定性の2要素のみとなりましたので、医療機関の名称がある場合はそこに誘引性があるかどうかをみて判断します。誘引性がある場合は、医療法（医療広告ガイドライン）の規制を受けます。健康関連書や医療講演会の告知は、書籍や講演会の内容が広告に該当しても誘引性がなければその広告自体は医療法にかかる広告ではありません。

　広告の定義の2要素がある場合は、まず前述の8項目禁止事項（135〜136ページ）に抵触するか点検し、次に広告ができる事項に関する表現かを点検してください。その際、医療機能情報提供制度により報告・公表される事項（専門外来を除く）に関する表現であるかを調べて参考にすると広告可能である事項かの確認に役立ちます。判断に迷うような微妙な表現は、広告主の所在地の保健所など行政担当部局に確認してください。

(2) 助産師の業務または助産所に関する広告で広告可能な事項

①助産師である旨
②助産所の名称、電話番号及び所在の場所を表示する事項、管理者の氏名
③就業の日時、予約による業務の実施の有無
④入所施設の有無・定員、助産師・従業者の人数、その他これらに関する事項
⑤助産師の氏名、年齢、役職、略歴その他厚生労働大臣が定めるもの
⑥医療相談、安全のための措置、個人情報取り扱い、その他管理・運営に関する事項
⑦嘱託医師の氏名、病院・診療所の名称、業務に係る連携に関する事項
⑧助産録に係る情報、医療情報の提供に関する事項
⑨その他厚生労働大臣の定める事項（「医業、歯科医業若しくは助産師の業務又

(1) 病院などの広告

は病院、診療所若しくは助産所に関して広告することができる事項」第5条、第6条が広告可能）

他の助産所との比較、業務の内容が虚偽・誇大・誤認を与える広告、客観的事実を証明できない内容の広告、公序良俗に反する広告などはできません。

(3) 法律に基づく医業類似行為（あん摩マッサージ指圧師、はり師、きゅう師等及び柔道整復師）に関する広告で広告可能な事項

あん摩、マッサージ、はり、きゅう及び柔道整復を業とする者は、それぞれ厚生労働大臣の免許が必要です。また施設の開設にあたっては都道府県知事に届け出をしなければなりません。

【広告可能な事項と注意点】

①「施術者である旨」または「柔道整復師である旨」ならびに施術者の氏名及び住所

「国家資格保有」の併記は可能です。ただし、整体やカイロ等など民間資格を保有している旨や外国における類似資格を保有または経歴を有している旨は不可です。

②業務の種類（あん摩、マッサージ、指圧、はり、きゅう、もみりょうじ、やいと、えつ、小児鍼）（柔道整復師はほねつぎ、接骨）

③施術所の名称、電話番号及び所在の場所を表示する事項

④施術日または施術時間

⑤医療保険療養費支給申請ができる旨（申請については医師の同意が必要な旨を明示する場合に限る）

⑥予約に基づく施術の実施

⑦休日または夜間における施術の実施

⑧出張による施術の実施

⑨駐車施設に関する事項

【広告不可または広告できない事項】

広告可能事項以外は広告不可でありますが、注意すべき点を例示します。

①施術所の名称
- ・「病院または診療所等」と誤解するおそれがあるものを含んでいる名称
    - 例：○○診療所、○○治療所、○○治療室、○○療院、○○はり科療院、○○治療院、メディカル、クリニック、リハビリ、ドック
- ・あはき、柔道整復以外の業態と紛らわしい名称
    - 例：カイロプラクティック、整体、リラクゼーション、リフレクソロジー、アスレチック、コンディショニング、リラックス、サポート
- ・提供する施術業態が混ざっている名称
    - 例：○○鍼灸接骨院、○○マッサージ接骨院
- ・対象者を限定するもの
    - 例：○○女性専門療院、○○レディース、子ども、スポーツ、アスリート、美容、交通事故専門、むちうち専門

(1) 病院などの広告

・施術内容・技術・方法を含んでいる名称
　例：東洋医学、温鍼、中国鍼灸、美容鍼灸、不妊鍼灸、更年期障害、背骨専門、漢方、気功、無痛治療、電気療法
・効能を含んでいる名称、優良な施術所と思わせる名称
　例：姿勢改善、小顔矯正、骨盤矯正、巧み
・広告不可とされている名称と広告可能とされている名所を併記している名称
　例：メディカル○○鍼灸院、サロン○○接骨院
・その他施術所と分かりにくい名称
　例：○○堂、○○館、○○道場、○○センター、○○ステーション、サロン、ほぐし処、研究所

②届け出に関連した事項
　例：厚生労働省認定・認可、厚生労働省指定、都道府県知事認定・認可、都道府県知事指定

③医療保険療養支給申請に関連した事項
　例：各種保険取扱い、労災保険取扱い、自賠責保険取扱い、交通事故取扱い

④出張による施術に関連した事項
　例：訪問診療、往診等「診」と表記すること

⑤施術者に関連した事項
・技能、施術方法
　例：胸部疾患の灸、慢性病の抜本治療、難病治療の専門、慢性疼痛治療、高い技術、唯一の技術、○○流指圧、痛くない鍼、気持ちの良いお灸、○○流接骨術
・施術者の経歴
　例：「○○養成校卒業後　中国○○大学にて学位取得」「○○療法の第一人者である○○先生に師事」「米国公認○○資格　○○年取得」「○○会員」「○○研修了」「○○学会会員」「○○代表（役員）」「○○（有名人）のトレーナー」

⑥虚偽誇大な表現等
　事実と相違する場合の「県内で唯一の保険適用施術所」「関東地方への出張施術対応中」「無料駐車場あり」「どんなお客様も医療保険療養費支給申請ができます」「知事へ届け出済みの優良施術所です！」

⑦比較優良広告
　例：「県内で唯一、○○にも対応しています」「出張施術はここだけ」

⑧その他
・公序良俗に反する内容
・品位を損ねる内容
　例：「保険適用でとってもお得に施術が受けられます」「交通事故無料」「来院はムダ！いつでも出張施術します」「今だけ駐車料金2時間無料キャンペーン」

(1) 病院などの広告

(4) 法律に基づかない医業類似行為に関する広告

「カイロプラクティック」「整体」「気功」などさまざまなものがあります。これらを医業類似行為として規制する法律はなく、そのため広告を直接規制する法律はありませんが、あはき師法、柔整師法、医療法、医師法、薬機法等に抵触しない必要があります。また、厚生労働省は、施術が人体に危害を及ぼすおそれがあれば処罰の対象になる、としています。それは、これらの施術が規制されない根拠が最高裁の判例（昭和35年1月27日大法廷判決、医業類似行為を業とすることを禁止処罰するのは、人の健康に害を及ぼす処のある業務行為に限局する）にあるためです。疑わしい広告は、都道府県担当部局に確認してください。

【カイロプラクティック療法】

カイロプラクティック療法に関しては、「医業類似行為に対する取扱いについて」で、次の4項目の注意点を示しています。

①禁忌対象疾患の認識

　カイロプラクティック療法の対象として適当でない疾患は、腫瘍（しゅよう）性、出血性疾患などとされているが、このほか、同療法により症状を悪化させる頻度の高い疾患とされている椎間板（ついかんばん）ヘルニア、脊柱管狭窄症、骨粗しょう症などと診断されているものについては、対象とすることは適当ではない

②一部の危険な手技の禁止

　カイロプラクティック療法の手技には、身体に危険なものが含まれており、とりわけ頸椎（けいつい）に急激な回転伸展操作を加えるスラスト法は、身体に損傷を与える危険が大きいため、禁止する必要がある

③適切な医療受療の遅延防止

　長期間あるいは頻回の施術によっても症状が増悪する場合はもとより、腰痛などの症状が軽減、消失しない場合には、器質的疾患を有している可能性があり、速やかに医療機関で精査を受けること

④誇大広告の規制

　カイロプラクティック療法に関して行われている誇大広告、とりわけ、がんの治癒などの医学的有効性をうたった広告については、あん摩マッサージ指圧師、はり師、きゅう師等に関する法律または医療法に基づく規制の対象になること

【クイックマッサージ・足つぼマッサージなど】

あん摩マッサージ指圧師は法律に基づく医業類似行為ですが、街中には法律に基づかない医業類似行為としての「クイックマッサージ」「足つぼマッサージ」などがあります。これらは人体に危害を及ぼすおそれがない行為で治療を標ぼうしない範囲であれば違法とはなりません。しかし、治療を目的としないのですから、行えるのは「○○の緩和」ではなく「リラックス」や「気分転換」「快適さ」などのための行為ということになります。また、店名として直接「マッサージ」をうたえば違法になります。

Ⅲ-6　医療関係の広告

(1) 病院などの広告

(関連法規)
医療法第 6 条の 5 ～ 8　同施行令第 3 条の 2　同施行規則第 1 条の 9・10　医業、歯科医業若しくは助産師の業務又は病院、診療所若しくは助産所に関して広告することができる事項（平成19年 3 月30日厚生労働省告示第108号）　医業若しくは歯科医業又は病院若しくは診療所に関する広告等に関する指針（医療広告ガイドライン）（令和 6 年 9 月13日改正）　医療広告ガイドラインに関するQ&A（平成30年 8 月、令和 6 年 3 月改定）　同（事例集）（平成19年 9 月19日、平成22年12月24日一部改正）　医療広告規制におけるウェブサイト等の事例解説書（第 4 版）（令和 6 年）　医薬品医療機器等法第 66 条第 1 項　あん摩マッサージ指圧師、はり師、きゆう師等に関する法律第 7 条・第12条・第12条の 2　あん摩業、マッサージ業、指圧業、はり業、きゅう業若しくは柔道整復業又はこれらの施術所に関して広告し得る事項等及び広告適正化のための指導等に関する指針～あはき・柔整広告ガイドライン～（厚生労働省、令和 7 年 2 月18日）　柔道整復師法第24条　同第二十四条第一項第四号の規定に基づく柔道整復の業務又は施術所に関して広告し得る事項（平成11年 3 月29日厚生省告示第70号）　医業類似行為に対する取扱いについて（平成 3 年 6 月28日医事第58号厚生省健康政策局医事課長通知）

(問い合わせ先)
厚生労働省医政局総務課・医事課　日本美容医療協会

(2) オンライン診療に関する広告

Q オンライン診療を標ぼうする医療機関の広告で注意する点はありますか。

A オンライン診療とは、スマートフォンやタブレット、パソコンなどを使用して自宅等にいながら医師の診療や薬の処方を受けることができる診療です。オンライン診療は、直接の対面による診療と異なり触診等ができないため、医師が得られる情報が限られます。オンライン診療をしていることについて、その旨を広告することは可能ですが、「オンライン診療の適切な実施に関する指針」などに沿った適切な運用が求められます。なお、対面診療と適切に組み合わせて実施することが基本であり、一部の場合を除き、原則かかりつけの医師が実施します。医師がオンライン診療による診療が適切でないと判断した場合には利用できません。

●

「オンライン診療の適切な実施に関する指針」には、オンライン診療のみで処方すべきでない医薬品の例なども挙げられています。また、2024（令和6）年4月以降は、かかりつけ医が行う場合、または担当医が必要な医学的情報を把握可能と判断できる場合を除き、原則として初診は対面診療で行うことになりました。

現状では、オンライン診療を実施する医療機関の情報を提供するアプリや検索サイトの運営事業者が広告出稿を検討する動きが多くあるようです。また自由診療を行う医療機関がオンライン診療の実施を検討しているケースも多くなっています。

〈新型コロナウイルス感染症の影響〉
2020（令和2）年4月、新型コロナウイルス感染症の拡大に際して、オンライン診療を実施する医療機関に対して都道府県の窓口に届け出を行うこととする要請が厚生労働省から出されています。あくまで情報提供の依頼であり、オンライン診療を実施するために取得しなければならない許認可ではありません。2023（令和5）年7月末時点で全体の約16％にあたる1万8千を超える医療機関が登録しています。

(2) オンライン診療に関する広告

(関連法規)
医師法第20条　歯科医師法第20条　情報通信機器を用いた診療（いわゆる「遠隔診療」）について（平成9年12月24日健政発第1075号厚生省健康政策局長通知）　オンライン診療の利用手順を示した手引書等について（令和6年3月29日事務連絡）　オンライン診療の適切な実施に関する指針（厚生労働省、平成30年3月、令和5年3月一部改訂）「オンライン診療の適切な実施に関する指針」に関するQ＆A（平成30年12月、令和6年4月改訂）　歯科におけるオンライン診療の適切な実施に関する指針（厚生労働省、令和6年3月）　新型コロナウイルス感染症の拡大に際しての電話や情報通信機器を用いた診療等の時限的・特例的な取扱いについて（令和2年4月10日事務連絡）　新型コロナウイルス感染症の拡大に際しての電話や情報通信機器を用いた診療等の時限的・特例的な取扱いに関するQ＆Aについて（令和2年5月1日事務連絡）「新型コロナウイルス感染症の拡大に際しての電話や情報通信機器を用いた診療等の時限的・特例的な取扱いに関するQ＆A」の改定について（その2）（令和4年3月31日事務連絡）　同（その3）（令和4年9月30日事務連絡）　新型コロナウイルス感染症の拡大に際しての電話や情報通信機器を用いた診療等の時限的・特例的な取扱いに関する留意事項等について（令和2年8月26日事務連絡）　令和5年12月～令和6年3月の電話診療・オンライン診療の実績の検証の結果

(問い合わせ先)
厚生労働省医政局医事課

(3) 獣医師または診療施設の業務に関する広告

Q 獣医師の専門性や経歴、役職などについて表記することはできますか。

A 「博士（獣医学）〇〇大学」といった学位や称号など、法令で広告可能とされたものを除き、技能、療法、または経歴に関する事項については広告はできません。ただし、「獣医師会会員」は表記できます。

●

　獣医療の広告について、獣医療法施行規則の改正（2024〈令和6〉年施行）により、動物病院において十分な専門知識がない飼育者が診療内容を正しく理解し、治療等の適切な選択を行えるよう、見直しが行われました。施行規則の改正に伴い、「獣医療に関する広告の制限及びその適正化のための監視指導に関する指針（獣医療広告ガイドライン）」も改正されました。同指針に沿った広告表示が求められます。

【広告可能な事項】
①診療施設の開設予定日
②獣医師の氏名、診療施設の名称、住所、電話番号
③診療日、診察時間、予約診療が可能である旨
④休日・夜間の診療、往診を実施している旨
⑤診療費用の支払い方法（クレジットカードの使用の可否等）
⑥入院施設の有無、病床数等診療施設に関する事項
⑦診療施設の人員配置
⑧駐車場の有無、駐車台数、駐車料金
⑨動物医療保険取扱代理店または動物医療保険取扱病院である旨
⑩ペットホテルを付属している旨、トリミングを行っている旨、しつけ教室を開催している旨
⑪獣医師または施設の業務に関する技能、療法、経歴に関する事項のうち広告することができると法令で定めるもの
　(a)獣医療または診療施設の専門科名（専門分野を示すものと対象分野を示すものがあります）
　・専門分野
　　（例）内科、呼吸器科、消化器科、循環器科、アレルギー科、外科、整形外科
　・対象動物
　　（例）大動物専門科、牛専門科、犬・猫専門科、小鳥専門科、ハムスター専門科
　(b)獣医師の学位または称号
　　（例）獣医学士、獣医学修士、農学博士、博士（獣医学）、新制獣医師
　(c)獣医師の役職及び略歴
　　研修履歴については掲載できません。

(3) 獣医師または診療施設の業務に関する広告

　　　(例)「○○大学△△研究室 卒業」、「○○動物病院 院長」、「狂犬病ワクチン接種委託医師（○○市）」
(d) 農林水産大臣の指定する者が行う獣医師の専門性に関する認定を受けている旨
　　　(例) 獣医師○○（△△認定）□□専門獣医
　　非常勤の勤務である場合はその旨や勤務する日時を示す必要があります。
(e) 獣医師免許を受けた年月日及び診療施設を開設した年月日
(f) 高度獣医療を含む診療内容に関すること※
　　具体的には、椎間板ヘルニアに対する片側椎弓切除術、白内障の眼科手術、細胞を用いた再生医療などを指します。
(g) 医薬品医療機器等法に規定された医療機器を所有している旨※
　　導入台数、導入年等も表示できます。
　　　(例) エックス線撮影装置、X線CT装置（CT）、超音波画像診断装置、磁気共鳴画像診断装置（MRI）
(h) 検査・手術等、診療行為を行える旨
　　以下の診療行為について記載することが可能です。
・牛の体内受精卵の採取を行う旨
・犬または猫の避妊去勢手術を行う旨※
・狂犬病その他の動物の疾病のワクチン接種を行う旨※
　　なお、狂犬病予防接種を広告する場合には、狂犬病予防法に規定する犬の登録及び鑑札、予防注射および注射済票に関する説明を併記する必要があります。
・寄生虫病の予防措置を行うことができる旨※
(i) 飼育動物の健康診断を行う旨※
　　　(例) 身体検査、血液一般検査、尿検査、糞便検査、エックス線撮影、超音波診断検査
(j) マイクロチップの装着を行うことができる旨※
　　犬または猫の登録に関する説明を併記する必要があります。
(k) 家畜防疫員である旨
(l) 都道府県家畜畜産物衛生指導協会等が行う自衛防疫事業の指定獣医師である旨
(m) 獣医療に関する一般社団・財団法人または公益社団・財団法人の会員である旨
　　　(例) 公益社団法人日本獣医師会、公益社団法人日本獣医学会
(n) 牛、豚等の産業動物または犬、猫等の小動物の診療業務に関して農林水産大臣の指定を受けた臨床研修診療施設である旨
(o) 愛玩動物看護師が勤務する診療施設である旨
　　ただし、愛玩動物看護師が診療の補助として特定の診療行為を行っている旨を広告することはできません。

(3) 獣医師または診療施設の業務に関する広告

　(P)農業共済組合等の嘱託獣医師または指定獣医師である旨
　※の項目を広告する場合には、問い合わせ先、通常必要とされる診療内容、診療にかかる主なリスクや副作用等及び費用を併記しなければなりません。
　また、医薬品医療機器等法により承認前の医薬品等の広告が禁じられているほか、承認または認証がされているものであっても医薬品等が特定可能となる品名については、記載できません。

【広告できない事項】
①広告可能な事項以外を表示している場合
②提供される獣医療の内容が他の獣医師または診療施設と比較して優良であると表示している場合
　(例)「どこの動物病院よりも安全に手術を行います」「○○さん(著名人)の猫ちゃんも当院の健康診断を受けています」
③提供される獣医療の内容に関して誇大な表示をしている場合
　(例)「効果抜群のワクチンを接種します」「去勢手術も往診で行います」
④提供する獣医療に要する費用を強調するなど品位を損なう表示をしている場合
　(例)「今なら〇円キャンペーン実施中」「予防接種を格安で実施」「健康診断をされた方全員に○○プレゼント」
⑤飼育者等の主観に基づく診療内容または効果に関する体験談
⑥このほか、獣医療法以外の法令やそれに関する広告ガイドラインで禁止されている内容を表示している場合(虚偽の内容や公序良俗に反する内容の広告など)

(関連法規)
獣医療法第17条　同施行規則第24条　獣医療に関する広告の制限及びその適正化のための監視指導に関する指針(獣医療広告ガイドライン)の全部改正について(令和5年11月13日5消安第4053号)　獣医療広告ガイドラインに関するQ&A(令和6年1月)
(問い合わせ先)
農林水産省消費・安全局畜水産安全管理課

III-7　エステティックサロンの広告

Q 美顔、痩身、脱毛、永久カラーアイシャドー、しみ・しわとりなどを標ぼうするエステティックサロンの広告に規制はありますか？

A 開業に関わる規制はありませんが、特定商取引法による規制があります。エステティックの資格は民間資格です。「HIFU（ハイフ）」など医師でなければ行えない行為を広告で表示すると医師法あるいは医療法違反となります。

●

　エステティックサロン（1か月を超えてかつ5万円を超える契約のもの）は特定商取引法で「特定継続的役務提供」に指定され（III-15（5）「特定商取引法が規制するその他の業務」参照）、誇大広告や不実の告知の禁止、契約書面の交付の義務づけ、クーリングオフや中途解約などを認めなければならないことが定められています。人の皮膚を清潔にもしくは美化し、体型を整え、または体重を減ずるための施術を行うこと（美容医療に該当するものを除く）がエステティックの役務等と定義されています。これは美顔や脱毛、体系補正、痩身のための施術を行うことを指しています。単にリラックスのために音楽を聴かせる、お香をたくといったものについては「施術」には当たりません。また、いわゆる増毛、植毛についても該当せず、育毛についても実現する目的が異なる場合には含まれません。一方で脱毛については適用されます。「施術」とは、アロマオイルの塗布等、医師等の資格を有しない者でも行える行為であり、人体に対する影響が限定的であるものが該当します。広告掲載にあたっては、当該サロンが医療行為と見なされる行為をしていないか、顧客対応に問題はないかなどについて注意が必要です。
　広告の表示については、次のような事項に注意する必要があります。

（1）広告できない事項
①病院または診療所と紛らわしい名称の表示
②以下の医療行為と見なされる行為の表示
　(a)レーザー脱毛（使用する機器が医療用であるか否かを問わず、レーザー光線またはその他の強力なエネルギーを有する光線を毛根部分に照射し、毛乳頭、皮脂腺開口部などを破壊する行為）
　(b)アートメーク（針先に色素を付けながら、皮膚の表面に墨などの色素を入れる行為）
　(c)ケミカルピーリング（酸などの化学薬品を皮膚に塗布して、しわ・しみなどに対して表皮剥離を行う行為）
　(d)HIFU（集束超音波の熱エネルギーにより体内の組織を高温に加熱する行為）
③あん摩マッサージ指圧師、はり師、きゅう師でなければ行うことができない行為の表示
　（例）耳針法による痩身法（痩身の目的で耳のつぼにはりで刺激を与える行為）

（1）美顔・痩身・脱毛・しみ・しわとり

Ⅲ-7 エステティックサロンの広告

(1) 美顔・痩身・脱毛・しみ・しわとり

④医師、あん摩マッサージ師、はり師、きゅう師の業務と誤認させるような表記
　(例) 治す、治る、治療、療法、医療、診察、診療、診断、効く、医学的、指圧、はり、きゅう

⑤施術の効果について、虚偽・誇大または保証する表示
　(a)痩身効果
・特定美容サービスや施術のみであたかも痩身が可能であるような表示
　(例)（筋肉に対する電気的刺激で）「横になったままで激しい運動をするのと同じ効果がある」「寝たままで全身のトレーニングができ、ボディーラインを引き締めます」「低周波刺激によって筋肉の運動を起こし、余分な脂肪の燃焼を促進してスリムな体形をつくります」「全身をパラフィンで密封し、発汗作用により1日で3キロ減量可能です」
　（脂肪のつまみ出しなどにより）「固い脂肪をもみほぐし、燃焼させて排出します」「深層脂肪が刺激でどんどん燃焼し部分痩身に強力効果」

・特定美容サービスや施術のみによりあたかも体質が改善され、再度太る心配がなくなるかのような表示
　(例)「二度と太らない体質改善まで」「太らない体質作り」

・特別な食事制限を行うことなく特定痩身サービスを受けることによりあたかも容易に著しい痩身が可能であるかのような表示
　(例)「つらい想いをしないで体重を落とす」「ダイエットでは無理な"きれいな身体"をつくります」

・「○日で○○キロ」といった表示や、実行前後の写真の使用で効果が保証されるかのような表示

・ごく短期間で急激な痩身が可能であるかのような表示
　(例)「○日間でみるみる効果」

・痩身に関する利用者の体験例について、架空のものや事業にとって都合のよい部分のみを掲載しているもの

・気になるところだけを細くする「部分痩身」
　(例)「たるんだ部分をバンテージでギュッと引き締め、筋肉の戻りを押さえる部分痩身法」（バイブレーターなどの機器、マッサージ及び石こうパックにより顔面に対して施すもので）「ふっくらホッペがほっそり」「脂肪をもみほぐし、分解・・・あなたをほっそりとした知的美人に変身させます」「二重アゴに効果抜群」

(b)脱毛行為で「永久脱毛」の表示

(c)取引条件について次のような事項
・実際の料金を著しく安く見せるため、根拠のない数字を比較対照価格として記載した二重価格表示
・通常の顧客をモニターと称しているにすぎず、当該美容サービスの料金が特別有利なものでないにもかかわらず「モニター半額」などあたかもモニターになれば通常の顧客よりも著しく安い料金で美容サービスの提供が受けられ

(1) 美顔・痩身・脱毛・しみ・しわとり

　るかのような表示
・かなりの回数にわたるサービスの提供の一括契約しか行われていないにもかかわらず、あたかも1回ごとに美容サービスの取引が行われているかのような表示
・実態と異なる「無料体験痩身、美顔コース。先着50名様」のような表示

(2) **表示が求められる事項**

　モニター募集の場合は、その方法、目的、条件などを明確に表示することが求められます。
　このほか、日本エステティック振興協議会は「エステティックの広告表記に関するガイドライン」で広告表現・表記の事例として次のような用語を根拠なく使用することを禁止しています。
・全く欠けることがないことを意味する用語
　(例) 完全、完璧、絶対、永久、保証、必ず、万全
・他より優位に立つことを意味する用語
　(例) 世界初、日本初、世界一、日本一、超、業界一、当社だけ、他に類を見ない、抜群
・最上級を意味する用語
　(例) 最高、最高級、極、一級
・施術に関して効果、効能の表示を根拠なく使用した場合、違法性があり法律に抵触するおそれがある用語
　(例) デトックス、脂肪燃焼、脂肪溶解、セルライト除去、毒素排出、血行促進、新陳代謝の促進、シミ・シワの解消、細胞の活性化

(関連法規)
特定商取引法律第41条〜第50条　同・解説（令和5年6月1日時点版）　医師法第17条　医療法第3条　美容師法第6条　あはき法第1条　景品表示法第4条　耳針法による痩身法について（昭和53年9月18日医事第82号厚生省医務局医事課長通知）　医師免許を有しない者による脱毛行為等の取扱いについて（平成13年11月8日医政医発第105号厚生労働省医政局医事課長通知）　医師免許を有しない者によるいわゆるアートメイクの取扱いについて（令和5年7月3日医政医発0703第5号厚生労働省医政局医事課長通知）　医師免許を有しない者が行った高密度焦点式超音波を用いた施術について（令和6年6月7日医政発0607第1号厚生労働省医政局医事課長通知）　エステティック業統一自主基準（日本エステティック振興協議会、2016年）　エステティックの広告表記に関するガイドライン（日本エステティック振興協議会、2016年）

(問い合わせ先)
経済産業省商務情報政策局サービス政策課　消費者庁表示対策課　厚生労働省医政局医事課　各都道府県担当部局　各都道府県消費生活センター　公正取引委員会各地方事務所　日本エステティック振興協議会

III-8　医薬品、医薬部外品、化粧品、医療機器等の広告

(1) 医薬品医療機器等法と広告該当性

Q 「医薬品等」とはどのようなものですか？その広告表示についての規制にはどのようなものがありますか？

A 「医薬品等」とは、医薬品、医薬部外品、化粧品、医療機器および再生医療等製品です。それらの品質、有効性および安全性の確保のために、医薬品医療機器等法で広告してはならない事項が厳しく定められています。
また、誇大広告や承認前の広告についての条文は「何人も」としており、広告主だけでなく新聞社も含めた広告にかかるすべての者が同法の規定を受けます。また広告成立の要件が定められており、広告の展開の仕方によってはこの要件が満たされることで同法の適用される可能性があります。

●

(1) 定義
　①医薬品とは以下のものです。
　　(a)日本薬局方に収められている物
　　(b)人又は動物の疾病の診断、治療又は予防に使用されることが目的とされている物であって、機械器具等（機械器具、歯科材料、医療用品、衛生用品並びにプログラム（電子計算機に対する指令であって、(a)の結果を得ることができるように組み合わされたもの）及びこれを記録した記録媒体）でないもの（医薬部外品及び再生医療等製品を除く）
　　(c)人又は動物の身体の構造や機能に影響を及ぼすことが目的とされている物であって、機械器具等でないもの（医薬部外品、化粧品及び再生医療等製品を除く）
　②医薬部外品とは、次の目的で、かつ、人体に対する作用が緩和なものであって機械器具等でないもの及び厚生労働大臣の指定するものです。
　　(a)吐き気その他の不快感、または口臭もしくは体臭の防止
　　(b)あせも、ただれなどの防止
　　(c)脱毛の防止、育毛または除毛
　　(d)人または動物の保健のためにするねずみ、はえ、蚊、のみその他これらに類する生物の防除の目的のために使用される物
　③化粧品とは人の身体を清潔にし、美化し、魅力を増し、容貌を変え、または皮膚若しくは毛髪を健やかに保つために、身体に塗擦、散布その他これらに類似する方法で使用されることが目的とされている物で、人体に対する作用が緩和なものです。
　④医療機器とは、人もしくは動物の疾病の診断、治療もしくは予防に使用されること、または人もしくは動物の身体の構造もしくは機能に影響を及ぼすことが目的とされている機械器具等（再生医療等製品を除く）で、政令で定められた

ものです。2005（平成17）年４月に「医療用具」から名称が変わりました。
⑤再生医療等製品とは、次に掲げる物（医薬部外品及び化粧品を除く）であって、政令で定められたものです。
　(a)次に掲げる医療または獣医療に使用されることが目的とされている物のうち、人または動物の細胞に培養その他の加工を施したもの
　　・人または動物の身体の構造または機能の再建、修復または形成
　　・人または動物の疾病の治療または予防
　(b)人または動物の疾病の治療に使用されることが目的とされている物のうち、人または動物の細胞に導入され、これらの体内で発現する遺伝子を含有させたもの

(2) **これら「医薬品等」は医薬品医療機器等法で以下のように広告してはならない事項が定められています**
①誇大広告等
　(a)何人も、名称、製造方法、効能、効果または性能に関して、明示的であると暗示的であるとを問わず、虚偽または誇大な表示をしてはならない。
　(b)効能、効果または性能について、医師その他の者がこれを保証したものと誤解されるおそれがある表示をしてはならない。
　(c)何人も、堕胎を暗示し、またはわいせつにわたる表示をしてはならない。
②特定疾病用の医薬品及び再生医療等製品の広告の制限
　政令で定められた特殊疾病（がん、肉腫、白血病）に使用されることが目的の医師または歯科医師の指導のもとに使用される医薬品又は再生医療等製品の一般人を対象とする広告
③承認前の医薬品、医療機器及び再生医療等製品の広告の禁止
　何人も、医薬品若しくは医療機器または再生医療等製品であって、承認または認証を受けていないものの名称、製造方法、効能、効果または性能に関する広告をしてはならない。

(3) **医薬品医療機器等法における医薬品等の広告の該当性**
　厚生労働省は、以下の三つのいずれの要件も満たす場合、これを広告に該当するものとしています。
①顧客を誘引する（顧客の購入意欲を昂進させる）意図が明確であること
②特定医薬品等の商品名が明らかにされていること
③一般人が認知できる状態であること
※医薬品等ではない健康食品や雑貨の広告であっても医薬品等のような効能・効果を標ぼうしたり身体の構造または機能に働きかけるような表現をした場合、医薬品医療機器等法の定義に基づいて医薬品等とみなされることになります。ただそれらは未承認の医薬品等となり広告することはできません。医薬品等ではないにもかかわらず医薬品等のような効果を標ぼうすることは消費者の正しい判断を誤らせることになり健康に重大な影響を与える可能性があります。医薬品等の広告だけでなくそれ以外の広告に対しても医薬品医療機器等法を踏ま

Ⅲ−8　医薬品、医薬部外品、化粧品、医療機器等の広告

(1) 医薬品医療機器等法と広告該当性

えた慎重な審査が必要です（食品に関しては「無承認許可医薬品の指導取締りについて」〈通称46通知〉を参照）。

※東京都は新聞広告の事例として、ある成分に医薬品的効能・効果のあることのみを広告し後日この成分を含む健康食品の広告を掲載した場合、それぞれを独立した広告としてみれば問題はないとしても全体を一つの広告としてみると医薬品医療機器等法違反になるとしています。複数の独立した広告を全体として一つの広告と見なすことで医薬品の広告の該当性である三つの要件が満たされるからです。したがって連続する広告の間隔をどれだけ空ければよいかという問題ではありません。また、広告の中にあるURLや二次元コードによってホームページや詳細な商品情報等に誘導する場合、異なる媒体であってもそれらサイト内に成分についての医薬品的効能・効果が標ぼうされている場合、広告自体に問題はないとしても全体が一つの広告として見なされると法違反となる可能性があるとしています（東京都保険局健康安全部薬務課監視指導担当）。

※2020（令和2）年7月20日、大阪府警（生活環境課)は健康食品の通信販売を行うステラ漢方の従業員、取引先の広告会社社長ら6人を医薬品医療機器等法違反で逮捕しました。インターネット広告で「肝臓疾患に予防効果がある」旨の医薬品的効能・効果を標ぼうした疑いです。広告主だけでなく広告会社を含めた摘発は医薬品医療機器等法の「何人も」の考え方が適用された事例です。

(関連法規)
医薬品医療機器等法第1条・第2条第1項〜第4項、第9項・第66条・第67条・第68条
薬事法における医薬品等の広告の該当性について（平成10年9月29日医薬監第148号厚生省医薬安全局監視指導課長通知）

(問い合わせ先)
厚生労働省医薬局監視指導・麻薬対策課　各都道府県担当部局

(2) 医薬品等適正広告基準

Q 「医薬品等適正広告基準」とは、どういうものですか？

A 医薬品、医薬部外品、化粧品、医療機器及び再生医療等製品の広告が虚偽、誇大にならないよう基準を定めたものです。この基準は、新聞、雑誌、テレビ、ラジオ、ウェブサイトおよびソーシャル・ネットワーキングサービス等のすべての媒体における広告を対象とします。薬局が医薬品などを広告する場合も「医薬品等適正広告基準」の適用を受けます。

同基準では、医薬品等の広告を行う者は、使用者が当該医薬品等を適正に使用することができるよう、正確な情報の伝達に努めることとし、医薬品等の本質に鑑み、医薬品等の品位を損なうまたは信用を傷つけるおそれのある広告を行わないものとしています。また医薬品医療機器等法が誇大広告や未承認医薬品等の広告禁止を言う際に「何人も」と規定したことを受けて、医薬品等適正広告基準では「広告主、広告媒体等、医薬品等の広告業務に従事する者が、広告の制作又は新聞、雑誌等への掲載基準による審査に当たって、それぞれの立場から、正確な情報の伝達に努めることが求められる」としています。

●

　医薬品、医薬部外品、化粧品、医療機器及び再生医療等製品の効能効果の表現については、「医薬品等適正広告基準」によって、厚生労働省が承認した範囲内でしか広告してはならないと決められています。

　審査の際には、広告中の個々の表現がその範囲内のものかどうか、注意する必要があります。医薬品等適正広告基準は、効能効果または性能（効能効果等）及び安全性に関する表現などについて次のように定めています（主なものを列記）。

①医薬品等の名称は他のものとの同一性を誤認させないよう、承認または認証を要する医薬品等は医薬品医療機器等法に基づく認証、承認を受けた名称又は一般的名称以外の名称を別に定める場合を除き使用してはならない。ただし、一般用医薬品及び医薬部外品においては、共通のブランド製品の共通部分のみを用いることは差し支えない。

　また承認等を要しない医薬品は日本薬局方に定められた名称、医薬品医療機器等法の規定に基づく届け出を行った一般的名称又は届け出た販売名以外の名称を、別に定める場合を除き使用してはならない。

②製造方法について実際の製造方法と異なる表現またはその優秀性について誤認のおそれのある表現をしてはならない。

　（例）「最高の技術」「最先端の製造方法」等の最大級表現、「家伝の秘法により作られた…」等の最大級表現に類する表現

(2) 医薬品等適正広告基準

③承認等を要する医薬品等の効能効果または性能についての表現は明示的または暗示的であるか否かにかかわらず承認等を受けた効能効果等を超えてはならない。また、複数の効能効果を有する医薬品等を広告する場合、そのうちの特定の効能効果等を広告することは差し支えない。

④承認を要しない医薬品等(他の医薬品の製造に用いられる医薬品、メス・ピンセット・コンドーム等の医療機器のこと。化粧品は除く)の効能効果等の表現は、医学、薬学上認められている範囲を超えてはならない。

⑤医薬品等の成分及びその分量または本質等、医療機器の原材料、形状、構造及び原理について、承認書等への記載の有無にかかわらず、虚偽の表現、不正確な表現等を用い効能効果等または安全性について事実に反する認識を得させるおそれのある広告をしてはならない。

　成分に関しては「高貴薬配合」「デラックス処方」「各種…」「数種…」のような表現は出来ない。「10種のビタミンを配合…」等配合成分数の表示は可、「〇〇成分配合…」のように特定成分を取り出して表現する場合は、この成分が有効成分であり承認された効能効果等と関係がある場合に限り表示は可。成分の原産国に関しては、製品を輸入して販売する場合は「スイス生まれの〇〇」と表現できるが、原料を輸入して国内で製造した場合は、誤認を避けるために「スイスから原料を輸入し製造した」等正確に記載すること。

　「天然成分を使用しているので副作用がない」「誤操作の心配のない安全設計」等のような安全性の表現は認められない。

　「漢方処方」「漢方製剤」と表現できる範囲は、一般用漢方製剤承認基準に定められているもの、医療用医薬品の漢方製剤と同一処方であるもの及び承認を受けた販売名に漢方の名称が付されているものとする。

　「生薬配合」の表現は、有効成分の一部に生薬が配合されており、承認された効能効果等と関連がある場合に限り使用できる。

　「生薬製剤」の表現は、有効成分のすべてが生薬のみから構成されている場合に限り使用できる。

　特定の薬物(カフェイン、ナトリウム、ステロイド、抗ヒスタミン等)を配合していない旨の広告は、他社誹ぼうまたは安全性の強調とならない限り、その理由を併記した上で行うことは差し支えない。なお、付随して2次的効果を訴えないこと。

　一般用医薬品においては、添加物成分に添加物である旨及び承認書に記載されている配合目的を明記することは差し支えない。なお、有効成分であるかのような表現はしないこと。

※OTC医薬品ガイドラインに記載例あり「1-メントール(添加物:清涼化剤)」

⑥用法用量について、承認等を要する医薬品等は承認等を受けた範囲、承認を要しない医薬品等は医学、薬学上認められている範囲を超えた表現、不正確な表現などを用いて効能効果または安全性について事実に反する認識を得させるおそれのある広告をしてはならない。

Ⅲ－8　医薬品、医薬部外品、化粧品、医療機器等の広告

(2) 医薬品等適正広告基準

　(例)「いくら飲んでも副作用がない」「使用法を問わず安全である」
　「小児用専門薬」「婦人専門薬」等、特定の年齢層、性別などを対象にした場合は承認を受けた名称以外は使用しないこととする。ただし「小児用」「婦人用」等の表現については、承認を受けた効能効果または用法・用量から特定の年齢層、性別等が対象であると判断できる医薬品等の場合は差し支えない。
　また以下の場合を除き、併用に関する表現は認められない。
　なお、化粧品などを順次使用することの表現は差し支えない。
・承認等により併用を認められた場合
・2016（平成28）年3月30日付厚生労働省医薬・生活衛生局審査管理課事務連絡で示された範囲で化粧品を使用時混合する場合

⑦効能効果または安全性についてそれを確実に保証する表現は、明示的、暗示的を問わずしてはならない。
　(例)「根治」「全快する」「副作用の心配はない」「△△（商品名）は〇〇年の歴史を持っているから良く効くのです」「比較的安心して」「刺激が少ない」「すぐ効く」「飲めばききめが3日は続く」
※臨床データや実験例等を例示することは、消費者に対して説明不足となり、かえって効能効果等または安全性について誤解を与えるおそれがあるため原則として行わないこと。OTC医薬品に関しては「OTC医薬品等の適正広告ガイドライン」を参照。
※使用前、後にかかわらず図面、写真による表現については、承認等外の効能効果等を想起させるもの、効果発現までの時間及び効果持続時間の保証となるものまたは安全性の保証表現となるものは認められない。

　医薬品等適正広告基準の改正に伴い、承認等外の効能効果等を想起させるもの及び安全性の保証表現となるもの等を除き、医薬品等の広告において使用前・後の写真等の使用が可能となりました。具体的事例に関する適否は以下の通りです。

	具体的事例	各事例における使用前・後の写真等の使用の可否判断
事例1	化粧品の染毛料、医薬部外品の染毛剤の広告において、使用前・後の写真を用い、色の対比を行っている場合	原則、差し支えない
事例2	医薬品である「鎮痒消炎薬」（効能：かゆみ、虫さされ、かぶれ、しっしん、じんましん、あせも、しもやけ、皮ふ炎、ただれ）の広告において、虫刺されにより腫れている患部の写真及び患部が完治している写真を並べて使用する場合	原則、差し支えない。また、承認において疾病を治癒、完治する効能効果を有する製品においては、効果発現までの時間及び効果持続時間の保証となるもの又は安全性の保証表現とならなければ、その使用前・後の写真等で治癒または完治している内容であっても差し支えない。 ただし、「〇〇の緩和」等の効能効果の場合においては、治癒、完治するかのような写真等の使用は効能効果を逸脱するため認められない。

(2) 医薬品等適正広告基準

事例3	洗浄料（化粧品的医薬部外品〈以下、薬用化粧品〉等）の広告において、肌が汚れた状態の写真と洗浄後の肌の写真などを使用する場合	原則、差し支えない
事例4	化粧水、クリーム等（薬用化粧品等）の広告において、乾燥した角層と、保湿後の角層の図面などを使用する場合	原則、差し支えない
事例5	シャンプー（化粧品）の広告において、フケがある頭皮写真と、シャンプー使用後の頭皮写真などを使用する場合	原則、差し支えない
事例6	「制汗」という効能効果の表示が認められた腋臭防止剤の広告において、無塗布の腋と腋臭防止剤を使用した腋の写真を使用する場合	原則、差し支えない
事例7	「メラニンの生成を抑え、シミ、ソバカスを防ぐ」という効能表示が認められた薬用化粧品の広告において、シミ・ソバカスのない肌と、製品使用後に紫外線暴露してもシミ・ソバカスが目立たない肌の写真を使用する場合	認められない（「防ぐ」との効能効果を使用前・後の写真等で表現することは不可能なため）
事例8	「ひび・あかぎれを防ぐ」という効能表示が認められた薬用化粧品の広告において、ひび・あかぎれのない肌、製品使用後もひび・あかぎれのない肌及び無塗布でひび・あかぎれした肌の写真を使用する場合	認められない（事例7と同様）

※愛用者の感謝状、感謝の言葉等の例示及び「私も使っています。」等使用経験または体験談的広告は、客観的裏付けとはなりえず、かえって消費者に対し効能効果等または安全性について誤解を与えるおそれがあるため以下の場合を除き行ってはならない。
(1)目薬、外皮用剤及び化粧品等の広告で使用感を説明する場合
※ただし、使用感のみを特に強調する広告は、消費者に当該製品の使用目的を誤らせるおそれがあるため行わないこと。
(2)タレントが単に製品の説明や提示を行う場合
※「すぐれたききめ」「よくききます」などの表現をキャッチフレーズ等の強調表現として使用しないものとする。

⑧医薬品等の効能効果又は安全性について最大級の表現又はこれに類する表現をしてはならない。（例）「最高のききめ」「肝臓薬の王様」「胃腸薬のエース」「世界一を誇る○○KKの○○」「売上No.1（ただし新指定医薬部外品以外の医薬部外品及び化粧品を除く）」「強力な…」「強い…」「絶対安全」

⑨速効性、持続性などについての表現は、医学、薬学上認められている範囲を超えてはならない
（例）「すぐ効く」「飲めば効き目が3日は続く」等は原則として認められない

⑩本来の効能効果等とは認められない表現により、その効能効果等を誤認させるおそれのある広告をおこなってはならない
（例）頭痛薬で「受験合格」、ホルモン剤について「夜を楽しむ」、保健薬につ

(2) 医薬品等適正広告基準

　　いて「活力を生み出す」
⑪医薬品等について過量消費または乱用助長を促すおそれのある広告を行ってはならない。
　※殺虫剤の広告に幼小児を使用しないこと。子どもが自分で医薬品を手に持つまたは使用する場面を用いることは思わぬ事故を促すもととなるため、行わないこと。
　※服用・使用場面を広告で行う場合は、乱用助長につながらないよう十分注意すること。内服剤においては定められた用法用量を明瞭に表現する。
　※多数購入または多額購入することによる過度な値引き広告は、消費者に不必要な購入を促すので行わない。
⑫医師もしくは歯科医師が自ら使用し、またはこれらの者の処方せんもしくは指示によって使用することを目的として供給される医薬品及び再生医療等製品については、医薬関係者以外の一般人を対象とする広告は行わないものとする。医療機器も同様のものとする。
⑬医師または歯科医師の診断、治療によらなければ治癒が期待できない疾患について、それによることなく治癒ができるかの表現は、医薬関係者以外の一般人を対象とする広告に使用してはならない。
　（例）「胃潰瘍」「十二指腸潰瘍」「糖尿病」「高血圧」「低血圧」「心臓病」「肝炎」「白内障」「性病」
　　これらの疾病名を記載するだけでも自己治癒を期待させるおそれがあるため広告には使用しないものとする。
⑭使用及び取り扱い上の注意を特に喚起する必要のある医薬品等の広告は、それらの事項を、または使用及び取り扱い上の注意に留意すべき旨を付記しなければならない。
⑮品質、効能効果等、安全性その他について、他社の製品をひぼうするような広告を行ってはならない。
　（例）「どこでもまだ××式製造法です」「他社の口紅は流行遅れのものばかりです」
　※製品同士の比較広告を行う場合は、自社製品の範囲で、その対照製品の名称を明示する場合に限定し、明示的、暗示的を問わず他社製品との比較広告は行わないこと。
⑯医薬関係者、理容師、美容師、病院、診療所、薬局、その他医薬品等の効能効果等に関し、世人の認識に相当の影響を与える公務所、学校又は学会を含む団体が指定し、公認し、推せんし、指導し、または選用している等の広告を行ってはならない。
　（例）「特許（特許に関する権利の侵害防止等特殊目的で行う場合は、医薬品の商品広告と分離して行う）」「厚生労働省認可（許可）」「経済産業省認可（許可）」
⑰過剰な懸賞、賞品等射こう心をあおる方法による医薬品等または企業の広告を

(2) 医薬品等適正広告基準

行ってはならない。懸賞、賞品として医薬品を授与する旨の広告を行ってはならない。ただし、家庭薬を見本に提供する程度であればこの限りではない。医薬品等の容器、被包等と引き換えに医薬品を授与する旨の広告を行ってはならない。

※家庭薬の範囲は、通常家庭において用いられる主として対症療法剤、すなわち外用薬、頭痛薬、下痢止め、ビタミン含有保健薬等の保険薬であって、毒薬、劇薬、その他家庭薬の通念から離れている医薬品ではないもの。

⑱不快、迷惑、不安または恐怖を与えるおそれのある表現や方法を用いた広告を行ってはならない。
（例）「あなたにこんな症状はありませんか。あなたはすでに○○病です」
「胸やけ、胃痛は肝臓が衰えているからです」

⑲医薬品について化粧品的もしくは食品的用法をまたは医療機器について美容器具的もしくは健康器具的用法を強調することによって消費者の安易な使用を助長するような広告を行わないものとする。

⑳医薬品、医薬部外品または化粧品を同一広告に表示する場合、相互に相乗効果を得るような誤解を招く表示または科学的根拠に基づかず併用を促すような広告（医薬品及び指定医薬部外品に限る）は行わないものとする。

（関連法規）
医薬品医療機器等法第66条第1項・第2項・第68条　医薬品等適正広告基準の改正について（平成29年9月29日薬生発0929第4号）　医薬品等適正広告基準の解説及び留意事項等について（平成29年9月29日薬生監麻発0929第5号）　医薬品等広告に係る適正な監視指導について（Q&A）（平成30年8月8日事務連絡）

（問い合わせ先）
厚生労働省医薬局監視指導・麻薬対策課　各都道府県担当部局

医薬品の広告については特別の制限はあるのですか？

 医薬品医療機器等法、医薬品等適正広告基準による規制を受けることはもちろんですが、医薬品という特殊性から特別の規制や業界自主基準が定められています。

●

(1) 一般用医薬品の種類と名称

医薬品には以下のような名称のものがあります。

①OTC医薬品：薬局、薬店、ドラッグストア等で医師の処方せん無しで購入できる医薬品。OTCは英語の「Over The Counter（オーバー・ザ・カウンター）」の略で、カウンター超しに販売する形式に由来。「大衆薬」「市販薬」と呼ばれてきたものを2007(平成19) 年より「OTC医薬品」に呼称を統一した。

②スイッチOTC医薬品：従来医師に処方された場合のみ使用できた医療用医薬品の中で、長期間多くの人に使用され、比較的副作用が少なく安全性の高い成分をOTC医薬品として販売できるように規制緩和された医薬品のこと。

③ジェネリック医薬品：医療用医薬品の新薬（先発医薬品)の独占販売が可能な特許有効期間の過ぎた後に、同じ成分で同じ効果を持つ医薬品として製造される後発医薬品のこと。ただし医療用医薬品であるため一般向けの広告をすることは出来ない。

(2) 自主基準

日本一般用医薬品連合会は医薬品等適正広告基準に基づいて自主基準である「OTC医薬品の適正広告ガイドライン」を定めています。同ガイドラインには自主基準として独自に定められた内容がありますので、医薬品等適正広告基準にはない主なものを以下に列記します。

①「OTC医薬品」の広告には区分表示（例：「要指導医薬品」「第1類医薬品」「第2類医薬品」「第3類医薬品」等)を、「指定医薬部外品」の場合は「指定医薬部外品」の表示を、製品名・製品写真などのかたわらに明瞭に記載する

②同系統の数種のOTC医薬品等、もしくは類似薬効群を同時に広告する場合には、以下の点に留意する。

・各製品の効能効果を明瞭に記載もしくは数種のOTC医薬品等に共通する効能効果を記載。

・必要に応じて用法用量を明瞭に記載。

・「使用上の注意」がある場合は定められた方法で記載。

③OTC医薬品に関し一定の条件の範囲内においてデータを利用した広告は可能となる。

(a)使用できるデータの範囲

・「個々の製品」又は「その配合する効能効果に関わる成分」の有効性につい

(3) 医薬品の広告

て、使用できるデータは「承認申請時添付データ」「再審査・再評価申請に用いたデータ」に限る。安全性の確認を主目的とする製造販売後調査等における有効性に関するデータは用いない。医療用医薬品の有効性に関するデータを使用する場合は、スイッチOTCにするための申請時に添付したデータのうち効能効果の設定根拠となった疾患に限定することとし、医療用医薬品と「当該製品」または「その配合する効能効果にかかわる成分」が同一成分、同一濃度、同一用法用量であること。漢方製剤については構成生薬、生薬配合量及び製法が異なっている場合があるため自社製品の上記データに限る。

・持続性・崩壊性等製剤上での特長を示すデータに関しては「承認申請時添付データ」「再審査・再評価申請に用いたデータ」に限る。

(b)広告表示上の注意点

・有効性・安全性を保証している旨を強調したり、他社製品をひぼうしたりすることがないよう十分配慮すること。

・データの出典を明記すること。

・有効性判定（著効、有効、やや有効、無効、悪化等）の用語は有効性判定試験（治験や臨床試験）にて使用した用語とすること。

・効果を強調、保証するようなデータのキャッチコピー使用（例：「なんと90％の人に効果を確認しました」「症状改善率80％以上！」）、解説（例：「効果が実証されました」「驚きの効き目データ」）の表現は行えない。

・有効性データ広告の際には副作用等の情報も併記する。

④スイッチ成分等に関わる広告表現について

(a)「スイッチOTC医薬品」「医療用と同じ成分をはじめて配合」「医療用成分を配合しました」などの表示は発売後3年間に限って行うことができる。すでに他社から販売されている場合には、先発品が発売されてから3年以内であれば同様の表現は認められる。「はじめて」の表現についても同様に3年の範囲内で使用できるが(b)も参照。

(b)同一の区分で承認された製品が、すでに他社から発売されている場合には「初めて」に類する表現は行わないものとするが、発売時期が6カ月間を目安に前後した場合は、それぞれの製品が発売後3年間を目安に「初めて」の旨の表現を同時に使用できるものとする。

(c)製品自体の「新しい」「新発売」等の表現は、発売から12か月間を目安に使用できる。

(d)スイッチ等である旨と効き目を関連づけ、因果関係を示すような表現は行わない。（例）「スイッチOTCだから効く」「医療用と同じ成分だから効く」

(e)医師による処方薬と同一であるかのような誤解を招く表現は行わない
　（使用できる例）「医療用と同じ成分を配合しました」「医療用成分を配合しました」
　（使用できない例）「病院で使われている同じ成分を配合しました」「お医者さんで使っている」

⑤服用・使用場面を広告で行う場合は乱用助長につながらないよう十分に注意する。内服剤については定められた用法用量を明瞭に表現する。
⑥医療関係者または医療関係者以外の者を問わず、医師、薬剤師、看護師等のスタイル（服装等）の人が広告をすることは医薬関係者の推薦に該当する。ただし医師等であるかの誤認性のあるスタイルで広告を行う場合でも、その製品の製造販売業の従業員であることが分かる説明を事実に基づき明記した場合に限り、本項に該当しないものとする。なお事実であっても「医学博士、M.D.,博士、Ph.D.」等の医薬関係者を暗示する肩書は併記しない

(3) **一般用検査薬について**

現在承認されている一般用検査薬には以下のものがあります。
・尿糖・尿蛋白検査薬（第2類医薬品）
・妊娠検査薬（第2類医薬品）
・排卵日予測検査薬（第1類医薬品）
・抗原検査キット《新型コロナウイルス》（第1類医薬品）
・抗原検査キット《新型コロナウイルス／インフルエンザウイルス》（第1類医薬品）

一般用検査薬は「適正かつ適切な検査の実施により、健康状態を把握し、その結果に応じて速やかに受診につなげるという特性を考慮」し、以下のような自主申し合わせがなされています。

①広告内容は、特に専門的な知識を持たない者であっても十分理解できるよう、正確かつ平易なものとすること。
②一般生活者が自ら使用し、判断できる限度を明らかにするなど、誤解を招く表現は避けること。
③一般生活者自らによる確定診断が可能であるかのような表現は行わないこと。
④以下の文言を、文言の周囲に他の活字がなく明瞭な表現ができるように記載する。
・第1類医薬品の場合：「この検査薬は、薬剤師から説明を受け、『使用上の注意』をよく読んでお使いください。確定診断は必ず医師にご相談ください。」
・第2類医薬品の場合：「この検査薬は、『使用上の注意』をよく読んでお使いください。確定診断は必ず医師にご相談ください。」
※ただし「抗原検査キット《新型コロナウイルス》」「抗原検査キット《新型コロナウイルス／インフルエンザウイルス》」については『この検査薬は、薬剤師から説明を受け、「使用上の注意」をよく読んでお使いください。検査結果が「陽性」の場合は適切に医療機関の受診等を行ってください。検査結果が「陰性」であっても症状がある場合には、適切に医療機関の受診を行ってください』とすること。

(4) **一般用医薬品の区分の指定等について**

厚生労働省は2007（平成19）年4月、一般用医薬品をリスクの程度に応じて区分し、2009（平成21）年6月よりその区分ごとに薬剤師・登録販売者等が指導・販売する、一般用医薬品の販売制度の見直しを行いました。

(3) 医薬品の広告

①第一類医薬品

その副作用などにより日常生活に支障を来す程度の健康被害が生ずるおそれがある医薬品のうち、その使用に関し特に注意が必要なものとして厚生労働大臣が指定するもの及びその製造販売の承認の申請に際して医薬品医療機器等法第14条第11項に該当するとされた医薬品であって、当該申請にかかる承認を受けてから厚生労働省令で定める期間を経過しないもの。第1類医薬品と表記。

②第二類医薬品

その副作用等により日常生活に支障を来す程度の健康被害が生ずるおそれがある医薬品（第一類医薬品を除く）であって、厚生労働大臣が指定するもの。第2類医薬品と表記。第二類医薬品のうち、特に注意を要する成分を含む医薬品として指定するものを第2類医薬品または第②類医薬品と表記する。

③第三類医薬品

第一類医薬品及び第二類医薬品以外の一般用医薬品。第3類医薬品と表記。

(5) 一般用医薬品の通信販売

2013（平成25）年12月13日に「薬事法及び薬剤師法の一部を改正する法律」が公布され（平成26年6月12日施行）、第1類、第2類、第3類の一般用医薬品のすべてが、インターネット販売、通信販売等、対面販売以外の特定販売を行うことが可能となりました。ただし、医師の処方せんが必要となる医療用医薬品は、これまで通り、薬剤師が対面で情報提供・指導する対面販売のままで、スイッチ直後品目・劇薬についても、他の一般用医薬品とは性質が異なるため、要指導医薬品に指定され、薬剤師による対面販売が義務づけられています。また、新聞等で通信販売を行うにあたっては、購入者への情報提供として、ネット販売を行う場合に、ホームページ上に掲載しなければならない事項と同様の事項を、見やすく表示する必要があります。（※次ページの表を参照）

（関連法規）

医薬品医療機器等法第37条の7　同施行規則　一般漢方製剤製造販売承認基準について（平成29年3月28日薬生発0328第1号）　一般用医薬品の区分の指定等について（平成19年3月30日薬食発第0330037号厚生労働省医薬食品局長通知）　薬事法の一部を改正する法律等の施行等について（平成21年5月8日薬食発第0508003号、平成23年5月13日薬食発0513第1号）　薬事法及び薬剤師法の一部を改正する法律　OTC医薬品等の適正広告ガイドライン2019年版（日本一般用医薬品連合会、2019年）「一般用検査薬広告の自主申し合わせ」（改訂）について（日本OTC医薬品協会、日本臨床検査薬協会、令和4年9月）

（問い合わせ先）

厚生労働省医薬局監視指導・麻薬対策課　各都道府県担当部局　日本一般用医薬品連合会

III-8 医薬品、医薬部外品、化粧品、医療機器等の広告

(3) 医薬品の広告

「一般用医薬品のインターネット販売について」掲示事項等

店頭	販売サイト
【掲示】	【掲示（＝表示）】
（薬局・店舗の管理・運営関係）	（薬局・店舗の管理・運営関係）
①許可区分（薬局又は店舗販売業）	①実店舗の写真
②許可証の記載事項（薬局開設者名、店舗名、所在地、所管自治体名等）	②（同左）
	③（同左）
③薬局・店舗の管理者名	④（同左）
④当該店舗に勤務する薬剤師・登録販売者の別、氏名、担当業務等	⑤（同左）
	⑥現在勤務中の薬剤師・登録販売者の別、氏名
⑤取り扱う一般用医薬品の区分	⑦（同左）
⑥勤務者の名札等による区別に関する説明	⑧（同左）
⑦営業時間、営業時間外の相談時間	⑨（同左）
⑧注文のみの受付時間がある場合にはその時間	⑩店舗の開店時間とネットの販売時間が異なる場合は、それぞれの時間帯
⑨通常相談時及び緊急時の連絡先	⑪（同左）
（一般用医薬品の販売制度関係）	（一般用医薬品の販売制度関係）
①第1類～第3類の定義及び解説	①（同左）
②第1類～第3類の表示や情報提供に関する解説	②（同左）
③指定第2類の陳列等の解説及び禁忌の確認・専門家への相談を促す掲示	③指定第2類の販売サイト上の表示等の解説及び禁忌の確認・専門家への相談を促す表示
④一般用医薬品の陳列の解説	④一般用医薬品の販売サイト上の表示の解説
⑤副作用被害救済制度の解説	⑤（同左）
⑥販売記録作成に当たっての個人情報利用目的	⑥（同左）
⑦その他必要な事項（※）	⑦（同左）
【陳列】	【陳列（＝表示）】
・医薬品を他の物と区別して貯蔵・陳列	・店舗での陳列の状況の分かる写真を表示すること
・一般用医薬品をリスク区分ごとに陳列	・リスク区分別に表示する方法を確保すること
	・サイト内検索の結果を、各医薬品のリスク区分についてわかりやすく表示すること
	・医薬品の使用期限

※自治体、業界団体等の苦情相談窓口等（施行通知で明示）

(4) 医薬部外品の広告

Q 医薬部外品で広告できる効能効果の範囲には制限がありますか？

A 医薬部外品の広告表示は医薬品医療機器等法・医薬品等適正広告基準による制限があります。

●

(1) 医薬品医療機器等法における医薬部外品の定義

医薬部外品とは次に掲げるもので人体に対する作用が緩和なものをいいます。

① 次の目的のために使用される物で機械器具等でないもの
  ・吐き気その他の不快感または口臭もしくは体臭の防止
  ・あせも、ただれ等の防止
  ・脱毛の防止、育毛または除毛

② 人または動物の保健のためにするねずみ、はえ、蚊、のみその他これらに類する生物の防除の目的のために使用される物であって機械器具等でないもの

③ 人または動物の疾病の診断、治療または予防に使用、若しくは人又は動物の身体の構造・機能に影響を及ぼすことが目的とされている医薬部外品のうち、その有効成分の名称及び分量について表示が必要なものとして、厚生労働大臣が指定する「指定医薬部外品」がある。

厚生労働大臣が指定する医薬部外品（令和5年4月28日薬生発0428第1号）

(1) 胃の不快感を改善することが目的とされている物
(2) いびき防止薬
(3) 衛生上の用に供されることが目的とされている綿類（紙綿類を含む）
(4) カルシウムを主たる有効成分とする保健薬（⑲に掲げるものを除く）
(5) 含嗽（がんそう）薬
(6) 健胃薬（(1)及び⑦に掲げるものを除く。）
(7) 口腔咽喉（こうくういんこう）薬（⑳に掲げるものを除く）
(8) コンタクトレンズ装着薬
(9) 殺菌消毒薬（⑮に掲げるものを除く）
(10) しもやけ・あかぎれ用薬（㉔に掲げるものを除く。）
(11) 瀉（しゃ）下薬
(12) 消化薬（㉗に掲げるものを除く。）
(13) 滋養強壮、虚弱体質の改善及び栄養補給が目的とされている物
(14) 生薬を主たる有効成分とする保健薬
(15) すり傷、切り傷、さし傷、かき傷、靴ずれ、創傷面等の消毒または保護に使用されることが目的とされている物
(16) 整腸薬（㉗に掲げるものを除く）
(17) 染毛剤
(18) ソフトコンタクトレンズ用消毒剤
(19) 肉体疲労時、中高年期等のビタミンまたはカルシウムの補給が目的とされている物
(20) のどの不快感を改善することが目的とされている物
(21) パーマネント・ウェーブ用剤

⑷ 医薬部外品の広告

⑵ 鼻づまり改善薬（外用剤に限る。）
⑳ ビタミンを含有する保健薬（⒀及び⒆に掲げるものを除く）
㉔ ひび、あかぎれ、あせも、ただれ、うおのめ、たこ、手足のあれ、かさつき等を改善することが目的とされている物
㉕ 医薬品、医療機器等の品質、有効性及び安全性の確保等に関する法律第2条第3項に規定する使用目的のほかに、にきび、肌荒れ、かぶれ、しもやけ等の防止または皮膚もしくは口腔の殺菌消毒に使用されることも併せて目的とされている物
㉖ 浴用剤
㉗ ⑹、⑿または⒃に掲げる物のうち、いずれか二以上に該当するもの
㉘ 物品の消毒・殺菌の用に供されることが目的とされている物

⑵ 「医薬品等適正広告基準」に留意してください
①医薬部外品については「医薬部外品」である旨、新指定及び新範囲医薬部外品の場合は「指定医薬部外品」の旨を明記する
②「○○を防ぐ」という効能効果で承認を受けているものは、承認された効能効果が明瞭に別記されているものを除いて単に「○○に」などの表現は認められない。ただし承認された効能効果が明瞭に別記されていればこの限りではない。
③化粧品的医薬部外品（いわゆる薬用化粧品）及び薬用歯みがきでの効能効果の表現について
　(a)医薬部外品本来の目的が隠ぺいされて化粧品であるかのような誤解を与える表現はしない。
　(b)殺菌剤配合シャンプーまたは薬用石けんなど化粧品的な使用目的、用法で使用された場合に保健衛生上問題となるおそれがある表現はできない。
④浴用剤での「生薬配合」「生薬製剤」の表現について
　(a)「生薬配合」の表示は有効成分の一部に生薬が配合されており、承認された効能効果等と関連があり、かつ「医薬部外品」の文字が付記されていれば差し支えない。
　(b)「生薬製剤」の表示は有効成分のすべてが生薬のみから構成され、かつ「医薬部外品」の文字が付記されていれば差し支えない。
⑤使用上の注意が必要な医薬部外品
　(a)殺虫剤（蚊取り線香を除く）
　(b)染毛剤
　(c)パーマネント・ウェーブ用剤

⑶ 医薬部外品の効能または効果の範囲について
　医薬部外品の範囲については1961（昭和36）年2月8日以来薬務強調等による複数の通知により示されていますが、効能効果の範囲についてはおおむね次の表の通りですので参考にしてください。

III-8 医薬品、医薬部外品、化粧品、医療機器等の広告

(4) 医薬部外品の広告

医薬部外品の効能効果の範囲

医薬部外品の種類	使用目的の範囲と原則的な剤型		効能または効果の範囲
	使用目的	主な剤型	効能又は効果
1．口中清涼剤	吐き気その他の不快感の防止を目的とする内用剤である	丸剤、板状の剤型、トローチ剤、液剤	口臭、気分不快
2．腋臭防止剤	体臭の防止を目的とする外用剤である	液剤、軟膏剤、エアゾール剤、散剤、チック様のもの	わきが（腋臭）、皮膚汗臭、制汗
3．てんか粉類	あせも、ただれ等の防止を目的とする外用剤である	外用散布剤	あせも、おしめ（おむつ）かぶれ、ただれ、股ずれ、かみそりまけ
4．育毛剤（養毛剤）	脱毛の防止及び育毛を目的とする外用剤である	液剤、エアゾール剤	育毛、薄毛、かゆみ、脱毛の予防、毛生促進、発毛促進、ふけ、病後・産後の脱毛、養毛
5．除毛剤	除毛を目的とする外用剤である	軟膏剤、エアゾール剤	除毛
6．染毛剤（脱色剤、脱染剤）	毛髪の染色、脱色または脱染を目的とする外用剤である（毛髪を単に物理的に染毛するものは医薬部外品には該当しない）	粉末状、打型状、エアゾール、液状又はクリーム状	染毛、脱色、脱染
7．パーマネント・ウェーブ用剤	毛髪のウェーブ等を目的とする外用剤である	液状、ねり状、クリーム状、エアゾール、粉末状、打型状の剤型	毛髪にウェーブをもたせ、保つ。くせ毛、ちぢれ毛またはウェーブ毛髪をのばし、保つ。
8．衛生綿類	衛生上の用に供されることが目的とされている綿類（紙綿類を含む）である	綿類、ガーゼ	生理処理用品については生理処理用、清浄用綿類については乳児の皮膚・口腔の清浄・清拭または授乳時の乳首・乳房の清浄・清拭、目、局部、肛門の清浄・清拭
9．浴用剤	原則としてその使用法が浴槽中に投入して用いられる外用剤である（浴用石鹸は浴用剤には該当しない）	散剤、顆粒剤、錠剤、軟カプセル剤、液剤、粉末状、粒状、打型状、カプセル、液状等	あせも、荒れ性、打ち身（うちみ）、くじき、肩の凝り（肩のこり）、神経痛、湿しん（しっしん）、しもやけ、痔、冷え性、腰痛、リウマチ、疲労回復、ひび、あかぎれ、産前産後の冷え性、にきび
10．薬用化粧品（薬用石けんを含む）	化粧品としての使用目的を併せて有する化粧品類似の剤型の外用剤である	液状、クリーム状、ゼリー状の剤型、固型、エアゾール剤	※次ページ掲載の「薬用化粧品の効能効果の範囲」参照
11．薬用歯みがき類	化粧品としての使用目的を有する通常の歯みがきと類似の剤型の外用剤である	ペースト状、液状、液体、粉末状、固形、潤製	歯を白くする、口中を浄化する、口中を爽快にする、歯周炎（歯槽膿漏）の予防、歯肉炎の予防、歯石の沈着を防ぐ、むし歯、むし歯の発生及び進行の予防、口臭の防止、タバコのやにを除去、歯がしみるのを防ぐ
12．忌避剤	はえ、蚊、のみ等の忌避を目的とする外用剤である	液状、チック様、クリーム状の剤型、エアゾール剤	蚊成虫、ブユ（ブヨ）、サシバエ、ノミ、イエダニ、トコジラミ（ナンキンムシ）等の忌避
13．殺虫剤	はえ、蚊、のみ等の駆除または防止の目的を有するものである	マット、線香、粉剤、液剤、エアゾール剤、ペースト状の剤型	殺虫、はえ、蚊、のみ等の衛生害虫の駆除または防止
14．殺そ剤	ねずみの駆除または防止の目的を有するものである		殺そ、ねずみの駆除、殺滅または防止
15．ソフトコンタクトレンズ用消毒剤	ソフトコンタクトレンズの消毒を目的とするものである		ソフトコンタクトレンズの消毒

(4) 医薬部外品の広告

薬用化粧品の効能効果の範囲

種類	効能効果
1．シャンプー	ふけ、かゆみを防ぐ 毛髪・頭皮の汗臭を防ぐ 毛髪・頭皮を清浄にする 毛髪・頭皮をすこやかに保つ ｝二者択一 毛髪をしなやかにする
2．リンス	ふけ、かゆみを防ぐ 毛髪・頭皮の汗臭を防ぐ 毛髪の水分・脂肪を補い保つ 裂毛・切毛・枝毛を防ぐ 毛髪・頭皮をすこやかに保つ ｝二者択一 毛髪をしなやかにする
3．化粧水	肌あれ、あれ性 あせも・しもやけ・ひび・あかぎれ・にきびを防ぐ 油性肌 かみそりまけを防ぐ 日やけによるしみ・そばかすを防ぐ（注1） 日やけ・雪やけ後のほてりを防ぐ 肌をひきしめる、肌を清浄にする、肌を整える 皮膚をすこやかに保つ、皮膚にうるおいを与える
4．クリーム、乳液、ハンドクリーム、化粧用油	肌あれ、あれ性 あせも・しもやけ・ひび・あかぎれ・にきびを防ぐ 油性肌 かみそりまけを防ぐ 日やけによるしみ・そばかすを防ぐ（注1） 日やけ・雪やけ後のほてりを防ぐ 肌をひきしめる、肌を清浄にする、肌を整える 皮膚をすこやかに保つ、皮膚にうるおいを与える 皮膚を保護する、皮膚の乾燥を防ぐ
5．ひげそり用剤	かみそりまけを防ぐ 皮膚を保護し、ひげをそりやすくする
6．日やけ止め剤	日やけ・雪やけによる肌あれを防ぐ 日やけ・雪やけを防ぐ 日やけによるしみ・そばかすを防ぐ（注1） 皮膚を保護する
7．パック	肌あれ、あれ性 にきびを防ぐ 油性肌 日やけによるしみ・そばかすを防ぐ（注1） 日やけ・雪やけ後のほてりを防ぐ 肌をなめらかにする 皮膚を清浄にする
8．薬用石けん（洗顔料を含む）	＜殺菌剤主剤＞（消炎剤主剤をあわせて配合するものを含む） 皮膚の清浄・殺菌・消毒 体臭・汗臭及びにきびを防ぐ ＜消炎剤主剤のもの＞ 皮膚の清浄、にきび・かみそりまけ及び肌あれを防ぐ

（注1）作用機序によっては、「メラニンの生成を抑え、しみ、そばかすを防ぐ。」も認められる。
（注2）上記にかかわらず、化粧品の効能の範囲のみを標ぼうするものは、医薬部外品としては認められない。

(4) 医薬部外品の広告

新指定医薬部外品の効能効果の範囲

製品群	剤型	効能又は効果	用法・用量	代表的成分
のど清涼剤	トローチ剤 ドロップ剤	たん、のどの炎症による声がれ・のどのあれ・のどの不快感・のどの痛み・のどのはれ	通常成人（15歳以上）1日3回	カンゾウ キキョウ セネガ
健胃清涼剤	カプセル剤 顆粒剤 丸剤 散剤 舐剤 錠剤 経口液剤	食べ過ぎ、飲み過ぎによる胃部不快感、はきけ（むかつき、胃のむかつき、二日酔・悪酔のむかつき、嘔気、悪心）	通常成人（15歳以上）原則1日3回（内服液剤1日1～3回）	ウイキョウ ケイヒ ショウキョウ ニンジン ハッカ
外皮消毒剤	外用液剤 軟膏剤	すり傷、切り傷、さし傷、かき傷、靴ずれ、創傷面の洗浄・消毒 ------ 手指・皮膚の洗浄・消毒	1日数回患部に適用 （用時調製不可）	アクリノール エタノール 塩化ベンザルコニウム 過酸化水素
きず消毒保護剤	絆創膏類 外用液剤	すり傷、切り傷、さし傷、かき傷、靴ずれ、創傷面の消毒・保護（被覆）	患部に適用	アクリノール 塩化ベンザルコニウム グルコン酸クロルヘキシジン
ひび・あかぎれ用剤（クロルヘキシジン主剤）	軟膏剤	ひび・あかぎれ・すり傷・靴ずれ	1日数回適量を患部に塗布	塩化クロルヘキシジン グルコン酸クロルヘキシジン
ひび・あかぎれ用剤（メントール・カンフル主剤）		ひび・しもやけ・あかぎれ		dl-カンフル l-メントール
ひび・あかぎれ用剤（ビタミンAE主剤）		ひび・しもやけ・あかぎれ・手足のあれの緩和		酢酸トコフェロール ビタミンA油
あせも・ただれ用剤	外用液剤 軟膏剤	あせも・ただれの緩和・防止	1日数回適量を患部に塗布	酸化亜鉛
うおのめ・たこ用剤	絆創膏	うおのめ・たこ	患部にはる	サリチル酸
かさつき・あれ用剤	軟膏剤	手足のかさつき・あれの緩和	1日数回適量を患部に塗布	尿素
ビタミンC剤	カプセル剤 顆粒剤 丸剤 散剤 舐剤 錠剤 ゼリー状ドロップ剤 経口液剤	肉体疲労時、妊娠・授乳期、病中病後の体力低下時又は中高年期のビタミンCの補給	通常成人（15歳以上）1日3回限度（内服液剤は1日1回）	アスコルビン酸 アスコルビン酸カルシウム アスコルビン酸ナトリウム
ビタミンE剤		中高年期のビタミンEの補給	中高年 1日3回限度 （内服液剤は1日1回）	コハク酸d-α-トコフェロール 酢酸d-α-トコフェロール d-α-トコフェロール
ビタミンEC剤		肉体疲労時、病中病後の体力低下時または中高年期のビタミンECの補給	通常成人（15歳以上）1日3回限度（内服液剤は1日1回）	コハク酸d-α-トコフェロール アスコルビン酸

Ⅲ-8 医薬品、医薬部外品、化粧品、医療機器等の広告

(4) 医薬部外品の広告

製品群	剤型	効能又は効果	用法・用量	代表的成分
ビタミン含有保健剤	カプセル剤 顆粒剤 丸剤 散剤 錠剤 ゼリー状ドロップ剤 経口液剤	(1)体力、身体抵抗力又は集中力の維持・改善、(2)疲労の回復・予防、(3)虚弱体質（加齢による身体虚弱を含む。）に伴う身体不調の改善・予防、(4)日常生活における栄養不良に伴う身体不調の改善・予防、(5)病中病後の体力低下時、発熱を伴う消耗性疾患時、食欲不振時、妊娠授乳期又は産前産後等の栄養補給	通常成人 （15歳以上） 1日3回限度	アミノエチルスルホン酸 塩酸チアミン 塩酸ピリドキシン 塩酸フルスルチアミン リボフラビン
カルシウム剤	カプセル剤 顆粒剤 散剤 錠剤 経口液剤	妊娠授乳期・発育期・中高年期のカルシウムの補給	1日3回限度	クエン酸カルシウム グルコン酸カルシウム 沈降炭酸カルシウム 乳酸カルシウム

※新指定医薬部外品の主効能と付記効能等の広告における取り扱いについては、2017（平成29）年6月9日に厚生労働省医薬・生活衛生局医薬品審査管理課、監視指導・麻薬対策課の事務連絡『新指定医薬部外品（ビタミン含有保健剤）の広告等に関する質疑応答集（Q&A）』が出されています。

(4) 「OTC医薬品等の適正広告ガイドライン」（日本一般用医薬品連合会）における指定医薬部外品の広告について

指定医薬部外品については関連諸法令やガイドラインとともに、OTC医薬品の自主申し合わせの中で指定医薬部外品の広告について触れているものを以下に列記するので、併せて広告表現について注意する必要があります。

①ビタミンC剤、ビタミンE剤、ビタミンEC剤、ビタミン含有保健剤、カルシウム剤、ビタミンを含有する保健薬、カルシウムを主たる有効成分とする保健薬および生薬を主たる有効成分とする保健薬について「健康維持」の表現は行わない
②「薬用」（販売名に認められたものを除く）、「漢方」の表現は行わない。
③「うまい」「おいしい」などの味覚表現は、本来の効能効果を誤解させ、また過剰消費、乱用を助長することから行わない。

(5) 除菌、殺菌について

除菌は、家庭内の床、手すり、家具等に使用されるもので、ふき取ること、洗い流すこと等により菌を除去することであり、これは医薬品や医薬部外品には該当しません。菌の死滅による除去を標ぼうする殺菌は医薬品や医薬部外品に該当します。抗菌は、抗菌加工製品の場合「当該製品の表面における細菌の増殖を抑制すること」と定義されており、医薬品には該当しません。

除菌を標ぼうしていても、人体に直接作用したり、特定の病原菌や感染性物質、疾病に関する表示をしている場合は医薬品に該当します。また、「不活化」「不活性化」「殺滅」「撃滅」等の表現は菌を死滅させることと同義ですので、それらの表現を用いる場合は医薬品に該当する可能性があります。

空間を浮遊する菌やウイルスに関して、厚生労働省は薬機法上の消毒剤の空間

(4) 医薬部外品の広告

噴霧は人の目や皮膚に付着したり、吸い込むおそれのある場所での使用はすすめてはいません。また「空間噴霧用の消毒剤」として承認の得られた医薬品・医薬部外品は現状ないとしていますので注意が必要です。

(関連法規)
医薬品等適正広告基準の改正について（平成29年9月29日薬生発0929第4号） 医薬品等適正広告基準の解説及び留意事項等について（平成29年9月29日薬生発0929第5号） 医薬品医療機器等法第2条第2項第3号の規定に基づき厚生労働大臣の指定する医薬部外品及び医薬品医療機器等法施行令第20号第2項の規程に基づき製造管理又は品質管理に注意を要するものとして厚生労働大臣が指定する医薬部外品の一部を改正する告示について（令和5年4月28日薬生発0428第1号） 医薬品医療機器等法施行規則15条の6の2 OTC医薬品等の適正広告ガイドライン2019年版（日本一般用医薬品連合会、2019年） 新指定医薬部外品（ビタミン含有保健剤）の広告等に関する質疑応答集（Q&A）について（平成29年6月9日事務連絡）

(問い合わせ先)
厚生労働省医薬局監視指導・麻薬対策課　各都道府県担当部局

(5) 化粧品の広告

Q 化粧品の広告で効能効果は、どの程度表示することができるのでしょうか。

A 「医薬品等適正広告基準」で、承認を要しない化粧品についての効能効果の範囲が定められています。

●

(1) 承認を要しない化粧品の効能効果の表現の範囲

1 頭皮、毛髪を清浄にする
2 香りにより毛髪、頭皮の不快臭を抑える
3 頭皮、毛髪をすこやかに保つ
4 毛髪にはり、こしを与える
5 頭皮、毛髪にうるおいを与える
6 頭皮、毛髪のうるおいを保つ
7 毛髪をしなやかにする
8 クシどおりをよくする
9 毛髪のつやを保つ
10 毛髪につやを与える
11 フケ、カユミがとれる
12 フケ、カユミを抑える
13 毛髪の水分、油分を補い保つ
14 裂毛、切毛、枝毛を防ぐ
15 髪型を整え、保持する
16 毛髪の帯電を防止する
17 (汚れをおとすことにより) 皮膚を清浄にする
18 (洗浄により) ニキビ、アセモを防ぐ (洗顔料)
19 肌を整える
20 肌のキメを整える
21 皮膚をすこやかに保つ
22 肌荒れを防ぐ
23 肌をひきしめる
24 皮膚にうるおいを与える
25 皮膚の水分、油分を補い保つ
26 皮膚の柔軟性を保つ
27 皮膚を保護する
28 皮膚の乾燥を防ぐ
29 肌を柔らげる
30 肌にはりを与える
31 肌にツヤを与える
32 肌を滑らかにする
33 ひげを剃りやすくする
34 ひげそり後の肌を整える
35 あせもを防ぐ (打粉)
36 日やけを防ぐ
37 日やけによるシミ、ソバカスを防ぐ
38 芳香を与える
39 爪を保護する
40 爪をすこやかに保つ
41 爪にうるおいを与える
42 口唇の荒れを防ぐ
43 口唇のキメを整える
44 口唇にうるおいを与える
45 口唇をすこやかにする
46 口唇を保護する。口唇の乾燥を防ぐ
47 口唇の乾燥によるカサツキを防ぐ
48 口唇を滑らかにする
49 ムシ歯を防ぐ (※)
50 歯を白くする (※)
51 歯垢を除去する (※)
52 口中を浄化する (歯みがき類)
53 口臭を防ぐ (歯みがき類)
54 歯のやにを取る (※)
55 歯石の沈着を防ぐ (※)
56 乾燥による小ジワを目立たなくする (※※)

※使用時にブラッシングを行う歯みがき類に限る
※※日本香粧品学会の「化粧品機能評価ガイドライン」に基づく試験等を行い、その効果を確認した場合に限る。「乾燥による小ジワを目立たなくする。」又

(5) 化粧品の広告

はこれを言い換えた表現をする場合、これらの効能に※のような印を付けたうえで、「※効能評価試験済み」と表記する。ただしこの表記は大きな活字で記載したり色調を変える等の強調をしてはならない。

注1 例えば、「補い保つ」は「補う」あるいは「保つ」との効能でも可とする
 2 「皮膚」と「肌」の使い分けは可とする
 3 （ ）内は、効能には含めないが、使用形態から考慮して限定するもの

このほか「化粧くずれを防ぐ」「小じわを目立たなくみせる」「みずみずしい肌に見せる」などのメーキャップ効果及び「清涼感を与える」「爽快にする」などの使用感の表示は事実に反しない限り認められる。

一定の条件いわゆるしばり表現のある効能効果は、しばり表現を省略することなく正確に付記または付言すること。この場合、しばり部分とその他の部分について、同等の広告効果が期待できるような方法により広告を行うこと。

※しばり表現が必要な事例の具体例
　〇「乾燥による小じわを目立たなくする」　×「小じわを目立たなくする」
　〇「日焼けによるシミ、そばかすを防ぐ」　×「シミ、そばかすを防ぐ」

また、化粧品は本来そのほとんどが薬理作用によってその効能効果が認められたものではないため、56項目の効能に記載する効能効果以外の薬理作用による効能効果の表現はできない。

(2) 化粧品における特定成分の特記表示

特定成分の特記表示とは、商品に配合されている成分中、特定の成分を表示することです。その場合、化粧品でない医薬品的な印象を与えたり、通常の化粧品より効果・安全性等で優れているという誤解を与えたり、当該成分が主たる成分であるとの誤解を与えることがあります。化粧品において特定成分を特記表示することは、あたかもその成分が有効成分であるかのような誤認を生じるおそれがあるため、原則として認められません。ただし条件つきで認められる場合がありますので、「化粧品における特定成分の特記表示について」を確認してください。

①特定成分の特記表示
　(a)特定成分を特記表示する場合、配合目的を必ず併記する。なお、配合目的は化粧品の効能効果及び製剤技術に基づく表現とし、客観的に実証されていること
　(b)特定成分を写真、デザイン（英文等の表示を含む）で表現している場合は、「〇〇（成分名）△△（配合目的）」等と配合目的とともに成分名も記載する
　(例)「アロエエキス（保湿成分）」「カミツレエキス（天然植物保湿成分）配合」「肌にうるおいを与えます（ヘチマエキス配合）」などの表示はできる。しかし、「アロエエキスを配合した化粧水です」というような表現は、配合目的が記載されていないため認められない。配合目的の表示については、「化粧品の効能の範囲の改正について」や製剤技術に基づき製品の使用感や製品性状などに関わる表現であって客観的に実証されており、

(5) 化粧品の広告

「化粧品における特定成分の特記表示について」に従って表記するものであれば、差し支えない。
②特記表示が認められない事例
　(a)「生薬エキス」「薬草抽出物」「薬用植物のエキス」のように、特定成分の名称に「薬」の字が含まれるもの
　(b)「漢方成分抽出物」のように、医薬品かのような印象を与えるもの
　※配合成分の全ての成分を同等に表示する限り特記表示に該当しない。なお、医薬部外品等の有効成分として配合されることのある成分を特記する場合、①明示的または暗示的であるか否かに関わらず、有効成分であるかのような誤認を生じ薬理作用などを暗示させないこと、②化粧品の効能効果の範囲であること、③客観的に実証されたことに基づくこと――の３点を全て満たした配合目的を記載する必要がある。なお、有効成分として使用されている成分を特記表示すると、あたかもその成分が有効成分のように誤認させやすいため、配合目的も含め広告全体としての表現にも十分注意する。

(3) **しわ取り効果などの標ぼうについて**
①しわ取り効果などについて
　化粧品の使用による、しわを解消、または予防する効果の標ぼうは、化粧品の効能の範囲を逸脱しているので認められない。
　(例)「小じわの原因根本解消。悩みのしわをコラーゲンで撃退！」「30分後にはあなたのお肌からシワが消えてしまうのです」「小じわを防いで、美しい素肌作りに」
②素肌の若返り効果、老化防止効果について
　化粧品の使用による素肌の若返り効果、素肌の老化防止効果の標ぼうは認められない。
　(例)「若々しい素肌がよみがえる」「お肌の若さを保つには○○が大切です」「お肌の老化やトラブルで悩む女性に」
③顔やせ効果について
　化粧品の使用による発汗効果、顔の筋肉の収縮効果、顔やせ効果などは認められない。
　(例)「お肌のたるみをグイグイ引き締め、しわを隠し、ハリのある若々しい素肌が…」「お顔がホッソリ！顔が小さくなりました」

(4) **メーキャップ効果について**
　「小じわを目立たなく見せる」などのメーキャップ効果の表示は、事実に反しない限り認められているが、それが確実であると保証する表現は認められません。
　(例)「実感、これ１本で小じわが隠れる」「目もとにたった１滴。小じわ、タルミをカバー！」

(5) **「美白」等の表現について**
　「美白」「ホワイトニング」等は医薬品医療機器等法による効果ではありません。これらの表現は次の場合に限って行うものとします。

(5) 化粧品の広告

① 承認を受けた効能効果に対応した薬用化粧品の場合

承認された効能効果が「メラニンの生成を抑え、しみ、そばかすを防ぐ」の場合は「この美白化粧品はメラニンの生成を抑え、しみ、そばかすを防ぐ」を、承認された効能効果が「日やけによるしみ、そばかすを防ぐ」の場合は「メラニンの生成を抑え、日やけによるしみ、そばかすを防ぐ」を説明として「美白」等の表現の説明として記載する。

認められない表現の範囲：
- 肌本来の色そのものが変化する（白くなる）旨の表現
  - （例）「黒い肌も徐々に白くするホワイトニング効果」
- できてしまったしみ、そばかすをなくす（治療的）表現
  - （例）「○○年もあったシミがこんなに薄くなるなんて」
- 承認効能以外のしみ、色素沈着等にかかわる表現
  - （例）「ニキビ跡の色素沈着を防ぐ」
- 肌質改善を暗示させる表現
  - （例）「シミ・ソバカスの出来にくい肌に」
- 効能効果の保証・最大級表現に該当する表現
  - （例）「シミ・クスミが目立たなくなり美白効果を実感」
- 添加剤を有効成分と誤認されるような表現
  - （例）「○○美白（○○は保湿成分等添加剤の成分名）」

② メーキャップ効果に基づく美白表現の場合

薬用化粧品や承認を要しない一般化粧品は、メーキャップ効果により肌を白く見せる、またはしみを隠す旨の表現は可能。
ただしメーキャップ効果である旨が明確でなく、誤認を与える表現はできない。
（例）「美白パウダーでシミ、ソバカスが消えてなくなる」

〈米国で美白の表記取りやめる動きも〉

米国で起こった黒人差別への抗議運動（BLM運動）を受け、一部化粧品メーカーが肌の色による優劣を連想させる「ホワイトニング」「美白」などの表記を取りやめる動きもあります。ダイバーシティの観点からも、ご注意ください。

(6)「肌・毛髪への浸透」について

浸透等の表現は、化粧品の効能効果の発現の確実であることの暗示及び効能効果の範囲の逸脱した効果を暗示させるので原則として行ってはなりません。ただし作用部位が角質層であることを明記した場合で、かつ、広告全体の印象から効能効果の保証や効能効果の範囲の逸脱に該当しない場合に限って表現することができます。

① 「肌への浸透」等の表現は「角質層」の範囲内であること
- 表現できる例：「角質層へ浸透」「角質層のすみずみへ」
- 表現できない例：「肌※の奥深く　※角質層」（注釈で「角質層」とあっても「肌の奥深く」という表現は、角質層の範囲を越えて浸透する印象を与える

(5) 化粧品の広告

　　ため不適切)
　②「毛髪への浸透」等の表現は角化した毛髪部分の範囲内であること
　　・表現できる例：「髪の内部へ浸透」「髪の芯まで浸透」
　　・表現できない例・「傷んだ髪へ浸透して健康な髪へ甦ります」(回復的)
(7)「エイジングケア」の表現について
　　エイジングケアとは、加齢によって変化している現在の肌状態に応じて、化粧品等に認められた効能効果の範囲内で行う、年齢に応じた化粧品等によるケアのことです。
　　(例)「年を重ねた肌にうるおいを与えるエイジングケア」
(8)「アレルギーテスト済み」等のテスト済みに関する用語を表示する場合は、下記の基準により使用する。
　①デメリット表示を同程度の大きさで目立つように近傍に併記すること。
　　(例)・「アレルギーテスト済み」の場合
　　　　　→全ての方にアレルギーが起こらないということではありません。
　　　・「ノンコメドジェニックテスト済み」の場合
　　　　　→全ての方にコメド(ニキビのもと)が発生しないということではありません。
　　　・「皮膚刺激性テスト済み」の場合
　　　　　→全ての方に皮膚刺激が発生しないということではありません。
　②キャッチフレーズにしないこと。
(9) 化粧品の表示に関する公正競争規約（主なものを例示）
　①「安全」「安心」など安全性を意味する用語は、断定的に使用することはできない。「万能」「万全」「何でも」等効果が万能万全であることを意味する用語は、断定的に使用することはできない。
　②「新製品」「新発売」などの用語は、発売後12か月以内でなければ使用することができない。
　③「無添加」「無配合」「不使用」など、ある種の成分を配合していないことを意味する用語を表示する場合は、何を配合していないかを明示すること。
　　(例)「パラベン無添加」「ノンエタノール」「タール色素不使用」「紫外線吸収剤無配合」「オイルフリー」

(関連法規)　医薬品等適正広告基準　基準3（2）　化粧品の表示に関する公正競争規約（令和6年公正取引委員会・消費者庁共同告示第1号）　同運用基準第5　同施行規則第15条の2関係別表4-1　化粧品の効能の範囲の改正について（平成23年7月21日薬食発0721第1号厚生労働省医薬食品局長通知）化粧品における特定成分の特記表示について（令和7年3月10日医薬監麻発0310第3号）　化粧品等の適正広告ガイドライン2020年版（日本化粧品工業連合会広告宣伝委員会、2020年）
(問い合わせ先)　174ページの他、化粧品公正取引協議会

(6) 医療機器の広告

Q 磁気治療器などの医療機器の広告では、何が審査上のポイントとなりますか？

A 医療機器は政令で定められたものです。医療関係者向け医療機器は原則広告できません。家庭用医療機器の広告にも規制があります。

●

(1) 医療関係者向け医療機器

原則として、一般人向けに医療関係者向け医療機器の広告はできません。

①特例として一般人を対象に広告できる医療関係者向け医療機器

医療関係者向け医療機器のうち、特例として一般人を対象に広告できるものは、現在のところ次に掲げるものです。それぞれの広告可能な範囲や具体的な機器の範囲は各広告表示のガイドラインや行政による通知を参照してください。

(a)血圧計（家庭向け医療機器等適正広告・表示ガイドⅤ）
(b)コンタクトレンズ（ただし、薬剤含有コンタクトレンズを除く）（コンタクトレンズの広告自主基準）
(c)体温計
※ヒトの体温を測定するものは医療機器に該当。ヒト以外の料理・飲み物・風呂等の温度測定を目的とするものは薬事非該当。（東京都保健医療局健康安全部薬務課監視指導担当）
(d)自動体外式除細動器（AED）（自動体外式除細動器〈AED〉の適正広告・表示ガイドライン）
(e)パルスオキシメータ（パルスオキシメータの適正広告・表示ガイドライン）
(f)補聴器（補聴器の適正広告・表示ガイドライン）
(g)設置管理医療機器（「医療機器の広告について」平成22年8月17日薬食監麻発0817第1号）
(h)発作時心臓活動記録装置（発作時心臓活動記録装置・発作時心臓活動記録装置用プログラムの適正広告・表示ガイドライン）
(i)発作時心臓活動記録装置用プログラム（同）
(j)高血圧症治療補助プログラム（高血圧症治療補助プログラムの適正広告ガイドライン）
(k)禁煙治療補助システム（禁煙治療補助システムの適正広告ガイドライン）

②家庭用医療機器

一般向けに広告できるのは家庭用医療機器です。次にその種別を掲げますが、広告の可能な範囲については前掲の「家庭向け医療機器等適正広告・表示ガイド」を参照してください。

(6) 医療機器の広告

(a)家庭用電位治療器
(b)家庭用電解水生成器
(c)家庭用治療浴装置
(d)家庭用マッサージ、家庭用指圧代用器
(e)家庭用赤外線治療器、家庭用紫外線治療器、家庭用炭素弧光灯治療器
(f)家庭用磁気治療器
(g)電子血圧計
(h)家庭用低周波治療器
(i)家庭用超短波治療器
(j)家庭用温熱治療器、温灸器
(k)家庭用吸入器
(l)組み合せ家庭用医療機器

③表示に注意が必要な雑貨

いわゆる雑貨ではありますが医療機器的標ぼうが問題となるものの例として東京都の保健医療局健康安全部薬務課監視指導担当が示しているものを参考にしてください。

(a)マスク

不織布等でできており、単に物理的な除去を目的とする場合は問題ないですが、細菌やウイルスに対する殺菌・不活性化効果、感染症予防を標ぼうすることはできません。

(b)筋肉運動補助器具

筋肉の運動のみを目的としている場合は問題ないですが、肩や腰にあててコリをほぐしたり、運動後の筋肉の疲れに有効等の標ぼう、脂肪減少作用等を標ぼうすることはできません。

(c)指圧代用器(非電動式)

電動でなく、単に突起物やテコを応用し、背筋などにあてて指圧するものは医療機器非該当であって以下の標ぼうができます。

あんま、指圧の代用（読み替えはしない）、健康によい、筋肉の疲れをとる、血行を良くする、筋肉のこりをほぐす

(d)サポーター

磁気治療器を除き基本的には医療機器非該当ですが、関節痛の緩和、血行促進、体質改善、むくみの改善等の効能効果や骨盤矯正等身体の構造機能に影響を及ぼす旨の標ぼうはできません。

(e)インソール・靴

磁気治療器を除き基本的には医療機器非該当ですが、関節痛の緩和、疾病の予防等の効能効果を標ぼうすることはできません。

(f)集音器

健常者を対象とし、騒がしい環境等の中で遠くの音や特定の音域の音を拡張して聞くことを目的とする場合は問題ないですが、聴力障害（老人性

(6) 医療機器の広告

のものを含む）者の聴力を補助する目的を持つものは医療機器に該当します。

(2) 広告表示の注意事項

医療機器についても、承認または認証された効能効果等の範囲を超える表現はできません。「医薬品等適正広告基準」（Ⅲ-8（2）「医薬品等適正広告基準」）の規制が適用されますので注意してください。医療機器固有の規制として、以下のような点に注意が必要です。

①医療機器の美容器具的若しくは健康器具的用法について

医療機器の美容器具的、健康器具的用法を強調することによって、消費者の安易な使用を助長するような広告はできません。

(a)美容器具的用法とは、バイブレーター等を痩身目的に用いる用法等のこと。

(b)健康器具的用法とは、バイブレーターまたは家庭用電気治療器を運動不足解消のため用いる用法等のこと。

※美容効果のみを明示して通常人に医療機器に期待される効能効果を有するとの認識を与えないものは、医療機器に該当しません。健康器具や美容機器など医療機器以外のものを医療機器と同一の広告に表示する場合は、けい線で区切るなどして両者を明確に区別する配慮をした方がよいでしょう。

(3) 医療機器の分類

医療機器の種類はリスクによる分類と管理に必要となる知識及び技能による分類があります。

①リスクによる分類

(a)高度管理医療機器（クラスⅢ、Ⅳ）

副作用または機能の障害が生じた場合の人の生命及び健康に重大な影響を与えるおそれがあることから、その適切な管理が必要なものとして、厚生労働大臣が指定するものを指します。

このうちクラスⅢは不具合が生じた場合、人体へのリスクが比較的高いと考えられるものを指します。

（例）治療用コンタクトレンズ、輸液ポンプ、人工心肺用システムクラスⅣは、患者への侵襲性が高く、不具合が生じた場合、生命の危険に直結するおそれがあるものを指します。

（例）ペースメーカ、人工心臓弁、ステントグラフト

(b)管理医療機器（クラスⅡ）

副作用または機能の障害が生じた場合の人の生命及び健康に影響を与えるおそれがあることから、その適切な管理が必要なものとして、厚生労働大臣が指定するものを指します。

（例）家庭用電気マッサージ器、補聴器

(c)一般医療機器（クラスⅠ）

副作用または機能の障害が生じた場合でも、人の生命及び健康に影響を与えるおそれがほとんどないものとして、厚生労働大臣が指定するものを

指します。
　(例) メスやピンセットなどの鋼製小物類、救急絆創膏
②管理に必要となる知識及び技能による分類
　(a)特定保守管理医療機器
　　　保守点検、修理その他の管理に専門的な知識、技能が必要で適正な管理が行われなければ疾病の診断、治療、予防に重大な影響を与えるおそれがあるものとして、厚生労働大臣が指定するものを指します。
　(例) 超音波画像診断装置、CT装置（全身用X線CT診断装置など）、心電計、リアルタイム解析型心電図記録計、パルスオキシメータ
③その他の分類
　(a)設置管理医療機器
　　　特定保守管理医療機器の中から指定。設置に当たって組み立てが必要な特定保守管理医療機器であって、保険衛生上の危害の発生を防止するために当該組み立てに係る管理が必要なものとして厚生労働大臣が指定する医療機器を指します。

(4) 承認番号等
①医療機器には承認番号、認証番号、届出番号が付与されます。医療機器としてのリスクの高いものから、高度管理医療機器と認証基準のない、または適合しない管理医療機器には医薬品医療機器総合機構（PMDA）が審査を行い厚生労働大臣が承認者となる承認番号が付与されます。認証基準が定められており適合する高度管理医療機器は第三者認証機関による認証を受けます。認証基準が定められている管理医療機器には第三者認証機関が審査を行う認証番号、一般医療機器にはPMDAが申請先となる届出番号がそれぞれ付与されます。届出の場合の審査はありません。日本医療機器産業連合会は「医療機器の広告に関するQ＆A」を作成し、その中で「『医療機器』として承認・認証・届出された製品であることを使用者に明示するために当該番号をわかり易く明記すべき」としています。厚生労働省はこのQ＆Aを各都道府県に送付し共有しています。認証番号等はその機器ごとに「224AZBZX12345000号」などという形になっています。
番号を表示するときは「厚生労働省承認○○○号」という表示は避け、単に番号のみを記載するよう注意してください。
特に疑問のある場合には、承認書などで確認したほうがよいでしょう。
②家庭用医療機器において電気用品安全法の対象となる機器の場合は、医療機器としての承認、認証に加え同法の定める表示が必要になります。機器が特定電気用品である場合は経済産業大臣の登録を受けた検査機関の検査を受け、その証明書の交付を受け保存しなればなりません。同法に基づき表示すべき内容は次の通りですが、特定電気用品であるか否かによって一部異なります。

(6) 医療機器の広告

・記号（PSEマーク）
・届出事業者名
・登録検査機関名（特定電気用品の場合)
・電気用品ごとに規定されている定格電圧、定格電流等の表示事項

(関連法規)

医薬品医療機器等法第2条第4項～第8項・第23条の2第1項・第39条　同施行規則第114条の55　医薬品等適正広告基準　基準3・5・14　電気用品安全法第9条・第10条・第27条　同施行規則第17条　指圧代用器等の取扱いについて（昭和45年12月15日薬発第1136号厚生労働省薬務局通知）　薬事法第2条第5項から第7項までの規定により厚生労働大臣が指定する高度管理医療機器、管理医療機器及び一般医療機器（平成16年7月20日厚生労働省告示第298号）　薬事法第23条の2第1項の規定により厚生労働大臣が基準を定めて指定する医療機器（平成17年3月25日厚生労働省告示第112号）　薬事法第2条第8項の規定により厚生労働大臣が指定する特定保守管理医療機器（平成16年7月20日厚生労働省告示第297号）　医療機器の広告について（平成22年8月17日薬食監麻発0817第1号）　規制改革実施計画（令和6年6月21日閣議決定）　医療機器適正広告ガイド（日本医療機器産業連合会、2024年2月改定）　家庭向け医療機器等適正広告・表示ガイドⅤ（日本ホームヘルス機器協会、令和6年10月）　医療機器の承認・認証に関する基本的な考え方について（医薬品医療機器総合機構）「医療機器の広告に関するQ&A」について（日本医療機器産業連合会、平成23年1月7日）　承認番号および認証番号の付与方法について（平成26年9月25日薬食機参発0925第5号厚生労働省大臣官房参事官通知）　指定高度管理医療機器等の認証番号の付与方法について（平成27年7月1日薬食機参発0701第4号）

(問い合わせ先)

厚生労働省医薬・生活衛生局監視指導・麻薬対策課　各都道府県担当部局
経済産業省商務情報政策局　商務・サービスグループ　ヘルスケア産業課・医療・福祉機器産業室　日本医療機器産業連合会　日本ホームヘルス機器協会

(7) 治験広告

Q 製薬会社などによる「治験広告」とは、どういうものですか？

A 医薬品の製造業者などが、厚生労働省の製造承認を得る前の治療効果を調べている段階（臨床試験）で臨床試験の参加者を募集するものです。募集広告の内容は事前に第三者の治験審査委員会で審議する必要があります。

●

(1) 治験とは

　医薬品医療機器等法上、医薬品等の製造販売業者などが厚生労働大臣の承認を受けるために申請時に提出するべき資料のうち、届け出た計画書に基づいて、臨床試験の試験成績に関する資料の収集を目的とする試験の実施を指します。治験は全て被験者の同意を得て医師の管理下で行われます。

(2) 治験広告について

　以下の事項を表示することができます。また、1999（平成11）年6月から医薬品等製造業者などが直接被験者を広告で募集できるようになりました。

①治験薬の予定されている効能または効果
　　（例）「抗○○剤」
　　※なお、「○○の疾患に効果あり」「△△の症状を改善する」等の効果を暗示する表現はできません。
②治験薬の予定される用法または用量
③対象疾患名及び症状名
④対象基準
⑤治験目的
⑥治験内容
⑦治験者負担軽減
　　※種々の負担が軽減する内容、負担が軽減される金額の記載は可能ですが、金銭の支払いによって誘引するような表現や金銭の標記を誇張するなどの品位を損なうような表示、参加が高額アルバイトと認識されるような表現は避けましょう。
⑧治験実験医療機関名
⑨治験責任医師名、診療科名
⑩治験依頼者名
⑪募集期間
⑫問い合わせ先

　全体を通して、できるだけ一般的かつ平易な表現で情報提供することが望ましいとされています。虚偽または誇大な表現、他社の治験薬や製品をひぼうするような表現、不快感、不安感等を与える表現、品位を損なうような表現は使用できません。また、治験であることを説明せずに、「新しい薬」「新しい治療」などの

(7) 治験広告

用語を使用すべきではありません。

品質が良い、効能効果がある、安全である等を暗示させる内容および誤解を招く表現や医薬・薬学の専門家等が保証や推薦したものと誤解を与える表現は避けましょう。ただし治験情報の一部として、「治験とは」「抗○○薬とは」「○○症とは」等の用語解説、「当社は世界数十か国で医薬品を販売している、あるいは開発している」等の会社の紹介を盛り込むことは可能です。

なお、日本製薬工業協会は「患者及び一般市民を対象とした治験に係る情報提供の要領 第3版」を策定し、情報提供内容の可否とその考え方、可能な表現と避けるべき表現について示していますので参照してください。

(3) 治験に係る情報提供内容について

治験に係る情報提供に関連する通知として「治験に係る情報提供の取扱いについて」があります。同通知により「治験に係る情報を求める者のみに対する情報提供」等の要件を全て満たした場合は治験薬の名称や治験記号等を含めた情報提供が可能になりました。

「治験に係る情報を求める者のみに対する情報提供」とは、たとえばウェブサイトで情報提供する際に「治験情報専用のウェブページ」を設けてそのなかで情報提供を行う方法などが該当します。

新聞などの紙媒体の広告は「治験に係る情報提供を求めていない」方も目にする情報提供の方法であるため、同通知の要件を満たしません。従って治験薬の名称や治験記号等の情報提供はできません。新聞に掲載する治験広告から、治験薬名等を含む治験情報専用のウェブページへリンクしたり二次元コードからアクセスすることもできませんので、注意が必要です。

※表の①、②：治験広告に、治験情報専用のページへのアクセス方法を掲載（検索方法の掲示やリンク・二次元コードの掲載等）することは、一連の情報提供となり、治験広告によって治験情報専用のページで提供する治験薬の名称や治験記号等の情報が「治験に係る情報提供を求めている者」以外にも提供される可能性があるため不可となります。

③：治験広告を閲覧した者が自発的にインターネットで検索し、治験情報専用のページにアクセスすることは、一連の情報提供に該当せず、能動的なアクセスとなるため、問題ありません。

※「患者及び一般市民を対象とした治験に係る情報提供の要領 第3版」（日本製薬工業協会医薬品評価委員会、令和5年11月）より。

治験情報専用ページへのアクセスの可否について

	治験情報専用のページへのアクセス方法				実施可否
① 治験広告	治験広告に掲載された検索方法や、リンク・二次元コードからアクセス			治験薬名等を含む治験情報専用のページ	×
② 治験広告	治験広告に掲載された検索方法や、リンク・二次元コードからアクセス	治験薬名等を含まない治験情報専用のページ	検索またはリストから選択	治験薬名等を含む治験情報専用のページ	×
③ 治験広告	自発的に検索	検索エンジン	検索してアクセス	治験薬名等を含む治験情報専用のページ	○
④ 治験情報専用ページのお知らせ	治験情報専用のページのお知らせに掲載された検索方法や、リンク・二次元コードからアクセス			治験薬名等を含む治験情報専用のページ	×
⑤ 治験情報専用ページのお知らせ	治験情報専用のページのお知らせに掲載された検索方法や、リンク・二次元コードからアクセス	治験薬名等を含まない治験情報専用のページ	検索またはリストから選択	治験薬名等を含む治験情報専用のページ	○
⑥ 治験情報専用ページのお知らせ	自発的に検索	検索エンジン	検索してアクセス	治験薬名等を含む治験情報専用のページ	○

(4) 医療機関が実施する治験広告

ここでは主に製薬会社が実施する治験広告について説明しましたが、医療機関が実施する治験広告もあります。

医療機関が行う治験広告では、治験を実施している旨、治験実施者の名称、当該治験薬の対象となる疾患名及び治験を実施する医療機関名等を広告することができます。また、治験薬の一般名称（成分名）や治験記号等を記載しても差し支えないとされています。これは医療広告ガイドラインにおいて「当該治験薬の名称として、一般的名称（成分名）又は開発コードについては、治験に関する情報提供の推進の観点から、広告しても差し支えないこと。ただし、医薬品医療機器等法で未承認医薬品の広告を禁じられている趣旨を踏まえ、治験の対象となる疾患名を除いた具体的な治療効果に関すること又は国内外での販売名（商品名）については、医療広告としても、認められないこと」とされているためです。

このように治験広告は、実施する主体や情報提供の方法（対象者）によって表示できる内容が異なる点に注意が必要です。

医療機関が実施する治験参加募集広告（治験広告）は、ここで取り上げた治験広告の注意点の確認と同時に病院の広告としての確認も必要です。詳しくは医療広告ガイドラインやⅢ-6（1）「病院などの広告」の項目も参照してください。

（関連法規）　医薬品医療機器等法第 2 条第17項・第80条の 2　治験に係る情報提供の取扱いについて（令和 5 年 1 月24日薬生監麻発0124第 1 号）　医業若しくは歯科医業又は病院若しくは診療所に関する広告等に関する指針（医療広告ガイドライン）（令和 6 年 9 月13日改正）「患者及び一般市民を対象とした治験に係る情報提供の要領　第 3 版」（日本製薬工業協会医薬品評価委員会、令和 5 年11月）

（問い合わせ先）　厚生労働省医政局治験推進室　都道府県担当部局　日本製薬工業協会

(1) 健康食品などの広告

Q 「健康食品」とはどのような食品ですか？ 「血糖値の高い方へ」などと表示している広告がありますが、これは許されるのでしょうか？審査のポイントを教えてください。

A 法律上、「健康食品」という食品はなく、「普通の食品よりも健康によいと称して売られている食品」の俗称です。効能・効果を標ぼうすれば、医薬品医療機器等法により、承認前の医薬品と見なされるおそれがあります。

●

(1) 健康食品

　高齢化や健康志向の高まりに伴い、健康食品の広告も増えています。一般に健康食品として販売されているものは、法律ではどのように位置づけされているのでしょうか。「食品」については定義があり、食品衛生法第4条で「食品とは、全ての飲食物をいう。ただし医薬品、医薬部外品及び再生医療等製品は、これを含まない」とされています。ですから「医薬品」「医薬部外品」「再生医療等製品」を除く全飲食物が「食品」なのですが、「健康食品」を定義する法律はなく、「普通の食品よりも健康によいと称して売られている食品」を一般に「健康食品」と呼んでいるのです。そのため行政では「いわゆる健康食品」と称することが多いようです。

　「医薬品」「医薬部外品」「再生医療等製品」には、医薬品医療機器等法に基づく承認を得た効能・効果があります。もし健康食品が、明示・暗示にかかわらず医薬品的な表示で広告した場合、医薬品医療機器等法第68条（承認前の医薬品、医療機器及び再生医療等製品の広告の禁止）に該当し、同法違反を問われることになります。また同法第68条は対象を「何人も」としているため、掲載した媒体も法の対象になります。

(2) 「医薬品」と「食品」の区別

　法律上、飲食物には「食品」と「医薬品、医薬部外品、再生医療等製品」しかありません。「食品」か「医薬品、医薬部外品、再生医療等製品」かの区別は、「無承認無許可医薬品の指導取締りについて」（通称：46通知）により、①成分本質が何か、②医薬品的効能・効果を標ぼうしているか、③医薬品的形状をしているか、④医薬品的用法・用量かで判断します。「食品」と見えても①から④のうち一つでも該当すると、未承認の「医薬品」となるので掲載できません。以下、①から④まで例を挙げて説明します。

①成分本質の分類

　どのような成分本質が「医薬品」「非医薬品」に当たるかは、「医薬品の範囲に関する基準」でリスト化されています。リストを調べる際の注意点は、化学物質ではまずあり得ないのですが、①植物、動物の成分本質では、部位によって「医薬品」に分類されたり、「非医薬品」に分類されたりする、②植物、動物には複

(1) 健康食品などの広告

数の呼称があり得ることです。なお、複数の成分本質が含有されている商品は、「医薬品リスト」に入っている成分本質が一つでも含有されていれば「医薬品」に分類されます。ただし、着色、着香などの目的で薬理作用が期待できない微量だけ含有されている場合は、含有されていないものとして判断します。一例を挙げますが、詳細は東京都保健医療局のホームページにあります。

［医薬品リスト］
○アスピリン○アロエ（キュラソー・アロエ、ケープアロエ）／葉の液汁＝根・葉肉は「非医薬品」○カワラタケ（サルノコシカケ）／菌糸体＝子実体は「非医薬品」○シカシャ（プラセンタ）／ヒト胎盤＝ウシ・ヒツジ・ブタの胎盤は「非医薬品」

［非医薬品リスト］
○亜鉛○アガリクス（アガリクス・ブラゼイ、ヒメマツタケ）／子実体○アケビ（モクツウ）／実＝つる性の茎は「医薬品」○トマト（果実）○ブルーベリー（果実）

②医薬品的効能・効果の標ぼう

医薬品的効能・効果の標ぼうには、「○○を飲むと△△病が治癒する」などの明示表示と、「△△病の人に○○がよい、という」などの暗示表示があります。表現問題なので、文章だけでなく写真なども判断基準になります。「医薬品の範囲に関する基準」、「無承認無許可医薬品監視指導マニュアル」の中に典型的な例が挙げてありますので、一部紹介します。

(a)疾病の治療または予防を目的とする効能・効果
　（例）「肝障害・腎障害を治す」「胃・十二指腸かいようの予防」「眼病の人のために」

(b)身体の組織機能の一般的増強、増進を主たる目的とする効能・効果
　（例）「疲労回復」「強精強壮」「体力増強」「老化防止」「勉学能力を高める」
　※「栄養補給」は、原則として医薬品的効能・効果に該当しませんが、疾病等による栄養成分の欠乏時等を特定した表現や、目・皮膚等特定部位への栄養補給を標ぼうする表現は、医薬品的な効能・効果に該当すると判断されます。

(c)医薬品的な効能・効果の暗示
　(ア)名称またはキャッチフレーズよりみて暗示するもの
　　（例）「延命○○」「○○の精（不死源）」「漢方秘法」「不老長寿」
　(イ)含有成分の表示及び説明よりみて暗示するもの
　　（例）「体質改善、健胃整腸で知られる○○を原料とし、これに有用成分を添加、相乗効果を持つ」
　(ウ)製法の説明よりみて暗示するもの
　　（例）「本邦の深山高原に自生する植物○○を主剤に、△△、××等の薬草を独特の製造法（製法特許出願）によって調製したものである」
　(エ)起源、由来等の説明よりみて暗示するもの

(1) 健康食品などの広告

(例)「〇〇という古い自然科学書をみると『胃を開き、鬱（うつ）を散じ、消化を助け、虫を殺し、痰（たん）などもなくなる』とある。こうした経験が昔から伝えられたが故に食膳に必ず備えられたものである」

(オ)新聞、雑誌などの記事、医師、学者などの談話、学説、経験談などを引用または掲載することにより暗示するもの

(例)「医学博士〇〇の談『昔から赤飯に〇〇をかけて食べると癌（がん）にかからぬといわれている。…癌細胞の脂質代謝異常ひいては糖質、蛋白（たんぱく）代謝異常と〇〇が結びつきはしないかと考えられる』」

(カ)高麗人参と同等またはそれ以上の薬効を有する旨の表現で暗示するもの
(例)「高麗人参にも勝るという薬効が認められています」

(キ)「健康チェック」等として、身体の具合、症状等をチェックさせ、それぞれの症状等に応じて摂取を勧めることにより暗示するもの
(例)「思い当たる症状に〇をつけて下さい。〇が3つ以上の方にお勧めします」

(ク)「〇〇の方に」等の表現により暗示するもの
(例)「〇〇病が気になる方に」「身体がだるく、疲れのとれない方に」

(ケ)「好転反応」に関する表現により暗示するもの
(例)「摂取すると、一時的に下痢、吹出物などの反応がでるが、体内浄化、体質改善等の効果の現れである初期症状であり、そのまま摂取を続けることが必要である」

(コ)「効用」、「効果」、「ききめ」等の表現により暗示するもの
(例)「1か月以上飲み続けないと効果はありません」「大学病院でもその効用が認められています」

(サ)「薬」の文字により暗示するもの
(例)「生薬」「妙薬」「民間薬」「薬草」「漢方薬」「薬用されている」

③医薬品的形状

ここでいう「形状」とは、商品の剤型だけでなく、被包及び容器の形態や、それらに表示されている文章、写真、図案などの全てを含んだ意味です。剤型には錠剤、カプセル剤、アンプル剤などがありますが、錠剤、カプセル剤であっても「食品」であることが明示されていれば、そのことだけでは医薬品的形状には当たりません。

ただし、専ら医薬品的な剤型である物はそれだけで医薬品的形状に該当します。
・アンプル剤
・舌下錠や舌下に滴下するものなど粘膜からの吸収を目的とするもの
・スプレー管に充填して口腔内に噴霧して口腔内に作用させることを目的とするもの

(1) 健康食品などの広告

④医薬品的用法・用量

　医薬品は、食べたいときに食べる食品と異なり、効能・効果を発揮し、安全性を確保するために、服用時期、間隔、量などが「毎食後30分以内に水で服用」「1日3回」「1回2錠」などと定められています。したがって、このような表示があると医薬品的用法・用量になりますが、たとえば、「1日10粒ぐらいを目安としてお召し上がりください」などの表示であれば、医薬品的用法・用量には当たりません。ただし摂取方法が点鼻や舌下であれば医薬品的用法に当たります。

(3) 健康食品の広告審査

　以上の4点をクリアした商品であれば、「食品広告」として掲載できます。審査作業の順序として、まず、商品の成分本質が「医薬品リスト」に入っているかどうか調べてください。煩雑なようですが、「医薬品リスト」の成分本質は、人体に強い作用をもたらす劇薬などを含み、食品として摂取されると、人の健康に重大な影響を与えます。

　従って、「医薬品リスト」にある成分本質が含有されていれば、承認された医薬品の広告として掲載するのでない限り、医薬品医療機器等法第68条違反の広告となり、掲載できません。なお、「医薬品リスト」にも「非医薬品リスト」にも載っていない成分本質については、都道府県担当部局に問い合わせてください。

　次に、医薬品的形状をしているか、医薬品的用法・用量かを調べてください。医薬品的形状は商品本来の属性ですので、広告表示を審査する立場としては難しい面がありますが、少なくとも剤型には注意を払い、できるだけ調べるようにしてください。

　最後に、「医薬品的効能・効果の標ぼう」の項で例示されているような表示がないか、点検してください。このような表示があると、食品であるにもかかわらず、病人が医薬品と誤認して摂取し、治療機会を逸失し、病状を増悪させる危険があります。

　規制が強く、何も表示できないようですが、訂正すれば掲載できる場合も少なくありませんし、次のような表示は可能です。

(a)「○○はビタミンA、Bを含んでいます」などの栄養成分含有表示
(b)「偏食がちな方に」「野菜の足りない方に」などの栄養補給表示
(c)「健康維持に役立ちます」「美容を心がけている方へ」「健康を保ちたい方に」などの健康維持表示

　ただし、注意を要するのは、正常状態の人に対する呼びかけに限られ、「○○病の方へ」「病中、病後の方へ」「更年期の方へ」など、"異常状態"の人に呼びかける表示は、医薬品的効能・効果の標ぼうになります。また、「目によい」など身体の特定部位を挙げるのも医薬品的効能・効果の標ぼうになります。

　また健康食品は食品ですから、だれがいつ飲食してもよいのですが、男性または女性、あるいは中高年の方へと表示することは、食品として特にお勧めする性別あるいは世代を示している限り差し支えありません。

　なお、「保健機能食品」と紛らわしい名称、「保健機能食品」で許されている栄

(1) 健康食品などの広告

養成分機能表示、保健用途表示をした場合は、健康増進法違反になります。このほか、景品表示法第5条の不当表示に当たらないか、「有機」などの表示がJAS法をクリアしているかも調べてください。

(4) 痩身効果を標ぼうする健康食品

痩身効果を標ぼうする健康食品は、カロリー摂取を制限することによる減量を除き、医薬品医療機器等法上の違反となる場合がほとんどですが、厚労省は「痩身効果等を標ぼうするいわゆる健康食品の広告等について」という通知を出し、認められない効能・効果の標ぼうとして以下を例示しています。

(a)体内に蓄積された脂肪等の分解、排せつ
　（例）○○の働きで体内の余分な脂肪を分解し、体外に排出する
　　　　脂肪燃焼効果も大きい
(b)体内組織、細胞等の機能の活性化
　（例）○○が肥満の根本原因ともいうべき褐色脂肪細胞を活性化、正常化してくれる
(c)「宿便」の排泄、整腸、瀉下（しゃげ）
　（例）腸のぜん動運動を活発にし、便秘を解消
(d)体質改善
　（例）1回やせてしまえば体質が変わって、もう太る心配なし
(e)その他
　（例）食欲を押さえ
　　　　発汗と利尿作用を高め

また、以下のような表示にも注意が必要です。

(a)「1か月で10キロ」「1週間で4キロ」などと、極めて短期間にやせるかのような表示をしていないか
(b)痩身効果があると称する成分が全く入っていないか、またはほとんど入っていないということはないか
(c)痩身効果の根拠としている成分が、実際には通常の食品に含まれている成分とほとんど同じなのに、別なものであるかのように表示していないか
(d)学問上、その食品に痩身効果がないことが明らかになっているものではないか
(e)痩身効果が、学問上明らかになっていない食品について、減食、運動などを伴わなければやせないのに、「飲むだけでやせる」などと表示していないか
(f)難消化性炭水化物を主な原材料として痩身効果を標ぼうする食品に関し、食事により摂取した脂質、炭水化物等の体内の吸収を阻害し、体外に排出できる旨を表示していないか。また、ビーカー実験等による原材料の物理化学的効果を示すことにより、間接的に経口摂取による効果を表示していないか

(5) 「明らか食品」

「医薬品の範囲に関する基準」の中で、判定表を待つまでもなく、原則として医薬品に該当しないとされている食品があります。

Ⅲ-9 食品の広告

(1) 健康食品などの広告

　「明らか食品」は「野菜、果物、調理品等その外観、形状等から明らかに食品と認識されるもの」と「医薬品の範囲に関する基準」で規定しています。ホウレンソウを粉末化し、カプセルに詰めた商品は、医薬品的効能・効果を標ぼうしたり、用法・用量を表示して広告すると違反になりますが、そのような形状にせず、ホウレンソウそのものと分かる形で広告するときは「明らか食品」になります。一方、消費者庁は「健康増進法」「景品表示法」で、健康増進効果について「著しく事実に相違する」または「著しく人を誤認させる」表現のある広告は、「特定保健用食品」「機能性表示食品」に加え、「明らか食品」も法対象としています。「医薬品の範囲に関する基準」の規定で「明らか食品」の範囲にある食品が、届け出によって「機能性表示食品」ということもあります。届け出をしなくても「明らか食品」であれば、根拠があって著しく人を誤認させる表現でなければ、効能・効果を明示しても差し支えありませんが、「機能」や「機能性」といった文言は、「特定保健用食品」「機能性表示食品」と誤認させるので使用できません。なお、「医薬品の範囲に関する基準」の中で、「特定用途食品」「機能性表示食品」も原則として医薬品に該当しないとされていますが、それぞれ疾病の予防や治療が目的でなく、そもそも医薬品的効能・効果の標ぼうをすることが想定されていないことによりますので、当該標ぼうが許容されるわけではないと考えられます。
　またトマトのように「明らか食品」ではあるが「医薬品的効能効果を標ぼうしない限り医薬品と判断しない成分本質（原材料）リスト」にあるものの効能・効果、健康増進法第43条にある病者用の食品に認められている効能・効果を表示することはできません。46通知は「明らか食品」を「原則として、通常人が医薬品としての目的を有するものであると認識しないものと判断して差し支えない」ものとしていますが、これは主たる目的が食にあるという認識であると言えますので、効能・効果を標ぼうできるのは食品として健康増進を言う範囲内であると考えられます。従って具体的な疾病の名称とこれに対する効果を標ぼうすることは食を主たる目的とするものとは言えず、医薬品と見なされる可能性があるので注意が必要です。

(6)「広告」の該当性
　医薬品医療機器等法では、どのようなものが「広告」であり、法対象であるかを「薬事法における医薬品等の広告の該当性について」に示しています。
　　①顧客を誘引する（顧客の購入意欲を昂進〈こうしん〉させる）意図が明確にあること
　　②特定食品の商品名などが明らかにされていること
　　③一般人が認知できる状態であること
　この三つ全てに該当すると消費者が認識できるものは、「書籍」や「記事」であっても「広告」と見なされ、法対象になります。また、新聞社が書いた記事で、同日や別日の商品広告と関連性が疑われたり、記事のみであっても表示の内容が虚偽誇大なものであることを予見し、または容易に予見し得た場合は、新聞社にも法の適用があり得ます。

Ⅲ-9　食品の広告

(1) 健康食品などの広告

　なお、広告その他の表示において、具体的な商品名が明示されていない場合であっても、そのことをもって直ちに景品表示法及び健康増進法上の「表示」に該当しないと判断されるものではありません。

　商品名を広告等において表示しない場合であっても、広告等における説明などによって特定の商品に誘引するような事情が認められるときは、景品表示法及び健康増進法上の「表示」に該当します。

　例えば、以下についての当該広告その他の表示は、景品表示法及び健康増進法上の「表示」に当たります。

・特定の食品や成分の健康保持増進効果等に関する書籍や冊子、ウェブサイト等の形態をとっている場合であっても、その説明の付近にその食品の販売業者の連絡先やウェブサイトへのリンクを一般消費者が容易に認知できる形で記載しているようなとき

・特定の食品や成分の健康保持増進効果等に関する広告等に記載された問い合せ先に連絡した一般消費者に対し、特定の食品や成分の健康保持増進効果等に関する情報が掲載された冊子とともに、特定の商品に関する情報が掲載された冊子や当該商品の無料サンプルが提供されるなど、それら複数の広告等が一体となって当該商品自体の購入を誘引していると認められるとき

・特定の食品や成分の名称を商品名やブランド名とすることなどにより、特定の食品や成分の健康保持増進効果等に関する広告等に接した一般消費者に特定の商品を想起させるような事情が認められるとき

〈バイブル本〉

　バイブル本とは、健康食品や医療関係で、書かれる内容にある商品・治療への販売・誘引を目的として書かれた本のことをいいます。健康食品については「書籍の体裁をとりながら、実質的に健康食品を販売促進するための誇大広告として機能することが予定されている出版物（いわゆるバイブル本）の健康増進法上の取扱について」（平成16年7月27日厚生労働省医薬食品局食品安全部長から関係団体向け）で、「がん等の重篤疾病が自己治癒できるかのような誇大表示を内容とする書籍を企画・編集し、その中に健康食品販売業者の連絡先を記載すること（連絡先を巻末等に表示する場合のみならず、しおり状の紙片に表示し、挟み込む場合を含む）」が「健康増進法第32条の2（現行法：第65条の1）に規定する『広告その他の表示』として取締りの対象になる」と判断基準を示しています。実際に本を健康食品の販売に利用したとして、医薬品医療機器等法違反で出版社社長が有罪となったケースもあります。書かれている内容や本の販売時の体裁の問題ですから、書籍広告の表示で判断するのは困難ですが、疑念を抱くべき特別の事情があれば、内容確認も必要でしょう。

Ⅲ-9 食品の広告

(1) 健康食品などの広告

(関連法規)
医薬品医療機器等法第68条　健康増進法第65条第1項　無承認無許可医薬品の指導取締りについて（昭和46年6月1日薬発第476号厚生省薬務局長通知、平成30年4月18日薬生発0418第4号）　医薬品の範囲に関する基準の一部改正について（令和2年3月31日薬生発0331第33号厚生労働省医薬・生活衛生局長通知）　無承認無許可医薬品の監視指導について（昭和62年9月22日薬監第88号厚生省薬務局監視指導課長通知、平成27年4月1日薬食監麻発0401第3号）　景品表示法第5条　痩身効果等を標ぼうするいわゆる健康食品の広告等について（昭和60年6月28日薬監第38号厚生省薬務局監視指導課長通知）　健康食品に関する景品表示法及び健康増進法上の留意事項について（平成25年12月24日、令和4年12月5日一部改定）　食品として販売に供する物に関して行う健康保持増進効果等に関する虚偽誇大広告等の禁止及び広告等適正化のための監視指導等に関する指針（ガイドライン）（平成15年8月29日薬食発第0829007号厚生労働省医薬食品局長通知、令和2年4月1日消表対第433号）　同指針（ガイドライン）に係る留意事項（平成15年8月29日食安基発第0829001号・食安発第0829005号厚生労働省医薬食品局食品安全部基準審査課長・監視安全課長通知、令和2年4月1日一部改正消表対第433号）　健康増進法第65条第1項の適用に関するQ&A（令和6年7月作成）　書籍の体裁をとりながら、実質的に健康食品を販売促進するための誇大広告として機能することが予定されている出版物（いわゆるバイブル本）の健康増進上の取扱いについて（平成16年7月27日食安発第0727001号）　日本の農林規格等に関する法律（JAS法）第59～64条　薬事法における医薬品等の広告の該当性について（平成10年9月29日医薬監第148号厚生省医薬安全局監視指導課長通知）

(問い合わせ先)
農林水産消費安全技術センター　消費者庁食品表示課・表示対策課・食品衛生基準審査課　各都道府県薬事担当

(2) 特別用途食品など

Q 「特別用途食品」「栄養機能食品」「特定保健用食品」「機能性表示食品」と表示してある広告がありますが、どんな食品ですか？健康食品の広告と表示上どのような違いがあるのですか？

A 「食品」ですが、許可・届け出などされた範囲で一定の効果を表示できます。これらの食品は法律に基づく食品ですから、健康食品と異なり、許可・届け出された範囲や法令で許容された範囲の表示ができる点が違います。ただし、「医薬品」ではなく、あくまで「食品」であることに注意してください。

●

　食品衛生法第4条で「食品」と「医薬品、医薬部外品及び再生医療等製品」は区別され、「食品」は医薬品的な効能・効果をうたうことはできません。しかし「食品」の中には別の法律等で一定の効果を表示することが許されているものがあります。健康増進法第43条で内閣総理大臣から表示を許可された食品である「特別用途食品」や、食品表示法第4条第1項に基づき制定された食品表示基準による「機能性表示食品」「栄養機能食品」がそれにあたります。「特別用途食品」には、乳児用、幼児用、妊産婦用、病者用その他内閣府令で定める特別の用途に適す食品があり、内閣府令で定める特別の用途に適す食品の中に「特定保健用食品」があります。個別審査型と規格基準型があり、保健機能表示を許可された商品は「消費者庁許可」のマークが付けられます。また、特定保健用としての科学的根拠のレベルに届かないものの、一定の有効性が確認される食品を「条件付き特定保健用食品」として保健機能表示を許可し、そのマークが付けられます。

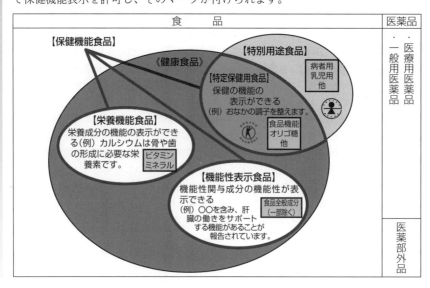

(1) 特定保健用食品

　特定保健用食品は通称「トクホ」と呼ばれ、すでに多くの商品が売り出されています。前記のように表示できる特定の保健の用途は行政で許可されたものです。「食品表示基準」では、特定保健用食品の許可表示は「許可等を受けた表示の内容のとおり表示する」としています。また普及啓発文言として「食生活は、主食、主菜、副菜を基本に、食事のバランスを」と表示することを規定しています。広告で許可表示の理解を助けるために、関与成分の作用メカニズムについて文章、イラスト、動画等を使用して説明する場合は、以下の点に十分に注意して下さい。

- ・研究的・科学的な裏付けがあっても、審査申請書の添付資料の範囲内とし、許可表示の内容を誤認させることがないようにすること。
- ・あくまでも関与成分の作用メカニズムであって製品の効果を保証するような内容にならないようにすること。
- ・トクホの関与成分には、医薬品に似た作用メカニズムを持つものがあり、広告の中で作用メカニズムを過大に強調することで、医薬品と誤認させることがないようにすること。

(2) 機能性表示食品

　機能性表示食品は、事業者の責任で科学的根拠に基づいた機能性を表示する食品を言い、消費者庁への届け出制となっています。特別用途食品、栄養機能食品、アルコールを含有する飲料および脂質・飽和脂肪酸・コレステロール・糖類（単糖類又は二糖類であって、糖アルコールでないものに限る）・ナトリウムの過剰な摂取につながるものを除き、すべての食品が対象です。生鮮食品も対象に含まれますが、生鮮食品については常温以外の保存の留意事項があれば、その方法を合わせて表示する必要があります。機能性表示食品は販売日の60日前まで（例外的に120日前まで）に届け出る必要があるため、通販広告での販売も届け出後60日以降になります。販売にあたっては「食品表示基準」で表示すべき項目を定めていますが、その中で、広告する場合にも表記があれば消費者の判断要素になると思われる表示を挙げておきます。

① 「機能性表示食品」と表示すること
② 届出番号を表示すること
③ 「機能性表示」の文字を冠して、次に定めるところにより表示する。
　(a)機能性関与成分が有する機能性を表示する場合にあっては、機能性関与成分の名称及び当該機能性関与成分が有する機能性を科学的根拠に基づき表示する。その際、当該機能性について報告されている旨を的確に示す文言を表示する。
　(b)機能性関与成分を含有する食品が有する機能性を表示する場合にあっては、機能性関与成分の名称及び当該機能性関与成分を含有する食品が有する機能性を科学的根拠に基づき表示する。
　(c)「本品は、特定保健用食品と異なり、機能性及び安全性について国による評価を受けたものではありません。届け出られた科学的根拠等の情報は消費者

(2) 特別用途食品など

　　　庁のウェブサイトで確認できます。」と表示する。
　　(d)医薬品及び他の機能性関与成分との相互作用、過剰摂取等に係る注意喚起等について、当該機能性関与成分の安全性に関する科学的根拠を踏まえて具体的に表示する。
　　(e)医薬品と異なり、疾病の診断、治療、予防を目的としたものではない旨または医薬品ではない旨を表示する。
　　(f)疾病に罹患している者は医師に、医薬品を服用している者は医師、薬剤師に摂取について相談する旨を表示する。

(3) 栄養機能食品

　特定の栄養成分を含むものとして食品表示基準が定める基準に従い、当該栄養成分の機能の表示をするものです。鶏卵以外の生鮮食品を除いていましたが、2015（平成27）年3月の制度変更で生鮮食品も表示が認められました。ただし、生鮮食品で栄養成分の機能を表示する場合、常温以外の保存の留意事項があれば、その方法を併せて表示する必要があります。

　個別許可や届け出は必要ありませんが、表示をする際に「栄養機能食品（ビタミンA）」のように、どの栄養成分においての栄養機能食品であるのかの併記が義務づけられています。栄養機能食品の中には、複数の栄養機能を持つものがありますが、それぞれ単独の機能表示ではなく合わせて表示することも可能です（例：ビタミンAは夜間の視力の維持を助け、皮膚や粘膜の健康維持を助ける栄養素です）。表示禁止事項として、食品表示基準で栄養機能食品に認められた栄養成分以外の成分の機能を示す用語、特定の保健の目的が期待できる旨を示す用語を禁止しています。

　基準値内であれば栄養機能を表示できる成分、その成分が広告可能な栄養機能および注意喚起表示は200ページの表の通りです。

　また「特定保健用食品」「条件付き特定保健用食品」「機能性表示食品」「栄養機能食品」は、食品表示として単独のものであり、同等の成分を有していても、一つの食品で「特定保健用食品」かつ「栄養機能食品」など、複数の食品名での表示はできません。

(4) 保健機能食品の広告審査

　まず、「特定保健用食品」「条件付き特定保健用食品」「機能性表示食品」ならば許可・届け出された商品か、許可・届け出表示とともに調べてください。消費者庁のホームページに適宜更新され掲載されています。「栄養機能食品」なら、成分が規格基準値の範囲内かを確認してください。その他表示面では、基本的にはⅢ-9（1）「健康食品などの広告」の項と同じですが、保健機能表示や栄養機能表示ができる点が異なります。ただし、許可・届け出された表示範囲を逸脱している効果表現のものは健康増進法、景品表示法違反となり、医薬品的な効能・効果表示は医薬品医療機器等法違反ともなります。

　「特定保健用食品」「条件付き特定保健用食品」「機能性表示食品」「栄養機能食品」の効果等の表示方法は「食品表示基準」で規定されています。そして同基準

は第1条で「(略)販売する場合について適用する」と、適用範囲を定めています。ですから「食品表示基準」は、販売する食品のラベルや外箱、商品添付文書に対しての基準であり、同基準で定めた効果表示方法も、普及啓発文言や注意喚起表示も、広告で表記することの基準ではありません。効果のみを表記して、普及啓発文言や注意喚起表示を表記しない広告であっても、直ちに違反とする該当法はありません。ただし、その表記の仕方が著しく人を誤認させるものであったり、注意喚起表示を表記しないことが優良誤認となる場合は、健康増進法、景品表示法違反となりえます。

(関連法規)
食品表示基準　健康増進法第43条・第65条第1項　健康増進法に規定する特別用途表示の許可等に関する内閣府令　特別用途食品の表示許可等について(令和元年9月9日消食表第296号消費者庁次長通知、令和6年12月10日消食表第1028号消費者庁次長通知)　食品表示法第4条　景品表示法第5条

(問い合わせ先)
消費者庁食品表示課・表示対策課　各都道府県薬事担当

Ⅲ－9　食品の広告

(2) 特別用途食品など

※「」内は広告可能な栄養機能表示、（）内はその成分のみにある注意喚起表示。

成分	表示
n‐3系脂肪酸	「皮膚の健康維持を助ける栄養素です」
亜鉛	「味覚を正常に保つのに必要な栄養素です」 「皮膚や粘膜の健康維持を助ける栄養素です」 「たんぱく質・核酸の代謝に関与して、健康の維持に役立つ栄養素です」 （亜鉛の摂り過ぎは、銅の吸収を阻害するおそれがあります。乳幼児・小児は本品の摂取を避けてください）
カリウム	「正常な血圧を保つのに必要な栄養素です」 （腎機能が低下している方は本品の摂取を避けてください） ※カリウムは過剰摂取を回避するため、錠剤・カプセル剤は対象外
カルシウム	「骨や歯の形成に必要な栄養素です」
鉄	「赤血球を作るのに必要な栄養素です」
銅	「赤血球の形成を助ける栄養素です」 「多くの体内酵素の正常な働きと骨の形成を助ける栄養素です」（乳幼児・小児は本品の摂取を避けてください）
マグネシウム	「骨や歯の形成に必要な栄養素です」 「多くの体内酵素の正常な働きとエネルギー産生を助けるとともに、血液循環を正常に保つのに必要な栄養素です」（多量に摂取すると軟便（下痢）になることがあります。乳幼児・小児は本品の摂取を避けてください）
ナイアシン	「皮膚や粘膜の健康維持を助ける栄養素です」
パントテン酸	「皮膚や粘膜の健康維持を助ける栄養素です」
ビオチン	「皮膚や粘膜の健康維持を助ける栄養素です」
ビタミンA （β-カロテン）	「夜間の視力の維持を助ける栄養素です」 「皮膚や粘膜の健康維持を助ける栄養素です」 （妊娠3か月以内又は妊娠を希望される女性は過剰摂取にならないよう注意してください）
ビタミンB1	「炭水化物からのエネルギー産生と皮膚や粘膜の健康維持を助ける栄養素です」
ビタミンB2	「皮膚や粘膜の健康維持を助ける栄養素です」
ビタミンB6	「たんぱく質からのエネルギーの産生と皮膚や粘膜の健康維持を助ける栄養素です」
ビタミンB12	「赤血球の形成を助ける栄養素です」
ビタミンC	「皮膚や粘膜の健康維持を助けるとともに、抗酸化作用を持つ栄養素です」
ビタミンD	「腸管でのカルシウムの吸収を促進し、骨の形成を助ける栄養素です」
ビタミンE	「抗酸化作用により、体内の脂質を酸化から守り、細胞の健康維持を助ける栄養素です」
ビタミンK	「正常な血液凝固能を維持する栄養素です」（血液凝固阻止薬を服用している方は本品の摂取を避けてください）
葉酸	「赤血球の形成を助ける栄養素です」 「胎児の正常な発育に寄与する栄養素です」 （胎児の正常な発育に寄与する栄養素ですが、多量摂取により胎児の発育がよくなるものではありません）

※栄養機能成分共通の注意喚起表示
・本品は、多量摂取により疾病が治癒したり、より健康が増進するものではありません。1日の摂取目安量を守ってください。
・特定保健用食品と異なり、消費者庁長官による個別審査を受けたものではありません。
・食生活は、主食、主菜、副菜を基本に、食事のバランスを。（普及啓発文言）

(3) 機能性表示食品の広告

Q 機能性表示食品の広告を掲載する上で、注意する点はありますか？

A 「機能性表示食品の届出等に関するマニュアル」に基づき届け出た内容に即したものとし、景品表示法や健康増進法にも留意して下さい。機能性表示食品は、事業者の責任において科学的根拠に基づいた機能性を表示した食品で、販売前に安全性、および機能性の根拠に関する情報等が消費者庁長官に届けられ受理されたものです。特定保健用食品とは異なり、消費者庁長官の個別の審査を受けたものではありません。機能性表示食品は、届け出た表示内容の範囲を超える表示や届け出表示の省略・簡略化はできません。

●

(1) 表示推奨事項

機能性表示食品の広告を掲載する際、「食品表示基準」で定められた販売時に表示すべき項目を表記することが望ましいです。消費者の判断要素になると思われる表示を挙げておきます。

① 「機能性表示食品」と表示すること
② 届出番号を表示すること
③ 「機能性表示」の文字を冠して、次に定めるところにより表示する。
　(a) 機能性関与成分が有する機能性を表示する場合にあっては、機能性関与成分の名称及び当該機能性関与成分が有する機能性を科学的根拠に基づき表示する。その際、当該機能性について報告されている旨を的確に示す文言を表示する。
　(b) 機能性関与成分を含有する食品が有する機能性を表示する場合にあっては、機能性関与成分の名称及び当該機能性関与成分を含有する食品が有する機能性を科学的根拠に基づき表示する。
　(c) 「本品は、特定保健用食品と異なり、機能性及び安全性について国による評価を受けたものではありません。届け出られた科学的根拠等の情報は消費者庁のウェブサイトで確認できます。」と表示する。
　(d) 医薬品及び他の機能性関与成分との相互作用、過剰摂取等に係る注意喚起等について、当該機能性関与成分の安全性に関する科学的根拠を踏まえて具体的に表示する。
　(e) 医薬品と異なり、疾病の診断、治療、予防を目的としたものではない旨または医薬品ではない旨を表示する。
　(f) 疾病に罹患している者は医師に、医薬品を服用している者は医師、薬剤師に摂取について相談する旨を表示する。

(2) 科学的根拠の違いによる表示の違い

機能性表示食品の広告は、届け出がされた科学的根拠によって表示できる範囲が異なります。

① 最終製品を用いた臨床試験（ヒト試験）で科学的根拠を説明した場合

(3) 機能性表示食品の広告

「本品にはA（機能性関与成分）が含まれるので、Bの機能があります」というように表示され、製品自体に機能があることを表示できます。

②最終製品に関する研究レビュー（システマティックレビュー）で科学的根拠を説明した場合

「本品にはA（機能性関与成分）が含まれ、Bの機能がある（機能性）ことが報告されています」というように表示されます。

③機能性関与成分に関する研究レビューで科学的根拠を説明した場合

「本品にはA（機能性関与成分）が含まれます。AにはBの機能がある（機能性）ことが報告されています」というように表示され、機能は成分によるものであることの表示はできますが、製品自体に機能があるかのような表示はできません。

(3) 景品表示法上問題となるおそれのある表示の要素

機能性表示食品は、容器包装やさまざまな広告媒体においても、当該食品の機能性を訴求する表示が行われています。実際のものよりも著しく優良であると示す表示はしてはならないとする景品表示法上の定めにおいて、具体的に何が一般消費者に実際のものよりも著しく優良であると誤認される場合に該当するかの判断は、個々の広告その他の表示に即してなされるべきではありますが、広告などの表示において、顧客を誘引するために用いられている表示要素別に、届け出された機能性の範囲を逸脱して景品表示法上問題となるおそれのある事項を整理すると以下の通りです。

①解消できない身体の機能に関する問題例

(a)「内臓脂肪を減らすのを助ける機能がある」との届け出表示において、「メタボ改善に」、「肥満解消」、「リバウンドしない体質に」のように、届け出された機能性では解消に至らない疾病症状に該当する身体の組織機能等にかかる不安や悩みなどを例示する表示。

(b)「糖の吸収を抑えることにより、食後の血糖値の上昇を穏やかにする機能がある」との届け出表示において、「糖尿病対策に」、「血糖値を抑えて肥満予防」のように、届け出された機能性では解消に至らない疾病症状に該当する身体の組織機能等にかかる不安や悩みなどを例示する表示。

(c)「お腹の調子を整える機能がある」との届け出表示において、「便秘症の改善に」、「下痢止め」のように、届け出された機能性では解消に至らない疾病症状に該当する身体の組織機能等にかかる不安や悩みなどを例示する表示。

(d)「膝関節の柔軟性、可動性をサポートする機能がある」との届け出表示において、「変形性膝関節症の緩和に」、「膝の痛みの軽減に」のように、届け出された機能性では解消に至らない疾病症状に該当する身体の組織機能等にかかる不安や悩みなどを例示する表示。

また、届け出された機能性ではおよそ得られない身体の組織機能等の変化を表現したイラストや写真を用いるなどの例示は、当該食品を摂取するだけで届け出された機能性の範囲を逸脱した効果まで得られるとの誤認を一般消費者に与えるおそれがあります。

(e)「内臓脂肪を減らすのを助ける機能がある」との届け出表示において、肥満体型を表すイラストや写真を例示した上で、「以前着ていたズボンがぶかぶかになったイラスト」、「肥満の方が劇的にやせた写真」を併せて例示し、当該機能性ではおよそ得られない身体の組織機能等の変化を例示する表示。

(f)「内臓脂肪を減らすのを助ける機能がある」との届け出表示において、「何をやってもダメだった私が!」、「食事制限が続かない」、「リバウンドを繰り返す」、「運動が苦手なあなたに」、「ダメだったらコレ」等の不安や悩みなどを例示し、誰でも容易に効果が得られるかのように例示する表示。

②届け出された機能性にかかる表示

(a)届け出された機能性の範囲を逸脱した説明をしてはいけません
　　機能性関与成分の機能性の説明が届け出された科学的根拠の範囲を逸脱する場合には、表示された機能性が合理的根拠と適切に対応していないと評価され、景品表示法上問題となるおそれがあります。

(b)機能性関与成分ではない成分を強調してはいけません
　　機能性関与成分以外の含有成分を強調した場合、当該成分が機能性関与成分であると誤認させたり、機能性関与成分と同等程度の機能性を有するとの誤認を与える場合があります。なお、当該成分を含有している事実自体を表示することは差し支えありませんが、機能性と関連付けるような表示は景品表示法上問題となるおそれがあります。

　(例)　機能性関与成分が「難消化性デキストリン」のみであるにもかかわらず、「難消化性デキストリン及び大豆イソフラボンが含まれるので、内臓脂肪を減らすのを助ける機能があります。」等と表示し、大豆イソフラボンが機能性関与成分であるかのように表示すること。

(c)医薬品や医薬部外品で認められているような効能・効果を標ぼうしてはいけません
　　機能性表示食品は、疾病に罹患していない者(未成年者、妊産婦(妊娠を計画している者を含む)及び授乳婦を除く)を対象としており、広告その他の表示において、疾病の予防・治療等を目的とした医薬品的効能・効果を表示することはできません。医薬品や医薬部外品で認められているような効能・効果を標ぼうすることは、医薬品医療機器等法に抵触するおそれがあります。

(d)効果が得られた対象者が限定されている場合、誰でも効果が得られるような表示をしてはいけません
　　広告その他の表示において、届け出された機能性の科学的根拠が限定的な条件下での結果であり、条件を限定しない場合には特定の保健の目的が期待し難いと考えられる結果であるにもかかわらず、届け出された科学的根拠の対象者の範囲外の者に同様の機能性が期待できるものとして訴求することは、当該機能性表示食品の対象者とはならない者にも同様の効果が得られると誤認を与える場合があり、景品表示法上問題となるおそれがあります。

　(例)「内臓脂肪を減らすのを助ける機能がある」との届け出表示において、届け出された機能性の科学的根拠が、BMI 25以上30未満の肥満気味の

(3) 機能性表示食品の広告

方を対象にした試験であるにもかかわらず、試験群の範囲外である細身の方にも同様の効果が得られると期待させるような表示をすること。
(例)「認知機能の一部である記憶力の維持に役立つ」との届け出表示において、届け出された機能性の科学的根拠が、中高年者を対象にした試験であるにもかかわらず、健常な若者、例えば未成年の受験生にも同様の効果が得られると期待させるような表示をすること。

③実験結果及びグラフ

試験結果やグラフを使用する場合、試験条件（対象者、人数、摂取方法等）が視認性をもって明瞭に表示されていないことにより、一般消費者が機能性に関して、特段の条件なく誰でも容易に効果を得ることができるかのように誤認する蓋然性があるときは、景品表示法上問題となるおそれがあります。

(a)試験条件の表示について

例えば、「内臓脂肪を減らすのを助ける機能がある」との届け出表示において、届け出された機能性の科学的根拠が、BMI 25以上30未満の成人男女100名を対象に、食事制限の条件下で実施された臨床試験であるにもかかわらず、これらの条件を明示せずに試験結果やグラフを広告その他の表示に使用すると、一般消費者に特段の条件なく誰でも容易に当該効果を得ることができるかのような誤認を与える場合があり、景品表示法上問題となるおそれがあります。

(b)機能性関与成分に関する研究レビューによる届け出製品における試験結果やグラフの使用について

機能性関与成分に関する研究レビューにより届け出された機能性表示食品の広告その他の表示において、根拠論文の試験結果やグラフを表示する場合は、当該届け出の最終製品を用いた試験のデータであると誤認されないよう、当該グラフの選択理由及び最終製品を用いた試験結果ではない旨を明示する必要があります。即ち、研究レビューによる届け出製品を最終製品の臨床試験による届け出製品と誤認させることは、景品表示法上問題となるおそれがあります。

④医師や専門家等の推奨等

医師や専門家等（医療関係者、大学教授等の一般消費者に一定の信頼を得ている職業従事者や資格保有者）が、機能性表示食品の感想文や推薦文等により推奨していることを表示することが直ちに景品表示法上問題となるわけではありませんが、以下の場合においては景品表示法上の問題となるおそれがあります。

(a)医療関係者、大学教授など権威のある者による感想文や推薦文において、特定の疾病名を示すことにより、当該疾病の予防・治療効果が得られるかのように表示する場合

(b)推奨等の事実がないにもかかわらず、当該推奨等を得ているかのように表示する場合

(c)推奨等が当該食品の効果を全面的に肯定していないにもかかわらず、肯定し

(3) 機能性表示食品の広告

ている部分のみを引用する場合
(d) 有償、無償を問わず、肯定するよう特に依頼して行われた利害関係者の推奨等であるにもかかわらず、客観的な立場からの推奨等であるかのように表示している場合
(e) 推奨者の肩書を、事実に反して、当該食品の利用者にとって信頼される専門家であるかのように表示する場合

⑤ 体験談
(a) 購入者による体験談は、医師や専門家等の推奨と同様に一般消費者の商品選択に大きな影響を与える表示要素の一つ

　体験談において機能性表示食品の効果に言及されている場合、一般消費者は、当該効果は当該機能性表示食品の効果を表すものと認識することとなります。このため、断定的な表現を用いて効果を保証するかのような表現を用いたり、治療や投薬等の医療が必要でないかのような表現を用いたりするなど、当該体験談の内容が届け出された機能性の範囲を逸脱する場合は、景品表示法上問題となるおそれがあります。

　また、以下の場合においても景品表示法上問題となるおそれがあります。
　・体験談が架空の場合
　・体験談のうち、効果にかかる都合のよい部分のみを掲載する場合
　・有償、無償を問わず、肯定するよう特に依頼した体験談であるにもかかわらず、一般の利用者の体験談であるかのように表示する場合

　さらに、体験談で機能性表示食品の効果に言及されている場合、一般消費者の誤認を招かないようにするためには、当該体験談の表示に当たり事業者が行った調査における①体験者の数及びその属性、②そのうち体験談と同じような効果が得られた者が占める割合、③体験者と同じような効果が得られなかった者が占める割合等を明瞭に表示することが推奨されます。

(b) 体験談で当該機能性表示食品の効果について言及する場合

　体験談の内容がたとえ事実であったとしても、届け出された機能性の範囲を逸脱する場合は、景品表示法上問題となるおそれがあります。
　・「誰でも効果が出ます」、「1か月で−○kg絶対痩せる」等の断定的な表現でその効果を保証すること。
　・「これで医者いらず」、「薬に頼らずに下げることができた」、「ズキズキしていた膝関節がこれだけで気にならなくなった」等、治療や投薬等が必要でないかのような表現を用いること。

⑥ 届け出表示または届け出資料の一部を引用した表示

　機能性に関する届け出表示は全文を表示するのが望ましいですが、広告その他の表示において、一般消費者によりわかりやすく当該機能性表示食品の情報を提供する等の目的で、届け出表示の内容を一部省略・簡略化等、切り出して説明をすることは可能です。しかし、届け出表示の一部を切り出して強調することで、広告全体の印象から届け出表示を逸脱した過大な効果があるかのような誤認を一

(3) 機能性表示食品の広告

般消費者に与える場合には、景品表示法上問題となるおそれがあります。

(例)届け出表示が「○○(機能性関与成分の名称)には、血中コレステロールを低下させる機能があることが報告されています。」であるにも関わらず、「△△(商品名)はコレステロールを下げる」と表示する等、研究レビューによる届け出であるにも関わらず、商品自体に機能性があるかのような印象を与えること。

⑦その他留意すべき事項

景品表示法は、特定の用語や文言等の使用を一律に禁止していないため、一般消費者が表示から受ける印象は表示全体で判断されます。効果を暗示的に表現している文言や図柄も表示の構成要素の一つであり、表示全体から届け出された機能性の範囲を逸脱した機能があると一般消費者に誤認を与える場合には、景品表示法上問題となるおそれがあります。

(例)「効果を暗示させる文言、図柄」とは、例えば太った男性の画像や太っていた女性がやせてスリムになった使用前後の画像などとともに、大きな文字で「ブヨブヨお腹が、たったの1粒で…!」、「飲むだけでドンドン落ちる!」等と表示し、痩身効果が得られるかのような表示をすること。

(例)「売上No.1」などの商品の優良性を示す表示をする場合は、合理的な根拠に基づいて表示し、例えば発売後1週間の売上高のように、その優良性の範囲が限定的である場合には、その根拠を明瞭に記載するなどして、一般消費者に適切に理解されるように努めることが求められます。

(4) 打ち消し表示

強調表示に対する打ち消し表示の内容を一般消費者が正しく認識できないことで、その強調表示により届け出された機能性の範囲を逸脱した機能があると誤認を与える場合には、景品表示法上問題となるおそれがあります。

特に、一般消費者が体験談から受ける認識に対して、「個人の感想です。」等の打ち消し表示が与える影響はほとんどなく、打ち消しの効果自体がありません。

よって、体験談の内容自体が届け出された機能性の範囲を逸脱する場合、たとえ「個人の感想です」等の打ち消し表示をしていたとしても、景品表示法上問題となるおそれがあります。

(関連法規) 景品表示法第4条 機能性表示食品の届出等に関するマニュアル(令和6年8月30日消食表第775号) 機能性表示食品に対する食品表示等関係法令に基づく事後的規制(事後チェック)の透明性の確保等に関する指針(令和2年3月24日消表対第518号・消食表第81号) 「機能性表示食品の事後チェック指針」(広告その他の表示上の考え方)解説(健康食品産業協議会、日本健康・栄養食品協会、日本通信販売協会、日本抗加齢協会、日本チェーンドラッグストア協会、2020年8月21日) 「機能性表示食品」適正広告自主基準第2版(健康食品産業協議会、日本通信販売協会、令和5年6月5日)

(問い合わせ先) 消費者庁食品表示課・表示対策課 各都道府県薬事担当 日本健康・栄養食品協会

(1) 金融商品の広告掲載における注意事項

Q 投資向け金融商品・サービスの広告掲載における注意点は何ですか？

A 金融商品は、仕組みが分かりやすくリスクの低いものから、複雑でハイリスクのものまでさまざまな形態のものが発売されています。ここでは、消費者保護の観点から、広告掲載時における注意事項をまとめてみました。

●

(1) 法令と広告規制

　日本で販売される金融商品は、基本的には法令によって商品やサービスの内容が規定されています。その代表的なものが金融商品取引法で、投資信託、外国為替証拠金取引、各種商品・不動産ファンドなどが対象です。同法には広告表示についての規制があります。また、広告表示については、法令だけではなく業界団体で競争規約や自主ルールを定めている商品もあります。そのため、商品ごとに確認する必要があります。

(2) 広告掲載に当たっての注意事項

①広告主が登録業者であるかどうか

　金融商品の販売は登録業者でなければできません。登録業者であるかどうかは金融庁のホームページで確認できます。日本国外に拠点がある外国企業でも、日本の居住者のためにまたは日本の居住者を相手に金融商品取引を業として行う場合は、原則として金融取引業の登録が必要です。

②適法な金融商品か

　聞きなれない金融商品の場合は、法令の規定と広告規制の有無を確認する必要があるでしょう。

③海外での取引

　海外で取引されるサービスで国内法の適用外の取引については、あらためて広告掲載にあたり業者登録が必要かどうか、また、消費者への保護の体制が整っているかなどの確認が求められるでしょう。

④広告表示における基本的なチェックポイント

(a)メリットとリスクにかかわる表示のバランスがとれているか

(b)手数料（支払うべき対価について）や保証金、リスク情報（取引額や損失が保証金を上回るリスクがある場合、為替・価格変動・信用リスクなど）、その他顧客の不利益となる重要な事実が記載されているか

(c)読みやすい大きさの文字で、明瞭かつ正確に表記されているか

(d)登録番号や加盟団体が記載されているか

(e)著しい誇張や、見通しなどで消費者を著しく誤認させるような表現がないか

Ⅲ-10　金融関連の広告

(1) 金融商品の広告掲載における注意事項

〈企業広告・セミナー案内における表示〉

金融商品取引法の広告規制の対象は、「金融商品取引業の内容について」行う広告です。したがって、企業広告や人材募集広告は対象になりません。ただし、セミナーなどで、勧誘が目的で特定の金融商品の説明を行う場合は広告規制の対象と考えられています。

また、金融庁の監督指針においては、そのような広告には、契約に関連するものであること、勧誘が目的であることを表示するよう求めています。

〈金融商品としてのクラウドファンディング〉

インターネットを通じて多くの人々から資金を集め、特定のプロジェクトやビジネス、イベントなどのさまざまな事業に活用する資金調達手法として「クラウドファンディング」が注目されています。クラウドファンディング（crowdfunding）とは、多くの人々（crowd）と資金調達（funding）を組み合わせた造語で、その名の通り多くの人々から資金を集める手法です。

クラウドファンディングは、出資者が資金提供に対して金銭的見返りを求めない「寄付型」、「購入型」と、金銭的見返りを求める「金融型」と大きく三つに分けられ、金融型は、さらに「貸付型（ソーシャルレンディング）」「ファンド型」「株式型」に分類できます。

金融商品取引法ではファンド募集・業務運営に際して第二種金融商品取引業が必要であることが定められています。「第二種金融商品取引業」の要件を満たし、内閣総理大臣への申請・登録する必要があります。

クラウドファンディングは、第二種金融商品取引業において、「電子募集取扱業務」と位置づけられており第一種少額電子募集取扱業務、第二種少額電子募集取扱業務いずれかの免許が必要となります。

金融商品取引法の規制の対象となるため、広告表示については、リスク情報の明示や過剰な利益強調の回避、適正な比較広告の作成など、注意が必要です。

近年における金融商品では、クラウドファンディングのほかにも、暗号資産、複製不能なデジタル資産「非代替性トークン（NFT）」、デジタル化された有価証券「セキュリティ・トークン」等のいわゆるフィンテック（FinTech）へと、業界の主戦場が広がっています。

（関連法規）
金融商品取引法第 2 条第 8 項・第37条　同施行令第16条　金融商品取引業等に関する内閣府令第72条〜第78条　銀行法　保険業法　信託業法　商品先物取引法　不動産特定共同事業法　金融商品取引業者等向けの総合的な監督指針　金融商品取引法における広告等規制について〈第 4 版〉（日本証券業協会、平成21年 7 月）　銀行業における表示に関する公正競争規約（全国銀行公正取引協議会、令和 6 年 9 月 9 日一部改正）

（問い合わせ先）
金融庁

(2) 消費者金融広告の必要表示事項

Q 貸金業者が個人向けの貸し付け条件の広告をするときは、どのような表示が必要ですか？

A 貸し付け条件の広告については法令で表示事項が定められています。また、内閣総理大臣の認可を受けて設立された法人（認可法人）である日本貸金業協会では、法令をふまえ新聞広告等についての自主規制を制定しています。

●

　以下は、日本貸金業協会による「貸金業の業務運営に関する自主規制基本規則」「貸金業者の広告に関する細則」の新聞広告についての規制の概要です。個人向け貸し付けの契約に関する広告出稿に際しては、協会が設ける審査機関から承認を得なければなりません。なお、貸し付け条件を表示していなくても、商品・役務について表示した営業広告的内容のものであれば規制の対象となります。

(1) 個人向け貸し付け契約に関する広告に必要な表示事項
　①貸金業法第115条及び施行規則で定める事項
　　(a)貸金業者の商号、名称または氏名及び登録番号
　　(b)貸し付けの利率
　　(c)返済の方式並びに返済期間及び返済回数
　　(d)賠償額の予定（違約金を含む）に関する定めをする場合における当該賠償額の元本に対する割合
　　(e)担保を供することが必要な場合における当該担保に関する事項（主な担保の種類及び保証人の要否）
　　(f)ホームページアドレスまたは電子メールアドレスを表示する際は、貸金業者登録簿に登録された電話番号を併せて表示する
　②貸金業協会考査承認番号
　③協会員番号
　④貸金業協会マーク
　⑤指定紛争解決機関の名称
　⑥過剰借り入れへの注意喚起を目的とする啓発文言
　　以下に掲げる事項について表示する。
　　(a)貸し付け条件または契約内容の確認
　　(b)使い過ぎ、借り過ぎへの注意
　　(c)計画的な借り入れ
　　〈文言例〉「貸し付け条件の確認をし、借り過ぎに注意しましょう。」（文字級数は9級以上）
　⑦その他、資金需要者等の利益を保護するため必要な表示事項
　　以下の事項を表示する。
　　(a)審査をする旨

(2) 消費者金融広告の必要表示事項

　(b)貸し付けの種類ごとの限度額
　(c)礼金、割引金、手数料、調査料等の費用を徴求する場合は、その名称
　(d)「無人契約受付機」「無人契約機」「無人コーナー」等の広告を表示する場合は、「自動契約機」と併記し、自動契約機も店頭と同様の審査を行っている旨
　(e)返済例を表示する場合は、貸し付けの利率の上限の率で計算した場合の返済例（※貸し付け金額は10万円以上とし、期間については1か月を基準とする）
＊文字級数は9級以上で、協会マークについては縦4㍉×横4㍉以上とする。
＊広告スペースが全1段相当以下の面積（縦×横12,160㎟以下）である広告または雑報広告においては、上記の①、⑥、⑦以外の事項の表示は任意。

(2) 表現内容に関する留意事項
①安易な借り入れを助長する表現、またはその疑いのある表現の排除
②比較広告を行わない
③ホームページアドレスを表示する場合、当該ホームページ内に(1)⑥啓発文言の表示があること、また、当該ホームページ内に返済シミュレーションを備えること

(3) 誇大広告等禁止されている表現や説明
①貸し付けの利率その他の貸し付けの条件について著しく事実に相違する表示、または実際のものよりも著しく有利であると人を誤認させるような表示
②資金需要者等を誘引することを目的とした特定の商品を当該貸金業者の中心的な商品であると誤解させるような表示
③他の貸金業者の利用者または返済能力がないものを対象として勧誘する旨の表示または説明
④借り入れが容易であることを過度に強調し、借り入れ意欲をそそるような表示または説明
　(a)貸し付け審査を全く行わずに貸し付けが実行されるかのような表現
　(b)債務整理を行った者や破産免責を受けた者にも容易に貸し付けを行う旨の表現
　(c)他社借り入れ件数、借り入れ金額について考慮しない貸し付けを行う旨の表現
⑤公的な年金、手当てなどの受給者の借り入れ意欲をそそるような表現または説明
⑥貸し付けの利率以外の利率を貸し付けの利率と誤認させるような表示または説明

(4) その他適切ではない表現
①利息等に関する表示が明瞭かつ正確ではないおそれのある表示
②誤認させるおそれのある事実に基づかない表現
③他の貸金業者の貸し付け利率よりも低い旨の比較表現や具体的数字を示さない表示
④携帯電話番号の表示
⑤景品表示法その他の法令に違反する広告

(2) 消費者金融広告の必要表示事項

〈日本貸金業協会の広告出稿事前審査〉
　日本貸金業協会では、協会員の広告（個人向け無担保無保証契約にかかる広告）に関し、「貸金業者の広告に関する細則」等に基づいた事前出稿審査を行っています。非協会員の広告については、日本貸金業協会では審査は行っていませんが、金融庁の監督指針により、非協会員の広告においても、同レベルの内容のものが求められています。

（関連法規）
貸金業法第3条・第11条・第15条・第16条・第43条　同施行規則第12条　出資法第5条　貸金業者向けの総合的な監督指針　貸金業の業務運営に関する自主規制基本規則（日本貸金業協会、令和7年3月10日）　貸金業者の広告に関する細則（同、令和7年4月2日改正）
（問い合わせ先）
金融庁　財務省各財務局　各都道府県　日本貸金業協会

Ⅲ-11　会員募集広告

(1) ゴルフ場・スポーツクラブ・各種レジャー施設などの広告

Q ゴルフ場などの会員募集広告では、何をポイントに審査すればよいでしょうか？

A 安定的なサービス提供が可能なのかどうかがポイントです。こうした会員制の商品は継続、安定的にそのサービスが提供される必要があります。事業を行うに当たって、行政上の手続きが必要な場合は念のため確認しておきましょう。

●

　ゴルフ場、スポーツクラブ、レジャー施設などでは、施設が完成する前に会員募集をする場合があります。消費者にとっては提供されるサービスが、その開始時期から継続的に利用できるかが問題となります。つまり、事業者がその事業を提供しうる体制を整備しているかどうかが肝心です。

　これらのサービスを提供するには、広い土地や膨大な資金、それに伴うサービス準備期間などさまざまな要素が絡んできます。たとえば、開発に当たって法律上の開発許可を必要とする場合があります。都市計画、環境保護や災害防止の面からも、「国土利用計画法」「都市計画法」などの諸法律や地方自治体の条例・開発指導要綱に定められた許可・届け出の必要が出てきます。こうした手続きが不備な状況で会員募集が行われ、消費者が金銭を支払ってしまった後に、その事実が発覚し、開発途上や開業後に事業の停止処分などにより、サービスが受けられなくなるおそれがあります。時には、消費者が支払った金銭が返還されないこともあり、大きな被害を発生させることにもなりかねません。

　また、施設面だけでなく、サービスを提供するシステム面でも注意が必要です。たとえば、会則などにより会員の権利・義務、利用条件などが整備されていないと、実際の運営において支障が出てくるおそれがあります。会員数によっては、ほとんどそのサービスの提供を受けることができない場合もあります。

　なお、ゴルフ場に関しては「ゴルフ場等に係る会員契約適正化法」（1993〈平成5〉年5月施行）が定められています。この法律は拠出金（入会金及び保証金など）が50万円以上の預託金制ゴルフ場を対象として、会員募集と契約の時期を規制しています。

　広告やその他の勧誘行為による会員募集については、未完成のゴルフ場はもちろん、オープンしているゴルフ場でも、募集を行う場合は開始前に経済産業局（沖縄は総合事務局）への「募集届」が義務づけられています。届け出内容に変更があれば変更届を出すことにもなっています。

　以上のように審査の際には、募集届けは済んでいるか、開発許可は法律施行前か後かの確認が必要です。

Ⅲ-11　会員募集広告

(2) 入会金・費用・募集会員数などの表示

Q レジャー施設などの会員募集広告に、表示しなくてはならない事項は何ですか？

A 特に決まりはありません。ただし、消費者の購入、選択のきっかけとして、詳しく、正確にその内容が広告に表示されているかどうかを確認しておくとよいでしょう。

●

　ゴルフ、テニスなどのスポーツ施設やレジャー施設などの中には、会員となることを条件にその施設を利用できたり、非会員よりも優先、優遇して利用できる権利などを与えている場合があります。

　会員募集に際してはサービス内容だけでなく、施設、保証金、入会金、利用料などの金銭的負担、会員数、会員権譲渡の可否なども選択の大きな要素となります。会員募集広告では、以下のような事項を表示することが望ましいでしょう。

①広告主名、所在地
②施設名、所在地、交通機関
③総募集会員数、今回（第○次）の募集会員数
④会員権の種類とその権利内容
⑤入会時に必要な金額とその内訳（預託金については据え置き期間と据え置き期間後の措置）
⑥会費、利用料
⑦会員権の譲渡の可否及び制限
⑧利用開始時期
⑨施設の規模、構造
⑩利用制限などの特別な制約事項がある場合はその旨

　ただし、利用施設や会員権の内容によっては、追加したほうがよい事項（共有制リゾートクラブの場合は「不動産の表示に関する公正競争規約」の必要表示事項）もありますので、まずはそのサービス内容を把握する必要があります。

　また、近年スポーツジムやエステティックサロンなどの会員募集などが増えていますが、施設規模に比して、会員数が多く希望通りに利用できないなどの問題も起きております。広告掲載にあたり、そういったクレームがない業者かどうかの確認も必要かもしれません。

(関連法規)
国土利用計画法第23条　都市計画法第29条　ゴルフ場等に係る会員契約の適正化に関する法律第3条・第4条・第6条　各地方自治体条例

(問い合わせ先)
経済産業省商務・サービスグループ商取引監督課　各地方経済産業局　日本ゴルフ場経営者協会

Ⅲ−11　会員募集広告

(3) 結婚紹介業の広告

Q 結婚紹介業の広告を掲載する上で、特に注意する点はありますか？

A 事業者の見極めが重要です。不当表示だけでなく、場合によっては、事業の実態や体制についても注意が必要です。事業が安定的か否か、プライバシーが侵害されていないかなどについても注意してください。

●

　結婚紹介業は、男女会員に対し、会員個人の情報を提供したり、交際のきっかけの場を企画したりすることで、結婚への機会を提供するものです。結婚相手を見つけることは簡単なことではありません。ある程度の時間をかけなくてはなりませんから、このサービスが会員に対して、安定的かつ継続的に行われる必要があります。極端に会員数が少なかったり、男女の会員数がアンバランスだったりすると紹介相手がほとんどいなくなってしまうような場合があります。

　また、氏名、年齢、学歴、職業、収入、趣味、家族構成などの個人情報を扱うわけですから、これらの情報管理は重要な点になります。結婚紹介事業においても十分な配慮が必要とされますが、本来の目的以外の事業などに流用することは違法となります。個人情報の管理体制については慎重に判断する必要があります。

　このような男女交際の場を利用して、実際には売春をあっせんするなどの違法行為が行われている可能性もあります。また、国際結婚を紹介する事業もありますが、結婚以外の目的のための手段として利用しているおそれもありますので注意が必要です。

　さらに、特定商取引法により、事業者は契約締結までに概要書面、契約締結後に契約書面を交付しなければなりません（2か月・5万円を超える継続的役務を対象、Ⅲ-15(5)「特定商取引法が規制するその他の業務」参照）。また、虚偽・誇大広告、不実の告知、及び脅迫・困惑の行為など禁止事項があります。掲載に当たっては、まず、この点を確認することからはじめるとよいでしょう。会則や規約などの書類において、会費、情報紹介の量や内容、交際条件、成婚時に支払う金銭に関する事項、退会規定などが明示されているかどうかが、募集体制の整備を判断するカギともなります。また、結婚紹介業のなかには業界団体に所属している場合もあるのでその有無を確認し、参考資料として取り寄せるのもひとつの方法でしょう。

　また近年、インターネットを使った無店舗の結婚情報サービス会社が増えています。いわゆる出会い系サイトとの線引きが難しく、注意が必要です。出会い系サイト規制法により、インターネット異性紹介事業を行おうとする場合、事務所の所在地を管轄する公安委員会に届け出をしなければならなくなり、無届けで事業を行った場合は処罰されます。その他年齢確認の義務化、欠格事由・名義貸しの禁止、一部利用者による禁止誘因行為（インターネット異性紹介事業を利用して、18歳未満の児童に対して異性交遊を求めたり、成人に対して、18歳未満の児童との異性交際

(3) 結婚紹介業の広告

の相手方となるように誘ったりする行為の公衆閲覧防止の義務化、事業の停止及び廃止の措置が規定されています。

業者の中には、自治体などと連携して結構相談のイベントなど実施している業者もあり、優良業者を判断する際の一つの指標になるでしょう。

> **〈結婚相談所とマッチングアプリの違い〉**
>
> 結婚相談所は一般的に、結婚相手を探している人が登録します。入会審査が厳しく、収入証明書や独身証明書などの書類提出が必要な場合があります。月会費のほか数万円以上の入会金が必要なサービスも少なくありません。担当のアドバイザーがふさわしい相手を個別に紹介してお見合いのセッティングを行ったり、交際に関するアドバイス等をしたりと、結婚に向けてさまざまなサポートサービスが設けられているのが特徴です。相手の身元が明確で、比較的効率良く相手を探せます。
>
> 一方、マッチングアプリは恋愛や結婚等を目的とした会員同士をマッチングするサービスで、結婚相談所に比べて安い会費です。定額制が基本で月額数千円程度で利用でき、女性は無料の場合もあることから、登録者数も増えています。結婚相談所と違い、会員は自身のプロフィールや写真、自己紹介文等を登録した上で相手を探し、やり取りを行う必要があります。

(関連法規)
個人情報保護法第16条～第56条　特定商取引法第41条～第50条　同施行令第24条～第33条
出会い系サイト規制法第3条・第7条～第16条　同施行規則第1条～第10条

Ⅲ-12　旅行広告

(1) 企画旅行の必要表示事項

Q 企画旅行の募集広告の掲載について、何か注意すべきことがありますか？

A 旅行業法や公正競争規約などで、募集広告について表示すべき事項や表示方法などが決められていますので、必要表示事項を確認してください。

●

　旅行はレジャーとして根強い人気があり、海外旅行も大変身近なものになりました。その中でも最も身近なものは、パッケージツアーと呼ばれる募集型企画旅行です。新聞広告は目に見えない旅行商品の内容を知り、選択するきっかけとして大きな役割を果たしています。商品内容が適切に表示されていることが重要となります。
　募集型企画旅行の広告は、旅行業法や所管官庁の通達により、以下の事項を表示することが必要です。
　①企画旅行を実施する業者の氏名または名称、所在地、電話番号、登録番号（旅行業協会に加入している旅行業者にあっては、当該旅行業協会名も表示）
　②旅行の目的地及び日程に関する事項（発着地、主たる目的地、宿泊地、出発日、旅行日数）、機中泊、車中泊の場合はその旨
　③運送、宿泊または食事サービスの内容に関する事項（運送機関の種類または名称、宿泊施設の名称または種類、1人参加などで「相部屋不可」の場合その表示、食事条件、機内食は食事の回数に含めず別途表示）
　④旅行代金（最低額は最高額と同じ方法で表示）
　　※燃油サーチャージ…旅行代金に含める場合は、その旨を旅行代金に近接して明瞭に表示する。別途に徴収する場合は、確定した額（確定していない場合は基準日を併記した上で記載する等により目安となる額）を旅行代金に近接して明瞭に表示する。
　　※早期割引…早期割引条件を旅行代金に近接して明瞭に表示し、最低額と最高額は8ポイント以上で表示する。
　　※二重価格…同一の企画旅行について最近相当期間にわたって実際に販売されていた旅行代金との比較、または同一の企画旅行の旅行代金がいつの時点でどの程度の期間販売されていたか等その内容を正確に表示した場合の比較は、値下げ前の旅行代金とそれを掲載した広告の時期、媒体等を併せて表示することで、二重価格表示ができる。なお、最近相当期間とは、比較対照価格で販売されていた期間が当該商品の販売期間の大半を占め、かつ2週間以上であること、さらに、値下げ表示開始が比較対照価格で販売されていた最後の日から2週間以上経過していないことが条件である。
　　※旅行代金以外に旅行者が通常負担する必要のある経費（空港諸税及び空港施設使用料など）は、別途必要になる旨を旅行代金に近接して明瞭に表示する。
　⑤添乗員（旅程管理業務を行う者）同行の有無

(1) 企画旅行の必要表示事項

　⑥契約の締結前に書面を交付して取引条件の説明を行う旨
　⑦最少催行人員（催行が決定されている場合はその旨）

　誇大な表現や根拠なく優位性を強調する表現、旅行条件について誤認のおそれのある表現にも注意が必要です。このほか、企画旅行では「募集型企画旅行の表示に関する公正競争規約」で、旅行条件なども含め広告表示全般について自主規制していますので、参考にするとよいでしょう。

　例えば、「ミステリーツアー」では、ツアータイトルに国名、地域名、都市名は表示できません（目的地が海外の場合はアジア、ヨーロッパなど地域名を使えます）。また、「モニター旅行」では、募集型企画旅行の表示事項に加えて、①モニターに依頼する事項、②提出を求める報告書の形式、枚数、提出時期、③報酬（旅行代金と区別して）、④一般旅行者と同行する際にモニターの旅行日程が他と一部異なる場合はその旨と内容の表示が必要です。

　なお、「受注型企画旅行」（旅行者の依頼により旅行の計画を作成するもの）については「募集型企画旅行」と誤認させないため、①企画旅行業者の氏名または名称、所在地、登録番号、②受注型企画旅行である旨の表記、③取引条件の説明を行う旨は必ず表示し、出発日、旅行日程、旅行代金など、募集型企画旅行と誤認するおそれがある表示はできません。

> 〈告知広告とは〉
> 　旅行契約の締結を一般消費者に対して誘引する募集広告とは異なり、旅行契約の申し込みを受け付けないものを「告知広告」といいます。例えば、申込先の住所・電話番号等が表示されていないもの、問い合わせまたは資料請求のみを求めるもの、情報の詳細についてウェブサイトで閲覧することを求めるもの、将来販売する予定の旅行商品を紹介するものが該当します。告知広告を行う場合は、旅行契約の申し込みを受け付けない旨を表示しなければなりません。

（関連法規）
旅行業法第4条・第12条の7〜8・第13条　企画旅行に関する広告の表示基準等について（平成17年2月28日国総旅振第387号、平成29年12月28日観観産第622号）　募集型企画旅行の表示に関する公正競争規約（旅行業公正取引協議会、令和6年9月9日改正）　自治体が関与するツアー実施に係る旅行業法上の取扱いについて（通知）（平成29年7月28日観観産第173号）　同に関する参考資料

（問い合わせ先）
観光庁観光産業課

(2) 優待旅行と招待旅行の広告

Q 旅行業者がキャンペーンで旅行に優待または招待する企画を考えています。どのような点を注意したらよいでしょうか？

A 通常の優待旅行は募集広告の一つです。優待旅行としての表示に通常の募集広告の表示事項が必要です。また、優待旅行、招待旅行は景品表示法上の注意も必要です。

●

(1) 優待旅行

　旅行業者自身または当該企画旅行に関係する運送機関や宿泊施設などが旅行代金の一部を負担している、という理由から旅行業者が「優待」していると表示することはできません。このような場合、通常の企画旅行広告に訂正する必要があります。

　優待旅行広告は、その企画旅行に関して第三者が旅行代金の一部を負担している事実がある場合に、次の事項を表示して「優待」の表示が可能となります。
　①優待の当事者である第三者の名称
　②優待旅行を主催する旅行業者の名称、所在地、登録番号
　③当該企画旅行業者が定めた旅行代金
　④当該第三者の負担額

　第三者による旅行代金の一部負担以外は消費者が支払うわけですから、これらの事項と同時に、前ページの「企画旅行の必要表示事項」を表示して、優待旅行広告が可能となります。なお、優待旅行の提供方法によっては、第三者の負担額が景品類の提供になる場合がありますので、景品表示法の制限にも注意してください。

(2) 招待旅行

　懸賞の景品などで消費者が旅行代金を負担せずに参加できる旅行をいいます。この場合、旅行の募集広告には当たりませんので、前ページの事項を表示する必要はありませんが、企画者、目的地、旅行期間、発着地、出発日などの表示があると消費者にとっても親切です。

　なお、招待旅行は景品類の提供となりますので、景品表示法による制限には注意が必要です（Ⅱ-2（1）「一般懸賞・共同懸賞・総付け景品」参照）。

（関連法規） 旅行業法第4条・第12条の7～8・第13条　景品表示法第4条～第6条・第22条～第24条　企画旅行に関する広告の表示基準等について（平成17年2月28日国総旅振第387号、平成29年12月28日観観産第622号）　募集型企画旅行の表示に関する公正競争規約（旅行業公正取引協議会、令和6年9月9日改正）　旅行業における景品類の提供の制限に関する公正競争規約（同）

(3) イベントと組み合わせた企画旅行

Q カルチャーセンターで旅行を含む講座を企画中です。募集広告に当たって、特に注意することはありますか？

A 企画旅行の募集には行政への事業の登録が必要です。募集に当たって、その契約を締結するには、旅行業あるいは旅行業代理店登録が必要となります。講座企画部分と旅行企画部分を分けて表示する必要がある場合もあります。

●

　企画旅行には旅行業者以外の者（オーガナイザー）が企画したもの、あるいは旅行業者と共同で企画したものがあります。旅行業者が募集することには問題はありませんが、この旅行をオーガナイザーがその名において広く旅行者を募集し、旅行契約を締結することは旅行業の無登録営業となります。また、旅行業者の名で旅行契約を締結する時でも、オーガナイザーが申し込みを受け付け、旅行代金を受け取ったりすることは旅行業代理店業務の無登録営業となりますので、注意が必要です。

　また、結婚式を旅行に組み入れたハネムーンパックなどのように、特別なイベントと旅行を組み合わせた場合は、イベント業者と旅行業者の責任範囲が異なります。このような場合、募集広告上の表示は以下の3例のいずれかで表示することとなっています。

（例）
①全体の主催を旅行業者のみとし、費用も全額旅行業者に支払う
　　共同企画──イベント業者、旅行業者
　　旅行企画・実施──旅行業者
　　費用──全費用を表示
②費用、責任をイベント部分と旅行部分に分けて表示する
　　イベント主催──イベント業者
　　旅行企画・実施──旅行業者
　　費用──イベント参加費用と旅行費用を分離表示
③旅行部分を含まない企画として表示する
　　主催──イベント業者
　　費用──イベント参加費用のみ表示
　　（旅行部分についての表示例）
　　　イベントに参加希望の方は○○旅行社旅行企画・実施「△△ツアー」（◇◇万円）に参加できます（別途旅行業者に申し込んでいただきます）。

（関連法規）
旅行業法施行要領（平成17年国総旅振第386号、令和元年9月14日最終改正）

(4) ディスカウント航空券販売

Q 近年ウェブ上を中心にディスカウント(格安)航空券を販売する業者が増えていますが、それらの業者の広告を掲載する際に注意する事項はありますか?

A 価格面でメリットのあるディスカウント航空券ですが、変更やキャンセルができない、目的地までに時間がかかるなどのデメリットがあるものもあります。トラブル回避のため、利用条件などの記載が必要です。

●

　近年ウェブ上を中心にディスカウント(格安)航空券を販売する業者が増えています。空港運送代理店が当該業務のみを行う場合は旅行業の対象とはなりませんが、それ以外の者がウェブサイト上で航空券の販売・手配について旅行者と契約を結ぶ場合は、旅行業の登録が必要です。

　広告にはディスカウント航空券販売である旨を明示し、①広告主、所在地、旅行業協会の会員である旨、登録番号、②発着地、③出発日、④利用期間、利用制限、⑤代金、⑥利用航空会社、⑦利用条件の説明 ─ 等が必要です。

(問い合わせ先)
日本旅行業協会

(5) 住宅宿泊事業（民泊）

Q ここ数年民泊という言葉が良く聞かれるようになりました。住宅宿泊事業（民泊）とはどういったもので、広告掲載の際に注意することはありますか？

A 住宅宿泊事業（民泊）は増加する訪日外国人のニーズへの対応や空き家対策の一つとして注目されています。読んで字のごとく民家に泊まることですが、事業として民泊サービスを行う場合、住宅宿泊事業法に基づく届け出が必要になります。広告掲載にはそれらの届け出や許可のある業者であるかの確認が必要です。
また、近年、鍵の受け渡し方法や近隣住民との騒音トラブルなどの問題が起こっているケースもあります。そういったトラブルが起きていない物件か、トラブル対応がしっかりしている業者かなど可能な限り確認することが望まれます。

●

　旅館業の許可を受けて旅館業を営む以外の者が、宿泊料を受けて住宅に人を宿泊させることを住宅宿泊事業（民泊）といいます。住宅宿泊事業と宿泊者との間に宿泊契約の仲介を行う事業を住宅宿泊仲介業、家主不在型の住宅宿泊事業住宅の管理を受託する事業を住宅宿泊管理業といい、それぞれ行政への登録が必要です。

（関連法規）
住宅宿泊事業法第3条・第22条・第31条・第46条

Ⅲ－13　選挙広告

(1) 衆議院総選挙

Q 選挙になると新聞広告の掲載申し込みがあります。選挙広告にはどのような種類があるのですか？また、広告内容、掲載方法に制限はあるのですか？

A 細かい規制があります。公職選挙法と公職選挙法施行規則は、選挙の種類ごとに広告表現、掲載方法などを細かく規定しています。選挙の種類、広告の種類で注意してください。

●

種類によって掲載方法、内容が違いますので、「何選挙の何広告」なのかを確認してから審査してください。入り口を間違えると混乱のもとになります。

(1) 衆議院総選挙

以下の3種類があります。すべて広告料金は国庫支払いの広告ですが、「名簿届出政党等広告」に限り、当該選挙区における得票総数が有効投票総数の100分の2に達しない場合は広告主（名簿届出政党等）の支払いになります。

（小選挙区選挙）
①**候補者広告**（広告主体＝小選挙区選挙の立候補者）
〔回数〕5回
〔1回当たりの広告の寸法〕横9.6㎝、縦2段組み以内
〔必要書類〕「新聞広告掲載証明書」「新聞広告掲載承諾通知書」
②**候補者届出政党広告**（広告主体＝当該都道府県における候補者届出政党）
〔合計段数〕〔回数〕は以下の通りです。

当該都道府県における届出候補者の数	合計段数	回数
1～5人	4段	8回以内
6～10人	8段	16回以内
11～15人	12段	24回以内
16人以上	16段	32回以内

〔1回当たりの広告の寸法〕横おおむね9.6㎝、縦1段組みの寸法の整数（2以上のものに限る）倍の寸法（その形態が長方形であるものに限る）とし、横38.5㎝、縦15段組みの寸法以内でなくてはいけません。
※新聞社指定のサイズに準じます。
〔必要表示〕「当該都道府県における衆議院小選挙区選出議員の選挙に関する広告である旨」の表示が必要です。
〔必要書類〕「新聞広告掲載証明書」（1段4分の1の寸法ごとに1枚）「新聞広告掲載承諾通知書」（1回の掲載ごとに1枚）

（比例代表選挙）
◎**名簿届出政党等広告**（広告主体＝当該比例代表選挙区における名簿届出政党等）〔合計段数〕〔回数〕は次の通りです。

当該選挙区における 名簿登録者の数	合 計 段 数	回 数
1～9人	8段	16回以内
10～18人	16段	32回以内
19～27人	24段	48回以内
28人以上	32段	64回以内

〔1回当たりの広告の寸法〕〔必要書類〕は「候補者届出政党広告」の項と同じです。

〔必要表示〕「当該選挙区における衆議院比例代表選出議員の選挙に関する広告である旨」の表示が必要です。

(2) **参議院通常選挙**

次の2種類があります。いずれも広告料金は国庫支払いの広告ですが、「名簿届出政党等広告」に限り、当該選挙における得票総数が有効投票の総数の100分の1に達しない場合は広告主（名簿届出政党等）の支払いになります。

（選挙区選挙）

◎**候補者広告**（広告主体＝選挙区選挙の立候補者）

〔回数〕 5回（合同選挙区は10回）

〔1回当たりの広告の寸法〕横9.6cm、縦2段組み以内

〔必要書類〕「新聞広告掲載証明書」「新聞広告掲載承諾通知書」

（比例代表選挙）

◎**名簿届出政党等広告**（広告主体＝名簿届出政党等）

〔合計段数〕〔回数〕は次の通りです。

当該選挙区における 名簿登録者の数	合 計 段 数	回 数
1～8人	20段	40回以内
9～16人	28段	56回以内
17～24人	36段	72回以内
25人以上	44段	88回以内

〔1回当たりの広告の寸法〕横おおむね9.6cm、縦1段組みの寸法の整数（2以上のものに限る）倍の寸法（その形態が長方形であるものに限る）とし、横38.5cm、縦15段組みの寸法以内でなくてはいけません。

※新聞社指定のサイズに準じます。

〔必要書類〕「新聞広告掲載証明書」（1段4分の1の寸法ごとに1枚）「新聞広告掲載承諾通知書」（1回の掲載ごとに1枚）

(3) **都道府県知事選挙**

広告料金は都道府県支払いの広告です。

◎**候補者広告**（広告主体＝立候補者）

〔回数〕 4回

〔1回当たりの広告の寸法〕横9.6cm、縦2段組み以内

Ⅲ-13　選挙広告

(3) (4) (5) その他の選挙、(6) 選挙広告の表現上の注意

※新聞社指定のサイズに準じます。
〔必要書類〕「新聞広告掲載証明書」「新聞広告掲載承諾通知書」

(4) **市町村長、自治体議員選挙**
　広告料金は立候補者支払いの広告です。
　◎**候補者広告**（広告主体＝立候補者）
　〔回数〕2回
　〔1回当たりの広告の寸法〕横9.6㎝、縦2段組み以内
　※新聞社指定のサイズに準じます。
　〔必要書類〕「新聞広告掲載証明書」

(5) **特別選挙（各選挙の再選挙、補欠選挙など）**
　衆参両院の比例代表選挙の一部無効による再選挙の規定を除き、それぞれ行われる選挙の種類ごとの規定と同一です。

(6) **選挙広告の表現上の注意**
　①全般について
　　(a)候補者広告で、他の立候補者が推薦者として記載されたものは、推薦者が自分のためにする選挙運動の目的がなく、推薦者の氏名のみ表示、推薦者中、立候補者は1名だけ表示、文字の大きさは当該候補者より小さいものを使用など社会通念上妥当な態様であれば差し支えありません。
　　(b)「氏」のみの新聞広告は、当該候補者の新聞広告であることが確認できない場合を除き、差し支えありません。
　　(c)戸籍名で立候補した場合で戸籍名を小さく表示し、その横に大きく振り仮名を付した新聞広告は差し支えありません。
　　(d)新聞社の誤りで選挙区の表示を間違えて広告した場合、通常、新聞社が記事を訂正する方法で訂正広告するのは差し支えありません。
　②総選挙、通常選挙時に特有の「わたる規定」
　　「小選挙区選挙」と「比例代表選挙」または「選挙区選挙」と「比例代表選挙」の選挙運動の表現の「主」「従」の関係は、広告の面積、レイアウト、文字の大きさなどにより総合的に判断します。
　　（総選挙）
　　(a)候補者広告および候補者届出政党広告で、当該小選挙区が含まれる比例代表区の選挙運動に「従」としてわたることができます。
　　(b)候補者広告および候補者届出政党広告で、当該小選挙区が含まれない比例代表区の選挙運動にはわたることができません。
　　(c)候補者届出政党広告で、他の政党の届出候補者または当該候補者届出政党所属であっても本人届出候補者の選挙運動にわたることはできません。
　　(d)候補者届出政党広告で、当該都道府県以外の小選挙区選挙の選挙運動にわたることはできません。
　　(e)名簿届出政党等広告で、当該比例代表区以外の選挙運動にわたることはできません。

(f) 名簿届出政党等広告で、当該名簿届出政党等が当該比例代表区に含まれる都道府県の候補者届出政党でもある場合は、小選挙区選挙の選挙運動に「従」としてわたることはできます。
(g) 名簿届出政党等広告で、当該名簿届出政党等が当該比例代表区に含まれる都道府県の候補者届出政党でない場合は、小選挙区選挙の選挙運動にわたることはできません。
(h) 名簿届出政党等広告で、当該比例代表区に含まれる小選挙区選挙との重複立候補者である党の代表者（総裁、党首等）の顔写真を大写することは、写真の横に「小選挙区」などの記載があるなど、全体として候補者たる党代表個人の選挙運動用広告と見なされない限り差し支えありません。

（通常選挙）
候補者広告で、比例代表選挙の選挙運動に「従」としてわたることはできますが、名簿届出政党等広告で、選挙区選挙の選挙運動にわたることはできません。

(7) **選挙広告の掲載上の注意**
① 掲載時期は立候補届出日から投票日の前日までです。
② 選挙広告の掲載に当たっては必ず「新聞広告掲載証明書」の原本を元に、候補者の氏名や政党等の名称が一致しているか点検してから掲載してください。
③ 「公職選挙法施行規則」は「新聞広告は、記事下に限るものとし、色刷りは認めない」としています。
④ 候補者届出政党または衆（参）議院名簿届出政党等広告で、独立性を有し、一体としての効用を発揮しなければ、同一日付の同一新聞で面を変えて、合計寸法で縦15段組み以上、たとえば縦10段組み広告を2本掲載できます。
⑤ 同一候補者の広告で、それぞれが独立していれば同一日付の同一新聞に複数掲載できます。ただし、複数倍のスペースではできません。
⑥ 規定以外の新聞広告を掲載したときに、新聞社は処罰されませんが、共犯と認定されれば処罰されます。
⑦ 選挙広告を2以上併載する場合は、それぞれ独立した体裁・表現のものでなければなりません。相互に文章がまたがっていたり、並べて読んで初めて意味が分かるようなものは違反です。同じ紙面に同じ候補者が複数枠を利用し、1枠に本人名の文字を1字ずつ大きく記載し、複数枠を通して本人名が判読できるような広告も掲載できません。候補者届出政党または衆（参）議院名簿届出政党等広告を2以上併載する場合でも、政党名やスローガンがまたがっているものは違反です。

(7) 選挙広告の掲載上の注意

⑧法149条に基づく新聞広告と政治活動用の政党広告（227ページ参照）を併載する場合の掲載方法の可否例

※選＝法149条に基づく選挙運動用の新聞広告、政＝政治活動用の政党広告

〈認められる例〉

〈認められない例〉

〈選挙運動の最低期間〉

　総選挙＝12日、通常選挙、知事選挙＝17日、指定都市市長選挙＝14日、都道府県会議員および指定都市市会議員選挙＝9日、指定都市以外の市会議員および市長選挙＝7日、町村会議員および町村長選挙＝5日
※以上の議員および長の再選挙または補欠選挙も同日数
※日数は公（告）示の日から起算（公職選挙法第31条～第34条）

（関連法規）　公職選挙法第12条・第129条・第142条・第142条の2・第143条・第146条・第148条・第149条・第152条・第178条の3・第201条の5～13
同施行規則第19条・第20条　政治資金規正法第6条・第8条

（問い合わせ先）　総務省自治行政局選挙部選挙課・管理課　各都道府県選挙管理委員会
（参考図書）　黒瀬敏文ほか編著『逐条解説公職選挙法　改訂版』（ぎょうせい、2021年）
選挙制度研究会編『選挙関係実例判例集　普及版』（ぎょうせい、2020年）　同編『実務と研修のためのわかりやすい公職選挙法』（ぎょうせい、2024年）

(8) 政党広告

Q 「政党広告」「政策広告」「政治に関する意見広告」というのはどのような性格の広告ですか？公職選挙法の規制を受けますか？

A 選挙運動であれば公選法の規制を受けます。それらはすべて政党などの政治活動の一環として掲載される広告のことです。「選挙運動の言論の自由」は公選法で規制されますから、表現によっては公選法違反となります。ここでは「政党広告」と呼ぶことにします。

●

「政治活動」という言葉は、一般的には政治に関する一切の活動を指す用語ですが、公職選挙法は「政治活動」と「選挙運動」を区別し、「選挙運動」を差し引いた政治活動を「政治活動」としています。しかし、「政治活動」「選挙運動」の両者についての定義がないため、どのような広告表現が選挙運動となるか、その判断は困難な場合が多いのですが、最高裁判例（1977〈昭和52〉年2月24日）は、選挙運動を「特定の公職の選挙につき、特定の立候補者又は立候補予定者に当選を得させるため投票を得若しくは得させる目的をもって、直接又は間接に必要かつ有利な周旋、勧誘その他諸般の行為をすること」としています。

従って、広告を見て、①特定の選挙、②特定の候補者、③当選を目的としてなされる、④直接または間接に必要かつ有利な周旋、勧誘その他諸般の行為の4条件が表示されているときは、選挙運動の可能性が強くなるため、表現は「政策の普及・宣伝」に限られるわけです。たとえば、「甲党は消費税率を下げます」であれば許されますが、「○日の総選挙では消費税率を下げる甲党に投票を」は、違反になります。

ただし、広告主体、掲載時期、スペースや掲載の位置、カラー印刷についての制限はありません。また、選挙期間中は広告中に候補者の氏名または氏名類推事項を記載するのは禁止されていますが、当該政党の代表者は差し支えありません。たとえば、2004（平成16）年の通常選挙で、比例代表選挙に立候補している党首の顔写真がある政党広告を、総務省は新聞・雑誌においては差し支えないとしています。インターネットでは2013（平成25）年の公職選挙法改正で、政党の県本部や支部がリンク先となるバナー広告やテキスト広告で、県本部長や支部長が候補者であっても、バナー広告やテキスト広告に本部長や支部長として氏名や顔写真が掲載されているのならば差し支えないとしています。ただし、新聞紙面で同様にリンク先の表記をして氏名や顔写真を入れる広告は公職選挙法146条に違反します。

〈マニフェスト〉

2003（平成15）年10月に公職選挙法改正で、「パンフレット又は書籍で国政に関する重要政策及びこれを実現するための基本的な方策等を記載したもの又はこれらの要旨等を記載したもの」（マニフェスト）を選挙運動のために所定の方法で頒布する

(8) 政党広告

ことができるようになりました。総務省では「選挙のために作られたマニフェストの内容紹介を新聞広告ですることは選挙運動になるおそれがある」として、直後に行われた総選挙では私費の政党広告では使えないとしました。

しかし、総選挙の翌年の2004（平成16）年に行われた通常選挙では、これを「純粋な政策として作られたマニフェストの内容紹介を新聞広告に掲載しているのか、選挙があることを特定して作られたマニフェストかが、一つの判断基準になる」と、すべてが選挙運動に当たるということではないとしています。また2009（平成21）年の総選挙では、マニフェストの紹介が、そのまま全部か、その一部かを判断基準とし、選挙で使われたマニフェストの1ページにあった表を、「工程表（マニフェスト）」と書いて掲載した民主党の政党広告を、選挙違反としませんでした。

〈新聞社は選挙広告を掲載拒否できるか？〉

※「公選法第149条は、特定候補者から選挙に関する広告掲載の申込を受けた特定の新聞社に対してその申込を承諾すべき義務を負わせたものではなく…」（昭和42年10月20日東京高裁判決）

※新聞社の広告掲載基準に反する選挙広告の申し込み
「新聞社が一般の新聞広告の掲載について、合理的な新聞広告掲載基準を定め、この基準に合致したときに限り、これを掲載する取り扱いとしている場合において、この基準に合致しない選挙に関する新聞広告の掲載申し込みがあったときに、これを承諾しないこととしても、さしつかえない」（昭和40年10月13日自治選第41号）

(9) 選挙違反のおそれのある広告

Q 「事前運動」という言葉を聞きますが、その期間は選挙のどれくらい前からですか？そのほか、公職選挙法から見てどのような広告をどのような時期に掲載すると、違反となるのでしょうか？

A 公職選挙法では、何か月前から「事前」になるとの規定は存在しません。極端に言えば、前回の選挙が終わった直後から次回の選挙の事前運動の期間です。違反には選挙期間中の違反、選挙の当日の違反と平常時の違反があります。

●

　公職選挙法では、「選挙運動」ができるのは、「立候補の届け出のあった日から、投票日の前日まで」で、それ以前の「選挙運動」は禁じられています。問題になるのは、違法となる「事前運動」と合法となる「政治活動」などとの境界です。過去の判例などをもとに、注意すべき主な例を挙げますので参考にしてください。

①公職にある者または公職の候補者となろうとする者が広告料金を支払ってする年賀、寒中見舞い、暑中見舞い、慶弔、激励、感謝、その他これらに類するあいさつ広告または自らが喪主となった会葬御礼広告は、通年禁止されています。なお、これらの広告を求めた者も刑罰が科されます。

②候補者が葬儀委員長となった後援会会長の死亡広告は、(a) 後援会会長と候補者との関係の程度、(b)「候補者」という肩書はつけない、(c) 候補者の氏名をことさら目立つようにしないなどを考慮して、社会通念上妥当と認められるものは合法です。

③政党、労働組合、後援会などが候補者の推薦決定を告知する広告は違反となります。

④立候補の通知やあいさつの表現がある広告は違反となります。

⑤常識以上に候補者の氏名が大きく記載してある広告は違反となります。

⑥特定選挙区の立候補予定者であることを明示または暗示する広告は違反となります。

⑦特定政党の公認予定候補であることを明示または暗示する広告は違反となります。

⑧12月10日が投票日のときに、甲党の政党広告として、「12月10日はやっぱり甲党、あなたのためにがんばります。甲党」の政党広告は、選挙運動にわたるものとして違反となります。

⑨立候補辞退の新聞広告は、第三者の選挙運動を有利にするものでなく単なる辞退声明は差し支えありません。

⑩候補者の著書の新聞広告は、純粋に書籍の広告ならば合法ですが、脱法行為と認められる場合もあります。時期、内容、数量、文字の大きさなどから判断して、社会通念上妥当かどうかによって決まります。

⑪候補者が広告主であって、通常の新聞広告には氏名を表示していないのに、選挙運動期間に限って氏名を表示する場合は違反となります。

⑫当選御礼、落選あいさつの新聞広告は違反となります。

(1) 弁護士、司法書士の広告

Q 弁護士広告は、不当表示にならなければ何でも広告できるのですか？また、司法書士の広告規制はどうなっているのでしょうか？

A 弁護士は日本弁護士連合会で規程が決められています。司法書士はいくつかの司法書士会で規則があります。

●

　公正取引委員会は、法律で業務独占が認められている事務系専門職のうち、①公認会計士、②行政書士、③弁護士、④司法書士、⑤土地家屋調査士、⑥税理士、⑦社会保険労務士、⑧弁理士の8職種は、資格者に当該事業者団体への入会が義務づけられているため、「資格者団体の活動に関する独占禁止法上の考え方」を公表しています。その中で、「広告は、需要者の需要を喚起する重要な競争手段の一つであり、事業者団体が構成事業者の行う広告について、需要者の正しい選択に資する情報の提供に制限を加えるような自主規制等を行うことは、独占禁止法上問題となるおそれがある」とし、広告を消費者に対する情報提供の重要な手段と位置づけています。従って、弁護士広告なども最小限の自主規制になっています。

(1) 弁護士（日本弁護士連合会「弁護士の業務広告に関する規程」、「業務広告に関する指針」から主な内容）

　①表示しなければならない事項
　　氏名及び所属弁護士会名。共同広告は、代表者1名の氏名及び所属弁護士会名
　②禁止される広告、規制される表示・表現
　　(a)事実に合致していない広告
　　(b)誤導または誤認のおそれのある広告
　　　（例）「過去の損害賠償事件取扱件数○○件。航空機事故はお任せ下さい」「交通事故で1億円を獲得しています。あなたも可能です」「割安な報酬で事件を受けます」
　　(c)誇大または過度な期待を抱かせる広告
　　　（例）「どんな事件でも解決してみせます」「たちどころに解決します」
　　(d)困惑させ、または過度な不安をあおる広告
　　　（例）「今すぐ請求しないとあなたの過払金は失われます」
　　(e)特定の弁護士または法律事務所と比較した広告
　　　（例）「○○事務所より豊富なスタッフ」「○○を宣伝文句にしている事務所とは異なり、当事務所は○○で優れています」
　　(f)法令または日本弁護士連合会もしくは所属弁護士会の会則及び会規に違反する広告
　　　（例）「非弁提携弁護士が行う広告」「裁判官や検察官との関係を示唆し、事件が有利に運ぶような期待を抱かせる表示を含む広告」
　　(g)弁護士の品位または信用を損なうおそれのある広告
　　　（例）「法の抜け道、抜け穴教えます」「競売を止めてみせます」「用心棒弁護士

(h)弁護士の選択にあまり重要でない事項を重要であるかのように強調し、優位な印象を与える表示をする広告
　(例)「○○地検での保釈ならお任せ下さい。元○○地検検事正」「保釈の実績○○件(実際は保釈請求件数)。保釈なら当事務所へ」
(i)キャッチフレーズは、誤解や過度な期待を与えないよう十分な注意が必要
(j)役職、経歴などの表示
　実体のない団体や休止団体または弁護士の社会的信頼・信用を損なう団体の役職、経歴は表示できない。また、役職、前履歴によって有利な解決が期待できることを示唆する表示もできない
　(例)「元特捜部検事　検察庁に対する押しが違います」「○○家庭裁判所の調停委員　○○家庭裁判所に顔がききます」
(k)専門分野と得意分野の表示
　「専門家」「専門分野」「スペシャリスト」「プロ」「エキスパート」などの表示は控える。「得意分野」「取扱分野」「取扱業務」の表示は専門等の評価を伴わないので可能。
(l)文脈によっては問題となりうる「最大級を表現した用語」「完全を意味する用語」「実証不能な優位性を示す用語」「結果を保証あるいは確信させる用語」の使用に十分注意する
③表示できない広告事項
(a)訴訟の勝訴率
(b)顧問先または依頼者。ただし、顧問先または依頼者の書面による同意がある場合を除く
(c)受任中の事件。ただし、依頼者の書面による同意がある場合及び依頼者が特定されず、かつ依頼者の利益を損なうおそれがない場合を除く
(d)過去に取り扱いまたは関与した事件。ただし、依頼者の書面による同意がある場合及び広く一般に知られている事件または依頼者が特定されない場合で、かつ依頼者の利益を損なうおそれがない場合を除く

(2) **司法書士**(「大阪司法書士会会員の広告に関する規則」「大阪司法書士会会員の広告に関する規則運用についての指針」から主な内容)
①表示しなければならない事項
　氏名及び事務所の所在地、司法書士であること。法人会員は事務所の名称及び事務所在地
②簡易訴訟代理等関係業務を行うことを目的とする法人会員は、同業務を取り扱う事務所において特定社員が常駐していること
③禁止される広告
(a)事実に合致していない広告
(b)誤導または誤認のおそれのある広告
　(例)「他の事件を例として挙げ、同じような結果をもたらすと思わせる表現」「依頼する上で面談がまったく不要であるかのような表現」

(1) 弁護士、司法書士の広告

  (c)誇大または過度な期待を抱かせる広告
    (例)「どんな事件でも解決してみせます」「たちどころに解決します」
  (d)他の会員との比較広告
  (e)他の会員をひぼう、中傷する広告
  (f)金品等の提供や供応をもって依頼を誘致するような広告
    (例)「友人等の紹介があれば紹介料を支払います」「キャンペーン期間中につき報酬割引中」
  (g)法令または会則に違反する広告
  (h)依頼者を表示した広告。ただし依頼者からの文書による同意がある場合を除く
  (i)受託中の案件または過去に取り扱いもしくは関与した案件を表示した広告。ただし、依頼者からの文書による同意がある場合を除く
  (j)その他司法書士の品位または信用を損なうおそれのある広告

以上が大阪司法書士会の規則の主な内容です。東京司法書士会では、同様の「規範規則」で、広告に東京司法書士会員であることを表示しなければならないとしています。その他の司法書士会でも独自に広告規則を設けているところがありますので、詳細は各司法書士会に確認してください。日本司法書士会連合会でも、「不当な目的を意図し、または品位を損なうおそれがある広告宣伝を行ってはならない」としています。

〈認定司法書士〉

　司法書士法によると、所定の研修を修了し法務大臣が認定した司法書士は、簡裁訴訟代理等関係業務を行うことができます。例えば、簡易裁判所での民事に関する紛争で、紛争の目的の価額が140万円（2024〈令和6〉年7月現在）を超えない請求事件について、相談に応じ、または裁判外の和解について代理することや訴訟代理人になることができます。これは弁護士業務と重複する業務ですので、扱えるものが簡易裁判所での民事に関する紛争や簡裁の裁判権限度額内の和解に限られること、例えば「紛争の価額が140万円以下の案件に限ります」などと表示して誤認を防ぐのがよいでしょう。

〈非弁護士、非司法書士活動について〉

　弁護士しかできない業務を弁護士以外の者が行った場合、弁護士法第72条に違反します。たとえば、業として債権の回収を行ったり、示談を行ったりした場合、これらの行為は法令違反となります。同様に、司法書士業務も司法書士法第73条により司法書士以外のものが行うことを禁止しています。弁護士事務所および司法書士事務所で、資格のない事務員のみで業務を完結させた場合もこれに当たります。

Ⅲ-14　弁護士、司法書士などの広告

(1) 弁護士、司法書士の広告

(関連法規)
弁護士法第 3 条・第22条・第46条第 1 項　日本弁護士連合会会則（日本弁護士連合会、昭和24年 7 月 9 日制定、令和 3 年12月 3 日改正）第29条の 2 　弁護士の業務広告に関する規程（同、平成12年 3 月24日会規第44号、令和 3 年 6 月11日改正）　業務広告に関する指針（同、平成24年 3 月15日全部改正、令和 7 年 2 月20日改正）　司法書士法第 3 条　裁判所法第33条第 1 項第 1 号　大阪司法書士会会員の広告に関する規則（大阪司法書士会、平成23年 5 月22日、平成25年 5 月26日）　同運用についての指針（同）　東京司法書士会会員の広告に関する規範規則

(問い合わせ先)
日本弁護士連合会　日本司法書士会連合会　各都道府県司法書士会

(2) 税理士、公認会計士、弁理士の広告

Ⅲ-14 弁護士、司法書士などの広告

Q 弁護士、司法書士を除く、法律で業務独占が認められている事務系専門職6資格の広告規制はどうなっているのでしょうか？

A 税理士、公認会計士、弁理士については、いくつかの規定が定められています。行政書士、土地家屋調査士、社会保険労務士は、広告に倫理や品位を求めていますが、細かな規定はありません。

●

　税理士、公認会計士、弁理士についてはいくつかの規定があります（2024〈令和6〉年7月現在）。行政書士、土地家屋調査士、社会保険労務士は虚偽もしくは誇大な広告、品位に欠ける広告などは行ってはならないという一般的な規定になっています。弁護士、司法書士を含めこれらの広告で注意しなければならないのは、取り扱い業務の範囲を超え、他の資格者でなければできない業務を広告する場合です。
　例えば、弁護士の職務は「当事者その他関係人の依頼又は官公署の委嘱によって、訴訟事件、非訟事件及び審査請求、異議申立て、再審査請求等行政庁に対する不服申立事件に関する行為その他一般の法律事務を行うこと」ですが、「他人の依頼を受け報酬を得て、官公署に提出する書類その他権利義務又は事実証明に関する書類（実地調査に基づく図面類を含む）を作成すること」を業務とする行政書士の広告で、「訴訟事件、非訟事件及び審査請求、異議申立て、再審査請求を引き受けます」の表示があれば違法です。なお、弁護士は弁理士及び税理士、司法書士、行政書士、社会保険労務士の事務を行うことができます。

(1) **税理士**
　①表示しなければならない事項
　　氏名または税理士法人の名称及び所属税理士会名
　②禁止される広告
　　(a)事実に合致していない広告
　　(b)誤導または誤認のおそれのある広告
　　(c)誇大または過度な期待を抱かせる広告
　　(d)特定の会員または会員事務所と比較した広告
　　(e)法令または日本税理士会連合会もしくは所属税理士会の会則及び規則に違反する広告
　　(f)税理士の品位または信用を損なうおそれのある広告
　③表示できない広告事項
　　(a)税務行政庁在籍時の具体的役職名
　　(b)委嘱者の氏名または名称（書面による同意がある場合を除く）
　　(c)現在取り扱いまたは委嘱されている事案（書面による同意がある場合を除く）
　　(d)過去に取り扱いまたは委嘱された事案（書面による同意がある場合を除く）

Ⅲ-14 弁護士、司法書士などの広告

(2) 税理士、公認会計士、弁理士の広告

(2) **公認会計士**
　禁止される広告
　　(a)専門業務、資格または経験に関して誇張した広告
　　(b)他の会員をひぼう、中傷する広告または比較広告

(3) **弁理士**
　①表示しなければならない事項
　　氏名または特許業務法人の名称・代表者名
　②禁止される広告
　　(a)事実に合致していない広告
　　(b)誤導または誤認のおそれのある広告
　　(c)誇大または過度な期待を抱かせる広告
　　(d)法令または会則及び会令に違反する広告
　　(e)弁理士の品位または信用を損なうおそれのある広告

(関連法規)
公認会計士法第2条　倫理規則（日本公認会計士協会、昭和41年12月1日、2022年7月25日最終改正）　行政書士法第1条の2・第1条の3　土地家屋調査士法第3条　税理士法第2条　税理士会会員の業務の広告に関する細則　社会保険労務士法第2条　弁理士法第4条　弁理士会会員の広告に関する規則

(問い合わせ先)
日本税理士会連合会　日本公認会計士協会　日本弁理士会　日本行政書士会連合会
日本土地家屋調査士会連合会　全国社会保険労務士会連合会

(1) 通信販売の必要表示事項

Q 通信販売は通常の店頭販売と異なりますが、広告で義務づけられている表示はありますか？

A 通信販売は、店舗に出向かなくても商品を購入できるなどのメリットがあることから広く利用されています。しかし非対面で取引するため、取引後のトラブルを防ぐ意味で表示しなければならない事項が、「特定商取引に関する法律」（特定商取引法）で義務づけられています。

●

　通信販売とは、新聞や雑誌、テレビ、インターネット上のホームページ（インターネット・オークションサイトを含む）などによる広告や、ダイレクトメール、チラシ等を見た消費者が、郵便や電話、ファクシミリ、インターネット等で購入の申し込みを行う取引方法を指します（ただし、電話勧誘販売に該当する場合は除きます）。

(1) 「特定商取引法」で義務づけられている表示事項
　①販売価格（役務の対価）（送料についても表示が必要）
　②代金（対価）の支払時期、支払方法
　③商品の引渡時期（権利の移転時期、役務の提供時期）
　④申し込みの期間に関する定めがあるときは、その旨及びその内容
　⑤契約の申し込みの撤回または解除に関する事項（売買契約にかかる返品特約がある場合はその内容を含む）
　⑥事業者の氏名（名称）、住所、電話番号
　⑦事業者が法人であって、電子情報処理組織を利用する方法により広告をする場合には、当該事業者の代表者または通信販売に関する業務の責任者の氏名
　⑧事業者が外国法人または外国に住所を有する個人であって、国内に事務所等を有する場合には、その所在場所及び電話番号
　⑨販売価格、送料等以外に購入者等が負担すべき金銭があるときには、その内容及びその額
　⑩引き渡された商品が種類または品質に関して契約の内容に適合しない場合の販売業者の責任についての定めがあるときは、その内容
　⑪いわゆるソフトウェアに関する取引である場合には、そのソフトウェアの動作環境
　⑫契約を2回以上継続して締結する必要があるときは、その旨及び販売条件または提供条件
　⑬商品の販売数量の制限等、特別な販売条件（役務提供条件）があるときは、その内容
　⑭請求によりカタログ等を別途送付する場合、それが有料であるときには、その金額
　⑮電子メールによる商業広告を送る場合には、事業者の電子メールアドレス

Ⅲ－15 特定商取引の広告

(1) 通信販売の必要表示事項

なお、広告スペースなどの関係で必要表示事項のすべてを表示することが困難な場合は「請求により、省略した事項を記載した書面を遅滞なく交付する」旨を表示し、かつ、実際に請求があった場合に、事業者が「遅滞なく」提供できるような措置を講じている場合には、必要表示事項の一部を省略してもよいことになっています。その省略基準は次の表のとおりです（消費者庁「特定商取引法ガイド」）。

表示事項		販売価格・送料その他消費者の負担する金額	
		全部表示したとき	全部表示しないとき
代金等の支払時期	前払の場合	省略できない	省略できる
	後払の場合	省略できる	省略できる
代金等の支払方法		省略できる	省略できる
商品の引渡時期等	遅滞なく行う場合	省略できる	省略できる
	それ以外	省略できない	省略できる
申込みの期間に関する定めがあるときは、その旨及びその内容		省略できない	省略できない
返品に関する事項を除く契約の申し込みの撤回または解除に関する事項		省略できる	省略できる
返品に関する事項（返品の可否・返品の期間等条件、返品の送料負担の有無）		省略できない	省略できない
販売業者の氏名（名称）、住所、電話番号		省略できる	省略できる
法人であって情報処理組織を使用する広告の場合に法人においては代表者名または責任者名		省略できる	省略できる
事業者が外国法人または外国に住所を有する個人であって、国内に事務所等を有する場合には、その所在場所及び電話番号		省略できる	省略できる
引き渡された商品が種類または品質に関して契約の内容に適合しない場合の販売業者の責任	負う場合	省略できる	省略できる
	負わない場合	省略できない	省略できる
ソフトウェアを使用するための動作環境		省略できない	省略できない
契約を2回以上継続して締結する場合の販売条件または提供条件		省略できない	省略できない
販売数量の制限等特別の販売条件（提供条件）があるときは、その内容		省略できない	省略できない
請求により交付する書面または提供する電磁的記録が有料のときは、その価格		省略できない	省略できない
（電子メールで広告するときは）電子メールアドレス		省略できない	省略できない

(1) 通信販売の必要表示事項

(2) 返品特約に関する表示

返品特約について表示する際は、表示サイズおよび表示箇所に関して、それぞれ消費者（読者）が認識しやすい方法で、また、返品特約以外の事項との区別をはっきりさせ、埋没しないように表示する必要があります。さらには、返品の有無に応じて、それぞれ次のような形で分かりやすく表示する必要があります。また返品の可否に条件や制限がある場合は、その内容をできる限り詳しく表示する必要があり、省略できません。前記（1）⑤および表を参照してください。

① 返品を認めるときは、「商品に欠陥がない場合であっても、全ての商品について○日間に限り、返品に応じます」などと返品可能期間等と共に表示します。返品に要する送料、梱包料などの費用が購入者負担なのか、広告主負担なのか、表示することが必要です。

② 返品を条件付きで認めるときは、「商品に欠陥がある場合を除き、返品できません」などと返品可能な条件を表示します。

③ 返品を認めないときは、当該商品との対応関係を明確にした上で「商品の性格上返品できません」などと表示します。詳細は広告媒体ごとの差異を考慮した「通信販売における返品特約の表示についてのガイドライン」や、日本通信販売協会の「返品特約の表示に関するJADMA指針」がありますので、参考にしてください。

なお、返品特約の表示がない場合は、商品の引き渡しを受けた日から数えて8日以内であれば、送料を購入者負担で返品が可能となります。

(3) 定期購入に関する表示

前記（1）⑫及び表にあるように、定期購入（契約を2回以上継続して締結）する場合は、前記必要事項に加えて次の事項を表示する必要があり、省略できません。

① 定期購入であること
② 販売価格
　(a) 各回の代金及び支払総額
　　　例えば初回と2回目以降が異なる場合、それぞれの価格および支払総額が必要です。
　(b) 一括払いの場合、支払総額
　　　なお、サブスクリプションにおいて見受けられるような無償契約から有償契約に自動で移行するような場合には、移行時期と支払うこととなる金額の表示が必要です。
　　　また、解約を申し出るまで無期限の契約である場合は、あくまでも目安に過ぎないことを明確にした上で一定期間を区切った支払総額を明示することが望ましいでしょう。
③ 各回の分量及び総分量
　　　商品の総分量が把握できるよう引き渡しの回数も表示する必要があります。また、サブスクリプションの場合には役務の提供期間や期間内に利用可能な

(1) 通信販売の必要表示事項

回数が定められている場合には、その内容の表示が必要です。

なお、解約を申し出るまで無期限の契約や自動更新となる場合にはその旨の表示が必要です。その際あくまでも目安に過ぎないことを明確にした上で、一定期間を区切った分量を目安として明示することが望ましいでしょう。

④各回の代金の支払時期
⑤各回の商品の引渡時期
⑥販売条件

商品自体を購入できなくなる期限がある場合には、正しい申し込み期間を表示する必要があります。

⑦申し込みの撤回、解除に関する事項

解除の申し出に期限がある場合は、その期限、また解約時に違約金その他の不利益が生じる場合にはその旨及び内容の表示が必要です。

特に解約方法や受付を特定の手段・時間帯に限定する場合はその旨の表示が必要です。

〈特定申し込みを受ける際の表示〉

通信販売で、広告の一部を切り取って申し込み用ハガキとして使用する場合や、インターネット上の表示画面で申し込みを行う場合など、事業者が定める様式等に基づき申し込みの意思表示が行われる場面を「特定申込み」（特定商取引法第12条の6）と定義しています。「特定申込み」においては、消費者が必要な情報につき一覧性をもって確認できるようにするとともに不当な表示が行われないよう規制しています。必要表示事項など詳細は、「通信販売の申込み段階における表示についてのガイドライン」がありますので、参考にしてください。

Ⅲ−15 特定商取引の広告

(1) 通信販売の必要表示事項

【例１】第12条の６に違反しないと考えられる表示

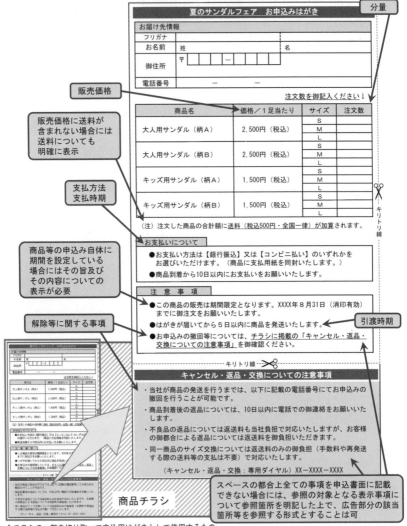

↑チラシの一部を切り取って申込用はがきとして使用するもの

Ⅲ-15 特定商取引の広告

(1) 通信販売の必要表示事項

【例2】第12条の6に違反しないと考えられる表示（定期購入契約の場合）

定期購入契約で、初回と2回目以降の価格が異なる場合等は、消費者が各回の支払額を容易に把握できるように表示しておく必要がある

各回に届く分量についても明記しておく必要がある

オリジナルシャンプー定期購入　お申込みはがき

お届け先情報

フリガナ		
お名前	姓	名
御住所	〒　－	
電話番号	－ －	

「お申込み欄」の1箇所にチェック（✓）を御記入ください」

コース名	各回お支払金額		お支払総額（送料込み）	お申込み欄
オリジナルシャンプー3か月定期購入コース	初回	1,100円	7,000円	
	2～3回	2,200円		
	送料	500円／回		
オリジナルシャンプー6か月定期購入コース	初回	1,100円	13,600円	
	2～6回	1,900円		
	送料	500円／回		
オリジナルシャンプー12か月定期購入コース	初回	1,100円	25,800円	
	2～12回	1,700円		
	送料	500円／回		

（注）上記のお支払金額・送料は、いずれも税込。送料は全国一律。
（注）1回につき、ボトル1本（500ml）をお届けします。

お支払いについて

● お支払い方法は【銀行振込】又は【コンビニ払い】のいずれかをお選びいただけます。（商品に支払用紙を同封いたします。）
● 商品到着から10日以内にお支払いをお願いいたします。

注意事項

● お申込みはがきが届いた翌月から、毎月1日に商品を発送します。
● 解約方法等については、チラシ記載の「定期購入契約の解約等についての注意事項」を御確認ください。

------キリトリ線------✂

定期購入契約の解約等についての注意事項

・契約期間の途中で御解約される場合、各月の25日までに御連絡いただければ、翌月分以降について解約することが可能です。
・商品到着後10日以内であれば返品が可能です。（ただし、不良品の場合を除き、返送費用はお客様負担となります。）
返品された場合、翌月分以降の契約も自動で解約されます。

★解約や返品に関する御連絡は、以下の電話番号にて承ります。
【電話番号】XX－XXXX－XXXX

商品チラシ

・解約方法等に制限がある場合には、その旨について明瞭に示さなければならない
・特に電話番号については確実につながる番号を掲載しておく必要がある

↑チラシの一部を切り取って申込用はがきとして使用するもの
※消費者庁「通信販売の申込み段階における表示についてのガイドライン」より

(2) 販売価格以外の費用の表示

Q 商品・権利の販売価格、役務の対価のほかに金額として表示すべきものがありますか？

A 販売価格に送料、工事費、梱包（こんぽう）料、組み立て費などの付帯費用が含まれていない場合は、その内容と費用を金額で表示しなければなりません。

●

(1) 送料の表示

　送料が販売価格に含まれていない場合は、送料を具体的に表示しなければなりません。送料の表示がない場合は、販売価格に含まれていると推定されることになります。「送料別」「送料実費」という表示だけでは不十分です。

　①一律の場合……「送料○○円」
　②発送先の地域により異なる場合……「送料○○円（北海道）、○○円（本州地方）、○○円（四国地方）、○○円（九州・沖縄地方）」
　③通常、送料は地域別、重量別に細かく定められていることが多く、広告スペースの関係から全ての場合を広告に表示させることが困難なこともあります。この場合には、最高送料と最低送料、平均送料などの表示でも構いません。
　　(a)最低送料と最高送料の場合……「送料○○円（東京）～○○円（沖縄）」
　　(b)平均送料の場合……「送料○○円（約○○％の範囲内で地域により異なります）」

(2) 送料以外の費用の表示

　送料以外に、購入者が負担しなければならない金銭があるときは、「工事費○○円」「梱包料○○円」「組み立て費○○円」「代金引換手数料○○円」のように内容と費用を金額で明確に表示しなければなりません。

(3) 代金前払い式の注意点

Q 代金の支払い時期には「代金引換式」「後払い式」「前払い式」がありますが、特に「前払い式」の注意点はどこでしょうか？

A 商品の引き渡し、権利の移転、役務の提供を受ける前に、代金（対価）の全部あるいは一部を支払う「前払い式」の場合、事業者は代金を受け取り、その後、商品の引き渡しに時間がかかるときには、その申し込みの承諾の有無などの事項を記載した書面を渡さなければなりません。

●

(1) 書面記載事項
　①申し込みの承諾の有無（代金〈対価〉を受け取る前に申し込みの承諾の有無を通知しているときには、その旨。なお、承諾しないときには、既に受領している金銭を直ちに返還する旨及びその方法）
　②事業者の氏名または名称、住所、電話番号
　③受領した金銭の額及びそれ以前に受領した金銭があるときは、その合計額
　④当該金銭を受け取った年月日
　⑤申し込みを受けた商品名及びその数量または権利もしくは役務の種類
　⑥申し込みを承諾するときは、商品の引き渡し時期もしくは権利の移転時期または役務の提供時期（期間または期限をもって表示すること）

(2) 広告の必要表示事項
　「後払い式」と同様です。広告スペースなどの関係で、必要表示事項のすべてを表示することが困難なため、購入者の請求により、省略した事項を記載した書面を交付する場合はⅢ-15（1）「通信販売の必要表示事項」の表を参考にしてください。
　商品の引き渡し時期は具体的に「入金確認後○日以内」「入金確認後○月○日まで」と表示しなければなりません。

（関連法規）
特定商取引法第2条・第11条・第12条・第13条・第15条の3・第26条　同施行規則第12条・第13条・第23条～第44条　同解説（令和5年6月1日時点版）　通信販売における返品特約の表示についてのガイドライン　通信販売の申込み段階における表示についてのガイドライン　返品特約の表示に関するJADMA指針（日本通信販売協会、平成21年9月10日）

（問い合わせ先）
消費者庁取引対策課　日本通信販売協会

(4) 連鎖販売取引（いわゆるマルチ商法）

Q 連鎖販売取引（いわゆるマルチ商法、ネットワークビジネスとも呼ばれます）とは何ですか？また、その広告で注意すべき点を教えてください。

A 連鎖販売取引とは、個人を販売員として勧誘し、さらにその個人に次の販売員を勧誘させる形で販売組織を連鎖的に拡大して行う商品（権利）、役務の取引のことを指します。この取引では細かな規則が定められていますので、確認が必要です。

●

(1) 連鎖販売取引とは

特定商取引法は、連鎖販売業を次のように規定しています。
①物品の販売（または役務の提供など）の事業であって
②再販売、受託販売もしくは販売のあっせん（または役務の提供もしくはそのあっせん）をする者を
③特定利益が得られると誘引し
④特定負担を伴う取引（取引条件の変更を含む）をするもの

具体的には、「他の人を勧誘して入会させると〇万円の紹介料がもらえます」（特定利益）などと言って勧誘し、取引を行うための条件として、1円以上の負担をさせる（特定負担）場合であれば「連鎖販売取引」に該当します。入会金、保証金、サンプル商品、商品などの名目を問わず、取引を行うために何らかの金銭負担があるものは全て「連鎖販売取引」に該当します。なお、入会時点で金銭負担がなくても、その後、事業を始めるために商品の購入などが必要となるような契約の場合は、その負担が特定負担となります。

連鎖販売取引は、特定商取引法の規制がありますが、この商行為自体は禁止されていません。統括者（連鎖販売業を実質的に掌握している者）、勧誘者（統括者が勧誘を行わせる者）または一般連鎖販売業者（統括者または勧誘者以外の連鎖販売業を行う者）は、連鎖販売取引を行うときには、勧誘に先立って、その相手に対して、次の事項を明らかにしなければなりません。
①統括者、勧誘者または一般連鎖販売業者の氏名または名称（勧誘者、一般連鎖販売業者にあっては、統括者の氏名または名称を含む）
②特定負担を伴う取引についての契約の締結について勧誘をする目的である旨
③その勧誘にかかる商品または役務の種類

連鎖販売業を行う者が連鎖販売取引について契約する場合、契約の締結前には当該連鎖販売業の概要を記載した書面（概要書面）を、契約の締結後には遅滞なく、契約内容について明らかにした書面（契約書面）を渡さなくてはなりません。それぞれの書面は記載する事項が定められています。特定商取引法第37条や同施行規則第78条～第86条を参照してください。

(4) 連鎖販売取引（いわゆるマルチ商法）

(2) 広告の必要表示事項

統括者、勧誘者、一般連鎖販売業者が連鎖販売取引について広告する場合には、その連鎖販売に関して、次の事項を表示することが義務づけられています。

① 商品または役務の種類
② 当該連鎖販売取引に伴う特定負担に関する事項
　※表示方法については特定商取引法施行規則第72条第1項を参照してください。
③ その連鎖販売業に係る特定利益について広告をするときには、その計算方法
　※表示方法については特定商取引法施行規則第72条第2項を参照してください。
④ 広告する統括者、勧誘者または一般連鎖販売業者の氏名または名称、住所、電話番号（勧誘者または一般連鎖販売業者にあっては、その連鎖販売業にかかる統括者の氏名または名称、住所および電話番号を含む）
⑤ 統括者などが法人で、電子情報処理組織を使用する方法によって広告をする場合には、当該統括者などの代表者または連鎖販売業に関する業務の責任者の氏名
⑥ 統括者などが外国法人または外国に住所を有する個人で、国内に事務所等を有する場合には、その所在地および電話番号
⑦ 商品名
⑧ 連鎖販売取引を電子メールで広告するときは、統括者、勧誘者または一般連鎖販売業者の電子メールアドレス

(関連法規)
特定商取引法第33条～第40条の3　同施行規則第68条～第90条　連鎖販売取引に係る自主基準（日本訪問販売協会、2022年3月16日）

(問い合わせ先)
消費者庁取引対策課　国民生活センター　各都道府県消費生活センター　日本訪問販売協会

(5) 特定商取引法が規制するその他の業務

Q 通信販売や連鎖販売取引のほかに特定商取引法で規制される業務はありますか？

A 訪問販売、電話勧誘販売、特定継続的役務提供、業務提供誘引販売取引、訪問購入が対象となります。

●

ここでは特定継続的役務提供、業務提供誘引販売取引、電話勧誘販売について説明します。

(1) 特定継続的役務提供

「役務」はいわゆるサービスのことで、政令で定める「特定継続的役務」を、一定期間を超える期間にわたり、一定金額を超える対価を受け取って提供するものです。これには役務提供を受ける権利の販売も含まれ、「特定権利販売」と呼ばれます。役務提供事業者または販売業者が特定継続的役務提供（特定権利販売）について契約する場合、契約の締結前には当該契約の概要を記載した書面（概要書面）を、契約の締結後には遅滞なく、契約内容について明らかにした書面（契約書面）を渡さなければなりません。

広告の必要表示事項の定めはありませんが、誇大広告や役務の内容などについて、著しく事実に相違する表示や実際のものより著しく優良であり、もしくは有利であると人を誤認させるような表示を禁止しています。

現在、以下の7役務が特定継続的役務として指定されています

特定継続的役務	期間	金額
いわゆるエステティック 人の皮膚を清潔にしもしくは美化し、体型を整え、または体重を減ずるための施術を行うこと （いわゆる美容医療に該当するものを除く）	1月を超えるもの	いずれも5万円を超えるもの
いわゆる美容医療 人の皮膚を清潔にしもしくは美化し、体型を整え、体重を減じ、または歯牙を漂白するための医学的処置、手術及びその他の治療を行うこと（美容を目的とするものであって、主務省令で定める方法によるものに限る）		
いわゆる語学教室 語学の教授（入学試験に備えるためまたは大学以外の学校における教育の補習のための学力の教授に該当するものを除く）	2月を超えるもの	
いわゆる家庭教師 学校（幼稚園及び小学校を除く）の入学試験に備えるためまたは学校教育（幼稚園及び大学を除く）の補習のための学力の教授（いわゆる学習塾以外の場所において提供されるものに限る）		
いわゆる学習塾 学校（幼稚園及び小学校を除く）の入学試験に備えるためまたは学校教育の補習のための学校（幼稚園及び大学を除く）の児童、生徒または学生を対象とした学力の教授（役務提供事業者の事業所その他の役務提供事業者が当該役務提供のために用意する場所において提供されるものに限る）		

いわゆるパソコン教室 電子計算機またはワードプロセッサーの操作に関する知識または技術の教授	2月を超えるもの	いずれも5万円を超えるもの
いわゆる結婚相手紹介サービス 結婚を希望する者への異性の紹介		

(※1)「家庭教師」及び「学習塾」には、幼稚園または小学校に入学するためのいわゆる「お受験」対策は含まれません。「学習塾」には、浪人生のみを対象にした役務（コース）は対象になりません（高校生と浪人生が両方含まれるコースは全体として対象になります）。
(※2)入学金、受講料、教材費、関連商品の販売など、契約金の総額が5万円を超えていると対象になります。
(※3)役務の内容がファクスや電話、インターネット、郵便等を用いて行われる場合も広く含まれます。

上記のほか、Ⅲ-3「教育関連広告」、Ⅲ-6「医療関係の広告」、Ⅲ-7「エステティックサロンの広告」、Ⅲ-11（3）「結婚紹介業の広告」の項目も参照してください。

(2) 業務提供誘引販売取引

業務提供誘引販売取引とは、「仕事を提供するので収入が得られる」という口実で消費者を誘引し、仕事に必要であるとして、商品等を売って金銭負担を負わせる取引のことを指します。

特定商取引法は、この取引を次のように規定しています。
①物品の販売または役務の提供（そのあっせんを含む）の事業であって
②業務提供利益が得られると相手方を誘引し
③その者と特定負担を伴う取引をするもの

具体的な例としては、「販売されるパソコンとコンピューターソフトを使用して行う文章作成の在宅業務」「購入したチラシを配布する仕事」などがあります。

業務提供誘引販売業を行う者は、業務提供誘引販売取引について契約する場合、契約の締結前には当該契約の概要を記載した書面（概要書面）を、契約の締結後には遅滞なく、契約内容について明らかにした書面（契約書面）を渡さなければなりません。

また業務提供誘引販売業を行う者が、業務提供誘引販売取引について広告をするときは、次の事項を表示しなければなりません。
①商品または役務の種類
②当該業務提供誘引販売取引に伴う特定負担に関する事項
③その業務提供誘引販売業に関して提供し、またはあっせんする業務について広告をするときは、その業務の提供条件
④業務提供誘引販売業を行う者の氏名または名称、住所および電話番号
⑤業務提供誘引販売業を行う者が法人であつて、電子情報処理組織を使用する方法により広告をする場合には、当該業務提供誘引販売業を行う者の代表者または業務提供誘引販売業に関する業務の責任者の氏名
⑥業務提供誘引販売業を行う者が外国法人または外国に住所を有する個人で、国内に事務所等を有する場合には、その所在地および電話番号

(5) 特定商取引法が規制するその他の業務

⑦商品名
⑧業務提供誘引販売取引を電子メールで広告するときは、業務提供誘引販売業を行う者の電子メールアドレス

(3) 電話勧誘販売

特定商取引法は、電話勧誘販売を次のように規定しています。

電話勧誘販売とは、事業者が消費者に電話をかけ、または特定の方法により電話をかけさせ、その電話において行う勧誘によって、消費者からの売買契約または役務提供契約の申し込みを郵便等により受け、または契約を締結して行う商品、権利の販売または役務の提供のことをいいます。

事業者が電話をかけて勧誘を行い、その電話の中で消費者からの契約の申し込みを受けた（または契約の締結をした）場合だけでなく、電話を一度切った後に、郵便、電話等によって消費者が申し込みを行った場合でも、電話勧誘によって消費者の購入意思の決定が行われた場合は、電話勧誘販売に該当します。さらに、事業者が欺瞞（ぎまん）的な方法で、消費者に電話をかけさせて勧誘した場合も該当します。

2023（令和5）年6月1日施行の「特定商取引に関する法律施行令及び預託法等取引に関する法律施行令の一部を改正する政令」では、電話をかけさせることを消費者に伝える手段として、今まで定めのなかった「広告を新聞、雑誌その他の刊行物に掲載し、若しくはラジオ放送、テレビジョン放送若しくはウェブページ等」を利用して電話をかけさせる方法を追加しました。これらを利用して、「契約の締結について勧誘するためのものであることを告げずに電話をかけることを要請する」と、電話勧誘販売に該当することになります。

また、今般の政令に追加された手段による場合、電話勧誘販売に該当するので、事業者が「アップセル（購入予定商品より上位の商品などを勧める）」や「クロスセル（関連するオプション商品やサービスの購入を勧める）」を行うには、書面交付義務やクーリング・オフ等電話勧誘販売の規定の順守が求められるなど、事業者の体制が整っていることが必須になります。

詳しくは「特定商取引に関する法律・解説」や「電話勧誘販売の解釈に関するQ&A」をご参照ください。

(関連法規)
特定商取引法第2条・第16条～第26条・第41条～第58条の3　同施行令第2条・第9条～第10条・第24条・第33条　同施行規則第45条～第66条・第91条～第131条　同解説（令和5年6月1日時点版）

(問い合わせ先)
消費者庁取引対策課　国民生活センター　各都道府県消費生活センター

Ⅲ-16 代理店、フランチャイズチェーン店などの事業者募集広告

(1) 契約金目当ての広告

Q 代理店、フランチャイズチェーン店などの事業者募集広告では、「契約金目当ての広告ではないか」と実態が気になります。広告主の業態、契約条件などをチェックすべきでしょうか？

A 初めから契約金を狙った悪質業者の存在は否定できません。トラブルが起きても基本的には当事者間の問題です。契約金目当ての広告か否かの判断は大変難しいですが、広告表示から不審な点を感じたら契約書、営業パンフレットなどのチェックが望まれます。

●

　フランチャイズや代理店についての定義づけはさまざまですが、一般的には下記のように位置づけられます。
　フランチャイズ・システムは本部事業者が加盟者に対して特定の商標、商号等を使用する権利を与えるとともに、加盟者の物品販売、サービス提供、その他の事業・経営について統一的な方法で統制、指導、援助を行い、対価として加盟者が本部に金銭を支払う事業形態であるとされています。
　代理店は商社やメーカーの代理として商品を広く紹介し、販売拡大活動を行って業務実績に応じて手数料を受け取る業者のことを指します。
　この種の募集では多くの場合、契約書は広告主サイドで作られますので、応募者に内容を十分に理解できる表現になっていない場合があります。その結果、契約後にトラブルが起きることも少なくありません。
　また、契約の条件が厳しすぎてノルマを達成できず、やむなく解約すれば契約をたてに損害賠償を請求されたり、契約違反で契約金を没収されたりしてしまうこともあります。契約に際して高額の資金が必要になるケースが多いことも考慮しなければなりません。従って、営業内容だけではなく、保証金や加盟金などの必要額、店舗・教室などの設備の必要有無、受講すべき研修内容やロイヤルティーの算定方法、中途解約の条件及び違約金などを表示することが望ましいでしょう。
　法令などによる広告の必要表示事項といったものはありませんので、何を表示させ、何を表示させないかは媒体社の判断となります。消費者の判断に資する事項を事業内容に沿って選択し、表示するのが親切でしょう。
　なお、中小小売商業振興法に定める「特定連鎖化事業」に該当するフランチャイズは、契約締結前の法定開示書面が必要になっています。当該書面の内容を精査するには、日本フランチャイズチェーン協会の「フランチャイジー希望者への情報開示と説明等に関する自主基準（JFA開示自主基準）」や「法定開示書面『フランチャイズ契約の要点と概説』作成ガイドライン」が参考になります。

(2)「高収入」の表現

Q 代理店やフランチャイズチェーン店の募集で「高収入」であることを強調していますが、どのような点に注意が必要ですか？

A 収益の見込みには、本人の努力、マーケットの地域性、商品の属性など、さまざまな要因が関係します。そうした要素を考えずに「高収入」とだけ表示したものを掲載すれば、消費者に誤認を与えるおそれがありますので、十分注意しましょう。

●

「確実に高収入が得られます」「○○万円保証」「短期間に投下資金が回収できます」「健康ブームの今こそうってつけの商品です。商品購入のその日から、楽々○○万円の収入になります」「顧客開拓は必要なし、お客様があなたのもとに…」など、誰にでも簡単に高収入が得られるかのような表現で、契約を勧誘するものがあります。

往々にして、実際は広告でいうほどの収益が上がらないものが見受けられます。初心者でも高収入を保証している表現には注意が必要でしょう。

従って、表示と実際が異なれば誇大な表示、有利誤認を招く表示に、悪質なケースでは虚偽表示になりかねません。収益の根拠となる資料や契約書を調べるなどして確認し、収益予想額を表示する場合は、根拠や算出方法を併記することが望ましいでしょう。

(関連法規)
景品表示法第5条　中小小売商業振興法第4条・第11条　同施行規則第11条　特定商取引法第33条〜第40条　フランチャイズ・システムに関する独占禁止法上の考え方（公正取引委員会、平成14年4月24日、令和3年4月28日改正）　法定開示書面「フランチャイズ契約の要点と概説」作成ガイドライン（日本フランチャイズチェーン協会、2018年4月作成、2021年9月改訂）

(問い合わせ先)
消費者庁表示対策課　中小企業庁経営支援部商業課　公正取引委員会事務総局　各都道府県消費生活センター　日本フランチャイズチェーン協会

(1) 製造たばこの広告

Ⅲ-17　たばこの広告

Q たばこの新聞広告の規制はどういうものがあるのでしょうか？

A 日本たばこ協会は、たばこ事業法第40条の趣旨等に基づき、「製造たばこに係る広告、販売促進活動及び包装に関する自主規準」を設けています。また、2022（令和4）年4月の民法改正により、成年年齢が引き下げられたことを受けて、未成年の表示は「20歳未満の者」など具体的な年齢を示す表現にする必要があります。

●

日本たばこ協会の「製造たばこに係る広告、販売促進活動及び包装に関する自主規準（2023〈令和5〉年4月改定）」では、新聞に掲載する製品広告について、以下のように定めています。

①統計調査において、閲読者90％以上が20歳以上であるとの結果が得られている新聞に限る。
②包装及び外表紙を製品広告に使用しない。
③新聞における製品広告は、ブランドファミリーごとに1紙につき1広告とし、ブランケット判においては1/3ページ、タブロイド判においては1ページの大きさを超えてはならない。
④新聞への製品広告掲載は、それぞれ日本たばこ協会の会員1社につき1紙当たり年間12回まで、かつ月間3回までとし、また、第一面、最終面、テレビ番組面、家庭面、児童面及びスポーツ面には製品広告を掲載しない。

この他にも製品広告の内容に関する規準が定められていますのでご確認ください。また、「製造たばこに係る広告、販売促進活動及び包装に関する自主規準」などの規定に基づく注意文言等の広告表示について、「注意文言等の広告表示に関するマニュアル」を別途定めています（次ページ参照）。

（関連法規）
たばこ事業法第40条　製造たばこに係る広告を行う際の指針（平成16年3月8日財務省告示第109号）　製造たばこに係る広告、販売促進活動及び包装に関する自主規準（日本たばこ協会、2023年4月1日改定）　注意文言等の広告表示に関するマニュアル（同、2025年4月1日改定）

（問い合わせ先）
日本たばこ協会

(2) 加熱式たばこの広告

Q 加熱式たばこを新聞広告で扱う際には、どのような点に注意すべきでしょうか？

A 日本たばこ協会は加熱式たばこについて「加熱式たばこ製品の製造たばこ部分に係る広告、販売促進活動及び包装に関する自主規準」で加熱式たばこの製造たばこ部分については紙巻たばこなどとほぼ同様の規制を設けています。
電子たばこは、たばこ葉を使用していないので「たばこ類似製品」とされており具体的な規制の対象にはなっていませんが、厚生労働省は「電子たばこの注意喚起について」で健康被害への注意喚起を行っています。

●

　加熱式たばこ製品とは、たばこ葉を使用し、たばこ葉を燃焼せずに加熱などによって発生する蒸気を吸引する製品です。
　加熱式たばこについても日本たばこ協会が設けている「加熱式たばこ製品の製造たばこ部分に係る広告、販売促進活動及び包装に関する自主規準」に沿った表示が求められます。新聞に掲載する製品広告については前項「製造たばこの広告」で示しているものとほぼ同様の規制が定められています。また、加熱するための電子機器（デバイス）などの加熱式たばこの製造たばこ製品のたばこ以外の部分についても、別途自主基準が定められています。

　電子たばこ製品はたばこ葉を使用せず、装置もしくは専用カートリッジ内の液体（リキッド）を電気加熱し、発生する蒸気を吸引する製品です。リキッドにはニコチンを含むものもありますが、日本国内ではニコチンを含まないものが一般的で、「たばこ製品」として販売されているものはありません。国内では、ニコチンを含むリキッドは「医薬品」、ニコチンを含むリキッドを吸引する器具（デバイス）は「医療機器」と見なされます。日本では「たばこ類似製品」とされ、具体的な規制の対象にはなっていませんが、厚生労働省は健康被害への注意喚起を行っています。

〈注意文言等の広告表示〉
　日本たばこ協会の「注意文言等の広告表示に関するマニュアル」では、自主規準の規定に基づく注意文言等の広告表示がたばこの種類により定められています。消費者が十分識別できるよう、読みやすく明瞭に表示するものとしています。
○紙巻たばこ、葉巻たばこ、パイプたばこおよび刻みたばこ
　次の①～③の文言を改行して表示します。
　①「20歳未満の者の喫煙は、法律で禁じられています。」
　②次に掲げる文言の一つ
　　「たばこの煙は、周りの人の健康に悪影響を及ぼします。健康増進法で禁じら

(2) 加熱式たばこの広告

れている場所では喫煙できません。」
「望まない受動喫煙が生じないよう、屋外や家庭でも周囲の状況に配慮することが、健康増進法上、義務づけられています。」
「たばこの煙は、あなただけでなく、周りの人が肺がん、心筋梗塞など虚血性心疾患、脳卒中になる危険性も高めます。」
「たばこの煙は、子供の健康にも悪影響を及ぼします。たばこの誤飲を防ぐため、乳幼児の手が届かない所に保管・廃棄を。」
「妊娠中の喫煙は、胎児の発育不全のほか、早産や出生体重の減少、乳幼児突然死症候群の危険性を高めます。」

③次に掲げる文言の一つ
「喫煙は、様々な疾病になる危険性を高め、あなたの健康寿命を短くするおそれがあります。ニコチンには依存性があります。」
「喫煙は、肺がんをはじめ、あなたが様々ながんになる危険性を高めます。」
「喫煙は、動脈硬化や血栓形成傾向を強め、あなたが心筋梗塞など虚血性心疾患や脳卒中になる危険性を高めます。」
「喫煙は、あなたが肺気腫など慢性閉塞性肺疾患（COPD）になり、呼吸困難となる危険性を高めます。」
「喫煙は、あなたが歯周病になる危険性を高めます。」

○**かみたばこおよびかぎたばこ**
次の①～③の文言を改行して表示します。
①「20歳未満の者の喫煙は、法律で禁じられています。」
②次に掲げる文言の一つ
「妊娠中のかみたばこ（またはかぎたばこ）の使用は、妊娠高血圧症候群、早産や出生体重の減少のおそれがあります。」
「誤飲を防ぐため、たばこは、乳幼児の手が届かない所に保管・廃棄しましょう。」
③「かみたばこ（またはかぎたばこ）の使用は、あなたが口腔がん等のがんになる危険性を高めます。ニコチンには依存性があります。」

このほか、加熱式たばこの製造たばこ部分、製造たばこ代用品についても同様の規定があります。また、広告の合計面積が 40,000㎟以下の広告の場合等、別途規定がありますので確認してください。

（関連法規） たばこ事業法第40条 製造たばこに係る広告を行う際の指針（平成16年3月8日財務省告示第109号） 加熱式たばこ製品の製造たばこ部分に係る広告、販売促進活動及び包装に関する自主規準（日本たばこ協会、2023年4月1日改定） 加熱式たばこ製品の製造たばこ以外の部分に係る広告及び販売促進活動に関する自主規準（同、2023年4月1日改定） 注意文言等の広告表示に関するマニュアル（同、2025年4月1日改定） 電子たばこの注意喚起について（厚生労働省、令和元年11月8日掲載、令和2年1月27日更新）
（問い合わせ先） 日本たばこ協会

(1) 酒類の広告

Q お酒の広告掲載について、どのような表示が必要でしょうか？

A 飲酒に関する連絡協議会では、法令で規定されている「20歳未満の者の飲酒防止」を拡大し、消費者への広告宣伝活動の表現等まで自主的に規制する「酒類の広告・宣伝及び酒類容器の表示に関する自主基準」を策定しています。
自主基準では、法令に規定のある「20歳未満の者の飲酒防止」に加えて、「妊産婦の飲酒防止」、「酒類の消費と健康に関する注意」、「飲酒運転禁止」等も表示の対象としています。

●

　酒類業中央9団体（日本酒造組合中央会、日本蒸留酒酒造組合、ビール酒造組合、日本洋酒酒造組合、全国卸売酒販組合中央会、全国小売酒販組合中央会、日本ワイナリー協会、日本洋酒輸入協会、全国地ビール醸造者協議会）で構成される飲酒に関する連絡協議会は、「酒類の広告・宣伝及び酒類容器の表示に関する自主基準」を策定しています。

(1) **必要表示事項**
　①20歳未満の者の飲酒防止に関する注意表示
　　（例）「20歳未満の者の飲酒は法律で禁じられています」、「お酒は二十歳になってから」
　②妊産婦の飲酒に関する注意表示
　　（例）「妊娠中や授乳期の飲酒は、胎児・乳児の発育に悪影響を与えるおそれがあります」
　③酒類の消費と健康に関する注意表示
　　（例）「飲み過ぎに注意」、「お酒は適量を」
　④飲酒運転に関する注意表示
　　（例）「飲酒運転は法律で禁止されています」
　⑤酒類容器のリサイクルに関する注意表示
　　（例）「空き缶はリサイクル」

　新聞広告での文言の大きさについて、全5段以上は14ポイント以上、半3段以上全5段未満は10.5ポイント以上とし、字体については、明瞭に判読できる字体とします。注意表示は、色等に配慮し、見やすい場所に明瞭に表示することが求められます。また、広告原稿の面積が100㎠未満の場合は、上記の必要表示事項のうち最低1項目以上を表示しましょう。

(2) **ノンアルコール飲料**
　　ノンアルコール飲料はアルコール度数0.00％で、味わいが酒類に類似しています。20歳以上の者の飲用を想定・推奨されていることから、ノンアルコール飲料固有の「酒類と誤認させるような表現は行わない」、「健康上の理由で禁酒、断

酒している人や妊産婦をターゲットとした広告やキャンペーン、サンプリングは行わない」等の規定以外も、酒類と概ね同じレベルで表現を自粛する規定があります。

(3) 通信販売の広告

通信販売の広告では、特定商取引法の必要事項に加えて、酒類販売管理者標識の表示をしなければなりません。

酒類販売管理者標識の内容は以下の通りです。
①販売場の名称及び所在地
②酒類販売管理者の氏名
③酒類販売管理研修受講年月日
④次回研修の受講期限
⑤研修実施団体名

〈成年年齢の引き下げ〉

成年年齢は、1896（明治29）年に民法が制定されて以来、20歳と定められてきました。これは、1876（明治9）年の太政官布告を引き継いだものといわれています。2022（令和4）年4月1日から民法改正により、成年年齢が20歳から18歳に引き下げられました。この変更により、2022年4月1日時点で18歳および19歳の若者が成人となり、2004（平成16）年4月2日以降に生まれた人々は18歳の誕生日から成人となります。

近年、公職選挙法や憲法改正国民投票の投票権年齢を18歳に引き下げるなど、18歳および19歳の若者にも重要な政治判断に参加してもらう政策が進められてきました。この流れの中で、民法においても18歳以上を成人とすることが適当であるという議論がなされ、成年年齢の引き下げが実現しました。なお、国際的にも成年年齢を18歳とするのが主流となっています。

成年年齢の変更には、二つの大きな意味があります。

一つは「一人で契約をすることができる年齢」、もう一つは「父母の親権に服さなくなる年齢」という意味です。成年に達すると、親の同意を得なくても、自分の意思でさまざまな契約ができるようになります。例えば、携帯電話の契約や一人暮らしの部屋の賃貸契約、クレジットカードの作成、高額商品のローン契約などが挙げられます。また、親権に服さなくなるため、自分の住む場所や進学、就職などの進路も自分の意思で決定できるようになります。

さらに、女性の婚姻開始年齢も今回の改正により16歳から18歳に引き上げられ、男女の婚姻開始年齢が統一されました。これにより、男女平等の観点からも適切な対応がなされました。

一方、成年年齢が18歳になっても、飲酒や喫煙、競馬などの公営競技に関する年

Ⅲ-18 酒類の広告

(1) 酒類の広告

齢制限は、これまでと変わらず20歳です。これは健康面への影響や非行防止、青少年保護等の観点から、20歳という年齢が維持されました。

そのため、酒類やたばこ、公営競技では「未成年禁止」ではなく「20歳未満禁止」と表記されるようになりました。広告原稿での表記にも注意が必要です。

この機会に酒類、たばこ、公営競技の広告に関する自主基準を確認しましょう。

(関連法規)
酒類業組合法第86条の9第9項　酒類の広告・宣伝及び酒類容器の表示に関する自主基準（飲酒に関する連絡協議会、昭和63年12月9日制定、令和元年7月1日最終改正）　公営競技広告・宣伝指針（全国公営競技施行者連絡協議会、令和7年5月）

(問い合わせ先)
［酒類の広告・宣伝等関連］酒類の広告審査委員会（事務局：アルコール健康医学協会）

（1）インターネットサービスなどの広告表示

Q インターネットプロバイダー、携帯電話などの電気通信サービスの広告では、どのような点に注意すればよいですか？

A 消費者に誤認を与えないように、他社との比較表示、料金表示などで業界自主基準およびガイドラインが定められていますので、確認してください。

●

　電気通信サービスが日常生活に不可欠な基盤となる中で、携帯電話サービス、インターネット接続サービス、IP電話サービスなどにおいては、料金メニューやサービス内容の複雑化・多様化が進んでいます。消費者が各自のニーズに適したサービスを適切に選択することができるようにするために、また、契約後の料金トラブルを防ぐためにも適正な広告表示が必要です。

　電気通信事業者4団体（電気通信事業者協会、テレコムサービス協会、日本インターネットプロバイダー協会、日本ケーブルテレビ連盟）で構成する電気通信サービス向上推進協議会では、利用者各自のニーズに適したサービスを選択することができるように、「電気通信サービスの広告表示に関する自主基準及びガイドライン」を適宜改訂しています。

(1) **分かりやすい広告表示**

　　広告作成において必ず配慮する事項は以下の通りです。

　①レイアウト、文字の大きさ、文字の濃さ、配色等に配慮すること
　②注記をするときは、本体表記に併記するなど、できるだけ本体に近接した場所に表記すること
　③問い合わせ先・連絡先を表示すること
　④電気通信事業者の名称を表示すること
　⑤商品名、サービス名、ブランド名等は、それらの用語・表記から内容が類推しにくい場合は、説明、注釈などを付すること
　⑥契約上の留意事項や詳細なサービス内容の説明は、消費者が必要とする重要事項をできるだけ読みやすくするよう配慮すること

(2) **虚偽、誇大等の表現を用いない広告表示**

　　消費者がサービスの特色全体を正確に把握できるよう、以下の事項を順守して、消費者に誤認されやすい表現を用いない広告表現を行います。

　①消費者の利益となる事実のみを強調しないこと
　②消費者の不利益となる事実についても表示すること
　③電気通信サービスの利用についての重要な前提条件または制約条件を正しく表示すること
　④上記①～③について消費者が見やすいよう分かりやすく表示し、特に強調している表示（強調表示）に対する注釈（打ち消し表示）について見やすくするように留意すること

(1) インターネットサービスなどの広告表示

⑤特定の利用形態・契約状態等にある契約者のみに適合する事実について、あたかも他の契約者またはすべての契約者に適合するかのように誤認されるおそれがある広告表示を用いないこと

⑥客観的事実に基づいているものであっても、他社の信用失墜にわたるもの等で、広告全体の趣旨から見て、あたかも比較対象のサービスが実際のものよりも著しく劣っているかのような印象を与えるような広告表示を用いないこと

(3) **比較表示**

他の電気通信事業者が提供する電気通信サービスとの間で、料金、品質、取引条件等の比較を表示するときは、以下の事項を順守するものとします。

①客観的事実に基づく根拠によるものであることを示すこと

②社会通念上、同時期、同等のサービスとして認識されている電気通信サービスに関するデータを使用する等、比較の方法が公平、公正かつ妥当なものであること。また、特定の競争事業者のサービス料金と比較する場合には、競争事業者の名称を明示すること

③「業界№1」「当社だけ」「最高品質」等の表現は、客観的事実に基づく場合に限ることと、また、客観的事実に基づく根拠によるものであることを示すこと

(4) **料金等に関する広告表示**

「大幅値下げ」「最低価格」「最も安い」「初期費用無料」等、料金の安さを強調する表現を用いる場合は、客観的事実に基づく場合に限ることとし、また、安さの程度について具体的数値または根拠を示すものとします。

①料金等に関する広告を行う場合、それぞれ以下に定める事項を明確かつ分かりやすく表示するものとする

(a)割引（セット料金等を含む）についての表示を行う場合は、割引の適用対象、期間、別途要する費用及び条件（特に、割引が適用されるために、消費者にとって不利な条件が付されるときはその旨）

(b)サービスの提供を受けるために要する経費のうち、通常利用者が負担する必要があるものであって、サービスの料金に含まれていないものがあるときは、その旨及び負担すべき主な料金項目を表示するほか、代表的な金額例を示すなど、可能な限り実際に要する標準的な料金の額

②料金等に関する広告表示を行う場合は、文字は8ポイント以上で表示する

(5) **無料または割引キャンペーンに関する広告表示**

無料または割引キャンペーン（ポイント還元などの値引きや特典付与なども含む）の実施に関する表現を用いるときは、以下の事項に留意するものとします。

①キャンペーンにより無料または割引となる期間、料金、申し込み期間を明確に表示して、消費者に誤認を与えないようにすること。特に「最大○か月無料」という用語を用いる等により、消費者ごとに無料となる期間が異なる場合には、その旨が明らかになるよう適切な表示に留意すること

②無料または割引キャンペーンにかかる消費者との契約が、キャンペーン期間経過後の通常のサービスと別個の契約の締結であるのか、または、通常サービス

(1) インターネットサービスなどの広告表示

と同一の契約であって契約の最初の一定期間のみ料金を免除または割引することを内容とする契約の締結であるのかを明確に表示し、無料または割引となる期間が終了した後、特別な手続きを必要とせずに通常サービスに移行するときは、その旨を明らかにすること。特に、「お試し」「無料体験」「モニター」などの用語を用いる場合には、消費者に誤認を与えることのないよう、通常のサービスに移行する手続きの有無等が明らかになるよう適切な表示に留意すること

③無料または割引キャンペーン期間中に適用される料金と過去の料金との比較表示を行うときは、過去の料金として、最近相当期間にわたって実際に適用されていた料金を用いるものとし、期間中に適用される料金と将来の料金との比較表示を行うときは、キャンペーン終了後に実際に適用する予定であるなど、十分な根拠のある料金を用いること

④一定の期間（キャンペーン実施期間）内にサービスの提供等を申し込んだ場合に限り無料または割引が適用されるとの表示がなされているにも関わらず、告知期間（終了時期）経過後にも同一内容のキャンペーンを繰り返す、当初の告知期間を延長するなど、実質的には恒常的に実施されているキャンペーン等に対し、ある一定の期間に限り無料または割引が適用され、通常時より取引条件が有利であるかのような表示をすることは、消費者が実際のものより取引条件について有利であると誤認するおそれがあるので、行わないこと

⑤無料または割引キャンペーンの適用対象となる消費者が限定される場合（たとえば、新規加入希望者のみを対象とし、他のサービスプランの加入者がプラン変更を希望する場合は対象としない等）その他の適用条件がある場合には、その旨を適切な位置に分かりやすく表示するものとする

(6) **提供開始までの期間に関する広告表示**

契約の申し込みからサービスの提供開始まで標準的期間に関する表示をする場合であって、回線の接続工事等の遅れにより表示された期間内にサービスの提供を開始することができないおそれがあるときは、その旨を表示するものとします。

(7) **サポート体制に関する広告表示**

電話等によるサポート体制について表示する場合には、客観的事実に基づく具体的な内容を表示するものとし、十分な根拠なくサポート体制の充実ぶりを強調した表示をする等、消費者の誤認を与えるような誇大な表現を用いてはなりません。

(8) **「ベストエフォート型サービス」の用語、速度に関する広告表示**

「ベストエフォート型サービス」とは、ADSLサービス、CATVインターネット接続サービス、FTTHサービス、携帯電話・PHS・BWAのパケット通信（データ通信）その他の電気通信サービスのことで、通信速度等、品質が通信環境によって変化し得るサービスを指します。昨今急速に普及が進んでいますが、その仕組みが複雑であることなどから、消費者がサービス内容を十分理解しないまま、あるいはサービス内容を誤解してサービスを利用し、後になってトラブルになるケースが多く見られます。そのうちの一つが、いわゆるベストエフォート型サービスであることを知らずにサービスを利用してしまうことです。そこで表示につ

Ⅲ-19 インターネットサービスなどの広告

(1) インターネットサービスなどの広告表示

いて下記のように定められています。
① 用語を用いる場合は、消費者が提供を受けることができる電気通信サービスの品質が通信環境によって変化し得るものであること等、当該用語の意味を示すものとする
② 規格上の最高速度を表示するときは、通信設備の状況や他回線との干渉等によって当該表示最高速度よりも速度が低下する旨などを、当該表示最高速度とできるだけ近接した場所に明瞭に表示し、消費者にとって期待が大きいFTTH（家庭用光ファイバー）サービスや移動体通信サービスの速度表示については、適切な説明を加える
③ 実効速度の計測が可能なサービス・端末の広告において、ネットワークサービスの規格上の最高速度の内容等について強調表示や積極的な表示を行う時は、できる限り近接した場所に一定幅を持った実効速度を併記し、実効速度の計測結果および実効速度の説明が掲載されたホームページの閲覧を促す表示を行うこと
④ 高速化が進んだ通信サービスが新たに登場した場合の一定期間（概ね1年程度）経過以前については、シミュレーション等を用いたホームページの説明ページ等の閲覧を促す表示を行うことが望ましい

⑼ IP電話サービスの料金、品質、通話可能な範囲に関する広告表示
① 基本料金、他の電気通信事業者の回線に接続する際の通話料、その他消費者が負担すべき主な料金項目（アクセス回線使用料、モデムレンタル料、工事費等）を表示する。また、IP網以外の他の通信網に迂回（うかい）する機能を有する場合は、迂回した通信網に関する料金負担が別途発生する旨を表示する
② 回線の状況により、一般加入電話に比較して通話の品質低下がある場合は、その旨を表示する
③ 緊急通報への通話ができない場合には、その旨を表示する。また、NTT東西その他の一般固定電話、携帯電話・PHS、国際電話または他のIP電話等の回線への通話の可否を明らかにするよう努めるものとする

⑽ 携帯電話・PHS・BWAサービスの料金、提供エリアに関する広告表示
① (4)の事項を順守し、基本料金プラン、割引サービス、ポイントサービス、オプションサービス等は、消費者に誤解が生じないよう明瞭かつ適正に表示する
② 通信可能なエリアについて制限がある場合や優位性を訴える場合は、制限の内容、優位性の根拠を明示し、提供エリアによって最大通信速度が異なるなどサービスの提供条件が異なる場合は、その旨と具体的数値等を付記する

(関連法規) 電気通信事業法第26条　同施行規則第22条　景品表示法第5条　電気通信サービスの広告表示に関する自主基準及びガイドライン（第13版）（電気通信サービス向上推進協議会、2020年2月）

(問い合わせ先)　電気通信サービス向上推進協議会

Ⅲ-20 自動車（新車・中古車）の広告

(1) 自動車（新車・中古車）の広告表示

Q 新車と中古車の広告表示にはどんな違いがあるのですか？

A 新車、中古車ともに、景品表示法に基づいて作成された業界の自主ルールである「自動車業における表示に関する公正競争規約」によって表示項目等が以下のように定められています。また、中古車は2023（令和5）年10月1日の改正規約の施行により、車両価格と諸費用を合算した総額を「支払総額」として表示することが義務づけられました。さらに、中古品であるため、品質・整備などの情報について、必ず表示しなければならない事項が多く設けられており、消費者に正しい商品選択をさせるための広告表示が求められます。

●

広告（新聞、チラシ、インターネット等）の表示に関するルールは以下の通りです。

《新車》
(1) 価格を表示する場合の必要表示事項
　①広告主が製造業者（メーカー）の場合
　　(a)メーカー希望小売価格
　　　メーカー希望小売価格とは、メーカーが参考価格として表示する際につける価格の名称のことで、表示する際は消費税を含めた額を表示しています。あくまでもメーカーが付けた「参考価格」ですので、店頭の販売価格とは異なることがあります。「メーカー希望小売価格」の名称で表示しましょう。
　　(b)価格の説明
　　　「価格は参考価格であり、販売業者は価格を独自に定めているので、価格については各販売業者へ尋ねられたい旨」の説明を併せて明瞭に付記することが求められます。また、価格には保険料、税金（消費税を除く）、登録等に伴う費用等、リサイクル料金が含まれていませんので、その旨も明瞭に表示しましょう。
　　(c)車名及び主な仕様区分（グレード、排気量、ミッションタイプなど車両を特定するために必要な事項）
　②広告主が販売業者（ディーラー）の場合
　　(a)販売価格
　　　店頭において車両を引き渡す場合の消費税を含めた現金価格のことを指します。下記のいずれかの価格で表示しましょう。
　　・車両本体価格
　　　車両本体で販売する場合は「車両本体価格」の名称で表示します。保険料、税金（消費税を除く）、登録等に伴う費用等、リサイクル料が含まれていない旨を明瞭に表示しましょう。

(1) 自動車（新車・中古車）の広告表示

- 合計価格
  車両本体の価格に付属品、特別仕様等の費用を加えた合計価格を表示する場合には、車両本体価格と同様に保険料、税金（消費税を除く）、登録等に伴う費用等、リサイクル料が含まれていない旨を明瞭に表示しましょう。合計価格では加えて車両本体価格と付属品、特別仕様などの内容と合計価格を表示します。
- 支払総額
  合計価格に保険料、税金、登録等に伴う費用等を加えた支払総額を表示する場合には、「支払総額」の名称で表示するとともに、車両本体価格または合計価格を併記し、保険料、税金（消費税を除く）、登録等に伴う費用等、リサイクル料金が含まれている旨と登録等の時期や地域等について一定の条件を付した価格である旨を明瞭に表示することが求められます。

(b)車名及び主な仕様区分（グレード、排気量、ミッション区分など車両を特定するために必要な事項）

③広告主が複数販売業者の場合
一つの販売業者の販売価格を例示する場合は、「販売価格の一例」である旨と販売業者名を表示するとともに、「価格は各社が単独に決めていますので、価格についてはそれぞれ各社にお問い合わせ下さい」など、各販売業者は価格をそれぞれ独自に定めているため、価格については各販売業者に尋ねられたい旨を明瞭に付記してください。

④広告主が製造業者と販売業者の共同の場合
販売価格を例示する場合には、「メーカー希望小売価格」または「販売業者が販売しようとする価格」により表示します。上記の場合と同様、それぞれ下記の旨を明瞭に付記してください。
　(a)メーカー希望小売価格
　　参考価格であり、販売業者は独自に販売価格を定めている旨。
　(b)販売業者が販売しようとする価格
　　販売業者が独自に販売価格を定めている旨。

(2) 販売価格に割賦販売価格を併記する場合

販売価格に割賦販売価格（ローン提携販売、残価設定ローンの支払総額を含む）を併記する場合には、次の事項を表示してください。
①割賦販売価格（割賦支払総額）　　②頭金の額
③支払回数及び支払期間、そのほか必要な費用
④割賦（ローン）手数料の料率（実質年率で表示する）
⑤残価設定方式ローン販売の場合、残価精算時に、車両状態等により別途追加費用が発生する場合はその旨等のローン終了時の条件等

(3) 個人リース料金を表示する場合

①頭金の額　　　　②リース料金の支払回数及び支払期間、その他必要な費用
③リース支払総額　④設定残存価額（オープンエンド方式の場合）

⑤リース料金に含まれる内容
⑥リース契約に関する以下事項
　(a)リース及び賃貸である旨
　(b)中途解約できない場合はその旨
　(c)リース期間終了時に車両を返却する必要がある場合はその旨
　(d)車両返却時に車両状態等により別途追加費用が発生する場合はその旨
　(e)オープンエンド方式の場合、オープンエンド方式のため、車両売却価格（査定価格）と設定残存価額の差額を支払う必要がある旨
　(f)その他特記すべき事項

(4) **サブスクリプション等の名称で、一定期間、車両を賃貸する際の賃貸料金を表示する場合**
①頭金の額　　　　②賃貸料金の支払回数及び支払期間、その他必要な費用
③最低契約期間の賃貸料金支払総額　④設定残存価額（オープンエンド方式の場合）
⑤賃貸料金に含まれる内容
⑥賃貸に関する以下の事項
　(a)賃貸である旨
　(b)中途解約できない場合はその旨
　(c)賃貸終了時に車両を返却する必要がある場合はその旨
　(d)車両返却時に車両状態等により別途追加費用が発生する場合はその旨
　(e)オープンエンド方式の場合、オープンエンド方式のため、車両売却価格（査定価格）と設定残存価額の差額を支払う必要がある旨等
　(f)その他特記すべき事項

(5) **通信販売を行う場合における必要表示事項**
①送料が必要な場合には、その額
②代金の全部または一部の支払いが車両の引き渡し前である場合には支払いの時期
③申し込みの有効期限がある場合には、その期限
④販売数量の制限等、特別の販売条件がある場合には、その内容
⑤請求により、通信販売の詳しい販売条件を記載した書面を遅滞なく交付する旨

(6) **特定用語や事項を表示する場合の注意点**
①最上級を意味する用語
　「首位」「第一位」「トップ」「最高」等の最上級を意味する用語は、その裏付けとなる客観的数値等または根拠を付記すること。
②「完全な」等の用語
　「完璧な」「完全な」等の用語は、社会通念上妥当な範囲を超えない程度において表示すること。なお、計測可能な条件を100％満足する場合には、表示しても構いません。
③「このクラス」等の用語
　「このクラス」「ひとつ上のクラス」等の抽象的用語は、エンジン排気量、積載重量等クラス区分の具体的内容を付記すること。なお、乗用車についてはエン

(1) 自動車（新車・中古車）の広告表示

(1) 自動車（新車・中古車）の広告表示

ジン排気量、商業車（ライトバン及び貨物自動車）については積載重量によるものとし、それ以外のクラス区分については、その分類による統計数値の事実確認が可能なものによるものとします。

④「新発売」等の用語

「新発売」「新型登場」等の商品が新しくなったことを意味する用語は、新車発表後12か月までの使用とし、モデルチェンジ、マイナーチェンジ等の新型車の発表が予定されている場合は6か月前から使用できません。

⑤ランキング表示

生産台数、登録台数等のランキング表示を行う場合は過去1か月以上その順位を確保しているときに限るものとし、その確保期間を明瞭に表示すること。

※数値や根拠などの条件を同じくするものが存在するときは、自社または他社に条件が同じくするものが存在する旨を明瞭に表示するものとします。なお、数値や根拠などの条件を比較すべきものが他社に存在しない場合は、ランキング表示をすることはできません。

⑥概数表示

生産量、国内販売量、輸出入量等に関する統計について、これを概数で表示する場合は、その誤差の許容範囲は、以下の通りとすること。

(a)金額表示：1％以下

(b)自動車の台数表示：3％以下

なお、概数－実数≦概数×誤差率（金額の場合は1％、台数の場合は3％）を満たすものでなければなりません。

⑦統計数値の出典

統計数値を表示する場合の出典等については、団体等による統計数値とし、出典先を明瞭に表示すること。なお、出典の基準は以下の通りとし、出典名を付記しましょう。

(a)生産台数：日本自動車工業会調べ　　(b)輸出台数：日本自動車工業会調べ

(c)国内新規登録台数：日本自動車販売協会連合会調べ

(d)国内新規届出台数：全国軽自動車協会連合会調べ

(e)国外における生産または販売台数：当該国の自動車工業会等調べ

(f)世界における生産台数：日本自動車工業会調べ及び当該国の自動車工業会等調べ

(g)輸入台数：日本自動車輸入組合調べ　　(h)保有台数：国土交通省調べ

(i)前各号以外の出典先による統計数値またはその他の統計数値を表示する場合には、その統計数値の事実確認が可能なものによるものとする。

⑧燃料消費率の表示

燃料消費率とは、ガソリン等の燃料を使用する自動車の場合は、燃料1リットル当たりの走行距離を、電気自動車の場合は、一充電走行距離及び交流電力量消費率を指します。プラグインハイブリッド自動車の場合は、ハイブリッド燃料消費率、交流電力量消費率及び等価EVレンジを指します。

(1) 自動車（新車・中古車）の広告表示

公的テスト値（道路運送車両法第75条の規定に基づき国土交通大臣の指定を受けた数値）または公的第三者によるテスト値（国内市販車の仕様と異なるものを使用したテスト結果である場合はその旨を付記するとともにアイキャッチーまたはメインのキャッチフレーズとして用いてはならない）に限るものとし、必ずその旨を付記すること。併せて当該値は、一定の試験条件下での数値であり、実際の走行条件等により異なる旨を「燃料消費率は定められた試験条件下での数値で、実際の走行条件等により異なる」等と明瞭に表示しましょう。

⑨最高速度及び発進加速ならびに最高出力
　新聞、雑誌、テレビ、ラジオ、インターネット等を用いて表示する場合は、キャッチフレーズまたはアイキャッチャーとして使用しないこと。

⑩安全、環境、衛生
　新車の安全、環境、衛生に関する表示を行う場合は、客観的な根拠に基づき、具体的な内容を明瞭に表示すること。

⑪写真、イラスト等
　(a)新車の写真やイラストを表示する場合は、具体的な説明（車名、主な仕様区分）を付記すること。
　(b)販売価格を表示する際は写真やイラストに使用する新車の販売価格を明瞭に表示すること。

⑫競合銘柄との比較
　競合銘柄との比較表示をする場合は、客観的な数値等を用い、その根拠を明示すること。

⑬自動車競技
　自動車競技の結果に関する表示を行う場合は、その競技の名称及び内容を明瞭に表示すること。

⑭雑誌等における年間最優秀車賞等の受賞
　雑誌等における年間最優秀車賞等の受賞に関する表示を行う場合は、その名称、主催者名、賞のカテゴリー、受賞時期等を明瞭に表示すること。

⑮特別仕様車等
　特別仕様車等の表示を行う場合は、下記の事項を表示すること。
　(a)追加など変更された仕様や装備品等の内容
　(b)販売台数、販売期間、販売地域に限定が伴う場合には、その旨の表示

(7) 事業者に対する不当表示の禁止事項

①(1)～(6)においての虚偽または誇大表示
②新車の品質、性能その他の内容についての虚偽もしくは誇大または例え真実であっても一般消費者に誤認されるおそれのある表示
③特定車種にのみ適用する装備内容、仕様等による品質向上についてあたかも他の車種に適用するように誤認されるおそれのある表示
④部分的にしか該当しない統計数値や内容等を表示する場合において、あたかも全般的に該当するかのように誤認されるおそれのある表示

(1) 自動車（新車・中古車）の広告表示

⑤新機構、新素材等の初搭載に関する内容についての虚偽または事実であっても一般消費者に誤認されるおそれのある表示
⑥他の事業者の信用度、経営政策、事業内容または新車の品質、性能及び取引条件等についてひぼう中傷するような表示
⑦その他新車の内容または取引条件において、実際のものまたは自己と競争関係にある他事業者にかかるものよりも著しく優良または有利であると一般消費者に誤認されるおそれのある表示

(8) 事業者に対する不当な価格表示の禁止事項
①表示価格では購入できないにもかかわらず、購入できるかのように誤認されるおそれのある表示
②表示価格に含まれていない付属品、特別仕様等を表示価格に含まれているかのように誤認されるおそれのある表示
③表示価格に含まれている付属品、特別仕様等を無償で供与するかのように誤認されるおそれのある表示
④表示価格に含まれている付属品、特別仕様等を実際に提供するものよりも有利であるかのように誤認されるおそれのある表示
⑤「超激安」「超特価」等の用語を用い、実際のものより有利であるかのように誤認されるおそれのある表示
⑥割賦販売の割賦販売条件、個人リース、サブスクリプション等の賃貸条件について実際のものよりも有利であるように誤認されるおそれのある表示
⑦実際には値引きでないにもかかわらず、値引きしているかのように誤認されるおそれのある表示。以下のような例が挙げられます。
　(a)値引き額を実際のものよりも大きく見せるため、希望小売価格または自店通常価格よりも高い価格を表示すること。
　(b)値引き額または値引き率を表示する場合に、その算出の基礎として希望小売価格または自店通常価格よりも高い価格を用いること。
　(c)査定額を表示する場合に、実際のものよりも低い査定額を表示し、その差額を値引き額に含めて、見せかけの値引き額を表示すること。
⑧希望小売価格または自店通常価格を比較対照価格として二重価格表示を行う場合における虚偽または誇大な表示。以下のような例が挙げられます。
　(a)希望小売価格よりも高い価格を希望小売価格と称して比較対照価格とすること。または希望小売価格がないときに任意の価格を希望小売価格と称して比較対照価格とすること。
　(b)自店通常価格よりも高い価格を自店通常価格と称し比較対照価格とすること。
⑨その他、新車の価格または取引条件について、実際のものよりも著しく有利であると一般消費者に誤認されるおそれのある表示

(9) おとり広告の禁止
　下記に掲げる表示はできません。
①取引の申し出に係る新車について、取引を行うための準備がなされていない場

合、その他実際には取引には応じられない場合にその新車についての表示
②取引の申し出に係る新車の供給量が著しく限定されているにもかかわらず、その限定の内容が明瞭に記載されていない場合にその新車についての表示
③取引の申し出に係る新車の供給期間、供給の相手方または顧客一人当たりの供給量が限定されているにもかかわらず、その限定の内容が明瞭に記載されていない場合にその新車についての表示
④取引の申し出に係る新車について、合理的な理由がないのに取引の成立を妨げる行為が行われる場合、その他実際には取引する意思がない場合にその新車についての表示

⑽ ステルスマーケティングの禁止
事業者は、自己の供給する新車の取引について行う表示であって、一般消費者が当該表示であることを判別することが困難であると認められる表示をしてはいけません。

《中古車》
⑴ 価格を表示する場合の必要表示事項
①車名及び主な仕様区分（グレード、排気量、ミッションタイプなど車両を特定するために必要な事項）
②初度登録年月（軽自動車は初検査年、輸入車については年式、年型の表示可）
③販売価格
　(a)車両価格に諸費用を加えた価格を「支払総額」の名称で表示すること。
　(b)内訳として「車両価格（展示時点で既に装着済みの装備等を含む消費税込みの現金価格）」及び「諸費用（保険料、法定費用を含む税金、登録等に伴う費用）の額」を表示すること。
　(c)「支払総額には保険料、税金、登録等に伴う費用等が含まれている」旨を表示すること。
　(d)支払総額は「登録等の時期や地域等について一定の条件を付した価格である」旨を表示すること。
※割賦販売価格を併記、個人リース料金、賃貸料金を表示する場合は新車に準じます。
④走行距離数
販売時の走行距離計に示されたキロ数（千キロメートル未満四捨五入）を表示すること。ただし、走行距離計の状態によって、以下の事項を表示すること。
　(a)実走車
　　走行距離計に示されたキロ数を表示
　(b)改ざん車
　　改ざん車である旨を表示
　(c)走行疑義車
　　「？」の記号を表示し、推定できる根拠がある場合は「推定〇〇キロ」など推定キロ数を表示。根拠がない場合は「不明」と表示

(1) 自動車（新車・中古車）の広告表示

　　(d)走行距離計交換車

　　　走行距離計が取り替えられている旨並びに「交換前○○キロ、交換後○○キロ」など交換前後のキロ数を表示

　　※走行距離計交換車と表示する場合には、記録簿などの交換根拠が備え付けられている車両をいいます。根拠がない場合はすべて改ざん車に当たります。

⑤自家用、営業用、レンタカー、その他別（自家用は省略可）

⑥自動車検査証の有効期限（年月）

⑦保証の有無

　③の「販売価格」に近接した箇所等に明瞭に表示すること。

　(a)販売業者または製造業者の保証がある（かつ、保証費用が車両価格に含まれ、保証書が付いている）場合は「保証付き」と表示し、「保証内容」及び「保証期間・保証走行距離数」を明瞭に表示

　(b)販売業者または製造業者の保証がない場合は「保証なし」と表示

　※なお、有償で保証をつける場合または新車保証の継承のために定期点検整備費用が必要な場合には、その旨を表示すること。

⑧定期点検整備実施の有無

　③の「販売価格」に近接した箇所等に明瞭に表示すること。

　(a)定期点検を実施して販売する場合、整備費用を車両価格に含め、「定期点検整備付き」と明瞭に表示する。

　(b)定期点検を実施しない場合は、「定期点検整備なし」と明瞭に表示し、要整備箇所がある場合はその旨を表示する。

⑨修復歴の有無

　車体の骨格にあたる部位の修正及び交換歴がある場合「有」、その他の場合は「無」と表示すること。「有」の場合、「修理歴の部位については尋ねられたい旨」を付記すること。

⑩塗色

⑪車台番号の下3桁以上

⑫通信販売を行う場合における必要表示事項

　新車に準じます。ただし、「定期点検整備実施付き」である場合は、⑧に加えて「整備実施時期」を付記することが求められます。

⑬リサイクル料金の表示

　(a)未預託の場合

　　未預託または追加が必要な装備がある場合(購入時ではなく廃棄時に支払いが必要)には、「支払総額」に含まれない「諸費用」に当たります。未預託である旨及び廃車時にリサイクル料金の支払いが必要である旨を表示すること。

　(b)預託済みの場合

　　預託済みである旨及び支払総額（車両価格もしくは諸費用）にリサイクル預託金相当額が含まれている旨を表示すること。

(2) 特定用語や事項を表示する場合の注意点

(1) 自動車（新車・中古車）の広告表示

　①写真、イラスト等
　　中古自動車の写真、イラスト等と販売価格を併用して表示する場合は、その写真、イラスト等に使用する中古自動車の販売価格を表示すること。
　②最上級を意味する用語
　　「最高」「最上」「超極上」等最上級を意味する用語は、その裏付けとなる客観的、具体的根拠を付記すること。
　③「完全な」等の表示
　　「完全な」「完璧な」「絶対的な」等の用語は客観的、具体的根拠に基づき、社会通念上、妥当な範囲を超えない程度に表示すること。

(3) **事業者に対する不当表示の禁止**
　①特定の車両状態についての虚偽表示
　②車名、年製または仕様について誤認されるおそれのある表示
　③「準新車」「旧型新車」「新装車」「新粧車」「新古車」等、中古車でないかのように誤認されるおそれのある表示
　④「超激安」「超特価」等の用語を用い、実際のものより有利であるかのように誤認されるおそれのある表示
　⑤走行距離計器の操作、取り換え等により、走行距離について、実際のものよりも少ないものであるかのように誤認されるおそれのある表示
　⑥修復歴があるにもかかわらず、その表示をせず修復歴がないかのように誤認されるおそれのある表示
　⑦冠水車であるにもかかわらず、その表示をせず冠水車ではないかのように誤認されるおそれのある表示
　⑧品質、性能及び整備状況について、実際のものよりも優良であるかのように誤認されるおそれのある表示
　⑨表示された価格では実際に購入できないにもかかわらず、購入できるかのように誤認されるおそれのある表示
　⑩割賦販売価格の割賦販売条件、個人リース、サブスクリプション等の賃貸条件について実際のものよりも有利であるかのように誤認されるおそれのある表示
　⑪販売価格に整備費用が含まれていないにもかかわらず、含まれているかのように誤認されるおそれのある表示
　⑫アフターサービスや保証条件等取引条件について実際のものよりも有利であるかのように誤認されるおそれのある表示
　⑬他の事業者の信用度、経営政策、事業内容または中古車の品質、内容及び取引条件等についてひぼう中傷するような表示
　⑭その他中古車の内容または取引条件において、実際のものまたは自己と競争関係にある他事業者に係るものよりも著しく優良または有利であると一般消費者に誤認されるおそれのある表示

(4) **おとり広告の禁止**、(5) **ステルスマーケティングの禁止**
　新車に準じます。

(2) 自動運転の広告

Q 運転支援機能や条件付自動運転機能の広告について自主基準や注意するべき点はありますか？

A 自動運転車は、自動運転化技術レベルに応じて区分されており、2025（令和7）年現在はレベル3まで実用化が進んでいます。自動車公正取引協議会では、自動運転化技術レベル1及び2の「運転支援車」、同レベル3の「条件付自動運転車（限定領域）」について、それぞれの性能や機能等の説明表示、作動する条件・しない条件の表示、注意喚起の表示内容や方法等を「運転支援車（自動運転化技術レベル1、2）並びに自動運転車（同レベル3）及びその機能の表示に関する規約運用の考え方」に定めていますので、ご参照ください。審査をする上では、自動運転の機能や内容が消費者に誤解を与えないよう、明瞭に表示されているか確認が必要です。

●

国土交通省で定めている自動運転化技術レベル分けやその内容は以下の通りです。

■自動運転化技術レベル分け

レベル	自動運転レベルの概要	運転操作※の主体	対応する車両の名称
レベル0	運転自動化なし。	運転者	運転自動化なし
レベル1	アクセル・ブレーキ操作またはハンドル操作のどちらかが、部分的に自動化された状態。	運転者	運転支援車
レベル2	アクセル・ブレーキ操作及びハンドル操作の両方が、部分的に自動化された状態。	運転者	運転支援車
レベル3	特定の走行環境条件を満たす限定された領域において、自動運行装置が運転操作の全部を代替する状態。ただし、自動運行装置の作動中、自動運行装置が正常に作動しないおそれがある場合においては、運転操作を促す警報が発せられるので、適切に応答しなければならない。	自動運行装置（自動運行装置の作動が困難な場合は運転者）	条件付自動運転車（限定領域）
レベル4	特定の走行環境条件を満たす限定された領域において、自動運行装置が運転操作の全部を代替する状態。	自動運行装置	自動運転車（限定領域）
レベル5	自動運行装置が運転操作の全部を代替する状態。	自動運行装置	完全自動運転車

※運転操作とは、車両の操縦のために必要な、認知、予測、判断及び操作の行為を行うこと。

(2) 自動運転の広告

（関連法規）
自動車公正競争規約集（自動車公正取引協議会、2025年4月） 運転支援車（自動運転化技術レベル1、2）並びに自動運転車（同レベル3）及びその機能の表示に関する規約運用の考え方（自動車公正取引協議会、2021年4月1日、2021年4月30日一部修正）

（問い合わせ先）
自動車公正取引協議会　国土交通省物流・自動車局技術・環境政策課

Ⅲ-21　動物関連の広告

(1) 動物関連の広告

Q ペットの販売・預かり広告について表示規制があると聞きましたが、どのような点に注意してチェックすべきでしょうか？

A 営利性のある「第一種動物取扱業」は、都道府県知事または政令指定都市の長への登録制になっており、広告規制も設けられています。原則として、個人であっても業として行うのであれば、動物取扱業の登録認可を得なければ広告ができませんので注意してください。一方「第二種動物取扱業」は動物の保護や里親探しなどを行う、規定の条件に該当する非営利の団体・個人が該当し、届け出制となっています。

●

(1) **動物取扱業者の規制**

　　第一種動物取扱業者（動物の販売、保管、貸し出し、訓練、展示、競りあっせん、譲受飼養を営利目的で業として行う者）は、事業所・業種ごとに都道府県知事または政令指定都市の長の登録を受けなければなりません。また、動物の管理の方法や飼養施設の規模、構造などの基準を守ることが義務づけられています。代理販売やペットシッター、出張訓練などのように、動物の所有や飼養施設がない場合も、規制の対象になります。また、犬または猫の販売や販売のための繁殖を行う者については、「犬猫等販売業者」として犬猫等健康安全計画の策定とその遵守、獣医師との連携の確保、出生後56日を経過しない犬、猫の販売の制限など、追加の義務が課せられています。

　　一方、飼養施設を設置して営利を目的とせず一定数以上の動物の取り扱いを行う場合については、第二種動物取扱業者（動物の譲り渡し、保管、貸出、訓練、展示を非営利で業として行う者）として、都道府県知事や政令指定都市の長に届け出なければなりません。動物愛護団体の動物シェルター、公園等での非営利の展示などが該当します。

(2) **第一種動物取扱業の種別**

　①販売
　　（例）ペット販売、ブリーダー
　②保管
　　（例）ペットホテル業者、美容業者（動物を預かる場合）、ペットシッター
　③貸し出し
　　（例）ペットレンタル業者、映画などタレント用動物派遣業者
　④訓練
　　（例）動物の訓練・調教業者、出張訓練業者
　⑤展示
　　（例）動物園、水族館、動物ふれあいパーク、動物サーカス、乗馬施設

(1) 動物関連の広告

⑥競りあっせん業
　（例）動物オークション（会場を設けて行う場合）
⑦譲受飼養
　（例）老犬老猫ホーム
※第一種動物取扱業の対象となる動物は実験動物、産業動物を除く哺乳類、鳥類、爬虫類のみです。
※販売する場合対面説明等が必要で、ネット上のみで売買契約を成立させることは禁じられています。

(3) 第一種動物取扱業の広告規制
　第一種動物取扱業の広告に当たっては①の項目を掲載し、②に留意する必要があります。
①掲載に当たり、以下の事項を表示してください。
　(a)氏名または名称
　(b)事業所の名称及び所在地
　(c)動物取扱業の種別（販売・保管・貸し出し・訓練・展示・競りあっせん業・譲受飼養業）
　(d)登録番号・登録年月日・登録有効期間の末日
　(e)動物取扱責任者氏名
②安易な飼養または保管の助長を防止するため、事実に反した飼養または保管の容易さ、幼齢時の愛らしさ、生態及び習性に反した行動等を過度に強調すること等により、顧客等に動物に関して誤った理解を与えることのない内容としてください。

(関連法規)
動物愛護管理法第8条・第10条～第19条・第21条～第24条・第39条の2・5・6　第一種動物取扱業者及び第二種動物取扱業者が取り扱う動物の管理の方法等の基準を定める省令
(問い合わせ先)
環境省自然環境局総務課動物愛護管理室

(1) 探偵業の広告

Q 探偵業の広告ではどのような点に注意すればよいのでしょうか？

A 探偵業は、法律によって公安委員会への届け出などが義務づけられています。まず、届け出をしている業者かどうか確認が必要です。

●

　探偵業は、場合によっては人権侵害をはじめ、さまざまなトラブルを起こしかねない業態です。このため、2007（平成19）年6月、業務運営の適正を図り、個人の権利を保護する目的で「探偵業の業務の適正化に関する法律」が施行されました。この法律によって、探偵業を営む者は、営業所ごとに、その営業所の所在地を管轄する都道府県公安委員会に届け出書の提出が義務づけられました。

　法律によって、届け出をした業者は、自己の名義をもって他人に探偵業を営ませてはならないこと、契約時に依頼者から調査結果を犯罪行為や違法な行為のために用いない旨を示す書面の交付を受けなければならないこと、契約前に依頼者に対し重要事項について書面を交付して説明しなくてはならないことなど、業者の義務が規定されています。また、法律に違反した業者には、営業停止または廃止の処分、懲役・罰金の罰則が定められています。

　広告では、届け出の確認のほか、人権侵害（プライバシーの侵害や名誉毀損〈きそん〉）のおそれがある表示がないか、違法または法に抵触するおそれがある行為を請け負っていないか、「成功率100％」などと調査結果を保証する表現がないかなどをチェックする必要があります。

（関連法規）
探偵業法第1条～第12条・第17条～第21条

（問い合わせ先）
警察庁生活安全局　各都道府県警察・公安委員会　日本調査業協会

Ⅲ-23 寄付金募集の広告

Q 寄付金募集広告については、どんな場合でも許可をとっているかどうか確認が必要ですか？

A すべてではありません。寄付金募集を行う場合に許可が必要なのは、国宝など重要文化財の修復のために行う場合のほか、自治体条例に許可の定めがある場合などです。寄付金募集の広告は寄付金団体の実態、目的、活動実績、寄付金が適正に使用されるかなどの見極めが重要です。

●

(1) **重要文化財修復のための寄付金募集**

　国宝など重要文化財の現状変更については、文化庁長官の許可が必要です。修理については30日前に届け出なければなりません。従って、許可や届け出のないものは寄付金募集をすることができません。

(2) **一般の寄付金募集**

　地域によって、地方自治体の条例で許可を必要とする場合がありますので、注意してください。

　また寄付者が優遇措置を受けられる指定寄付金制度もあり、財務大臣の指定が必要です。

(関連法規)
文化財保護法第43条
(問い合わせ先)
文化庁文化財第一課・第二課　各都道府県担当課

(1) 墓地、納骨堂の広告

Q 墓石販売業者などが墓地の募集広告を行っていますが、このような広告を掲載する際にはどのような点に注意したらよいでしょうか？

A 墓地や納骨堂を経営するには都道府県知事の許可が必要ですが、許可は非営利団体に限られています。墓石販売業者は募集代行をしているに過ぎませんので、掲載に当たっては経営主体、許可の内容を確認するとよいでしょう。

●

(1) 墓地、納骨堂に関する事項

　「墓地、埋葬等に関する法律」（墓埋法）では、墓地・納骨堂を経営するには、都道府県知事（自治体により市町村長、保健所長に委任）の許可を受けなければならないとしています。また、使用者保護の観点から非営利性、永続性の確保が求められるため、許可は地方自治体と宗教法人、公益法人など非営利団体に限定されています。

　墓地・納骨堂の募集は、区画された土地や建物の所有権を売買する不動産取引ではなく、焼骨を葬るための場所を将来にわたり使用する権利を与えるものです。

　募集広告は経営主体が行うもののほか、霊園関係者が墓石などの販売や工事の受注を目的として寺院と提携契約を結んで代行する場合もあります。中には寺院から名義を借りて募集している業者もいるので、疑問がある場合は経営許可書の提出を求め、経営主体や許可の内容を確認してみるとよいでしょう。

　納骨堂で建築基準法上の特殊建築物に当たるものは、建物の工事が完了しても特殊建築物としての検査・確認を受けるまでは使用できないという規制があるので、検査・確認を終えていない時点での募集広告は避けたほうがよいでしょう。

　また、寺院が「宗派・宗旨は問いません」と広告する場合、その寺院が認証を受けた規則に、檀家に限って墓地の使用を認めている場合は、規則変更後でなければ募集できません。

　表示については墓埋法では規定されていませんが、応募者のために以下の事項を表示するのが望ましいでしょう。

①墓地・納骨堂の名称、所在地、利用交通機関
②経営主体・管理者の名称、所在地、電話番号、経営許可番号
③総区画数、販売区画数、1区画当たりの面積
④永代使用（供養）料、管理料、墓石やカロート（納骨容器）などにかかる代金

　なお、京都市など一部の地域では宗教法人の墓地の募集広告に制限を加えているところがありますので、その場合には各自治体に確認するのがよいでしょう。

(2) 散骨に関する事項

　近年、新たな葬送として散骨が広がりつつあります。海・山に焼骨をまく散骨は、墓地、埋葬等に関する法律において禁止する規定はありません。しかし、海上散骨にあたっては事業者が遵守すべき海事関連法令があり、地域によっては条

例で規制していることもありますので、自治体に確認することをお勧めします。厚生労働省より散骨事業者向けにガイドラインも作成されているので、あわせて確認するとよいでしょう。

　また、海外での散骨は海外旅行手配の旅行業となり、旅行業登録が必要となります。埋葬方法やそれに伴うサービスによって許認可取得状況の確認が必要となる場合があります。

(関連法規)
宗教法人法第6条・第26条　墓地、埋葬等に関する法律第10条
建築基準法第35条　散骨に関するガイドライン（散骨事業者向け）　海上において散骨をする場合において遵守すべき海事関係法令の解説（国土交通省、令和5年9月20日）
(問い合わせ先)厚生労働省健康・生活衛生局生活衛生課　各都道府県

問い合わせ先一覧

【中央官公庁】

消費者庁	(03) 3507-8800
公正取引委員会	(03) 3581-5471
内閣府	(03) 5253-2111
総務省	(03) 5253-5111
国土交通省	(03) 5253-8111
防衛省	(03) 5366-3111
文部科学省	(03) 5253-4111
環境省	(03) 3581-3351
金融庁	(03) 3506-6000
法務省	(03) 3580-4111
外務省	(03) 3580-3311
財務省	(03) 3581-4111
文化庁	(075) 451-4111（京都）
	(03) 5253-4111（東京）
厚生労働省	(03) 5253-1111
農林水産省	(03) 3502-8111
経済産業省	(03) 3501-1511
特許庁	(03) 3581-1101
宮内庁	(03) 3213-1111
観光庁	(03) 5253-8111
警察庁	(03) 3581-0141
警視庁	(03) 3581-4321
個人情報保護委員会	(03) 6457-9680
デジタル庁	(03) 4477-6775
復興庁	(03) 6328-1111

【公正取引委員会地方事務所】

※各所のホームページは公正取引委員会を参照。

北海道事務所	(011) 231-6300
東北事務所（取引課）	(022) 225-7096
中部事務所（取引課）	(052) 961-9423

近畿中四国事務所（取引課）	(06) 6941-2175
同事務所中国支所（取引課）	(082) 228-1502
同事務所四国支所（取引課）	(087) 811-1754
九州事務所	(092) 431-6031
内閣府沖縄総合事務局総務部公正取引課	(098) 866-0049

【財務省地方財務局】

※各局（部）のホームページは財務省を参照。

北海道財務局	(011) 709-2311
東北財務局	(022) 263-1111
関東財務局	(048) 600-1111
東海財務局	(052) 951-1772
北陸財務局	(076) 292-7860
近畿財務局	(06) 6949-6390
中国財務局	(082) 221-9221
四国財務局	(087) 811-7780
福岡財務支局（金融ホットライン）	(092) 411-7297
九州財務局	(096) 353-6351
沖縄総合事務局財務部	(098) 866-0091

【経済産業省地方経済産業局】

※各局(部)のホームページは経済産業省を参照。

北海道経済産業局	(011) 709-2311
東北経済産業局	(022) 221-4856
関東経済産業局	(048) 600-0213
中部経済産業局（産業部消費経済課）	(052) 951-2560
近畿経済産業局	(06) 6966 6000
中国経済産業局	(082) 224-5615
四国経済産業局	(087) 811-8900
九州経済産業局	(092) 482-5405〜07
内閣府沖縄総合事務局経済産業部	(098) 866-0031

【公正競争規約・施行機関】

（一社）全国公正取引協議会連合会	(03) 3568-2020
	https://www.jfftc.org/

〈食品・飲料一般〉

アイスクリーム類及び氷菓公正取引協議会 (03) 3264-3104
https://www.icecream.or.jp/about/conference.html
アイスクリーム類及び氷菓業における景品類の提供の制限に関する公正競争規約
アイスクリーム類及び氷菓の表示に関する公正競争規約

日本オリーブオイル公正取引協議会 (03) 3271-2705
エキストラバージンオリーブオイルの表示に関する公正競争規約

果実飲料公正取引協議会 (03) 6275-1761
果実飲料等の表示に関する公正競争規約

全国辛子めんたいこ食品公正取引協議会 (092) 403-0191
https://www.mentaiko-ftc.org/
辛子めんたいこ食品の表示に関する公正競争規約

全国飲用牛乳公正取引協議会 (03) 3264-8585
https://www.jmftc.org/
飲用乳の表示に関する公正競争規約

カレー業全国公正取引協議会 (03) 5687-1793
カレー業における景品類の提供の制限に関する公正競争規約

全国観光土産品公正取引協議会 (03) 3518-0193
https://nippon-omiyage.com/committee
観光土産品の表示に関する公正競争規約

鶏卵公正取引協議会 (03) 3297-5516
https://www.jpa.or.jp/keiran_root/
鶏卵の表示に関する公正競争規約

全国削節公正取引協議会 (03) 5690-1601
削りぶしの表示に関する公正競争規約

凍豆腐製造業公正取引協議会 (026) 227-6171
凍り豆腐製造業における景品類の提供の制限及び凍り豆腐の表示に関する
公正競争規約

全国粉わさび公正取引協議会 (03) 3537-1303
粉わさびの表示に関する公正競争規約

全日本コーヒー公正取引協議会 (03) 6381-5588
https://www.ajcft.org/
レギュラーコーヒー及びインスタントコーヒーの表示に関する公正競争規約

全国コーヒー飲料公正取引協議会 (03) 6260-9257
コーヒー飲料等の表示に関する公正競争規約

醤油業中央公正取引協議会　　　　　　　　　　　(03) 3666-3286
　　　　　　　https://www.soysauce.or.jp/kousei/top.html
　しょうゆ業における景品類の提供の制限に関する公正競争規約
　しょうゆの表示に関する公正競争規約
食用塩公正取引協議会　　　　　　　　　　　　　(03) 3402-0180
　　　　　　　　　　　　　　　　　https://www.salt-fair.jp/
　食用塩の表示に関する公正競争規約
全国食酢公正取引協議会　　　　　　　　　　　　(03) 3351-9280
　　　　　　　　　　　　　　　　　http://www.shokusu.org/
　食酢の表示に関する公正競争規約
全国食肉公正取引協議会　　　　　　　　　　　　(03) 5563-2911
　食肉の表示に関する公正競争規約
全国食品缶詰公正取引協議会　　　　　　　　　　(03) 5256-4801
　食品缶詰の表示に関する公正競争規約
日本即席食品工業公正取引協議会　　　　　　　　(03) 6453-0081
　即席めん製造業における景品類の提供の制限に関する公正競争規約
　即席めんの表示に関する公正競争規約
日本ソース業公正取引協議会　　　　　　　　　　(03) 3639-9667
　ソース業における景品類の提供の制限に関する公正競争規約
全国チューインガム業公正取引協議会　　　　　　(03) 3433-5213
　　　　　　　　　　　　https://chewing-gum.jp/terms/
　チューインガム業における景品類の提供の制限に関する公正競争規約
　チューインガムの表示に関する公正競争規約
全国チョコレート業公正取引協議会　　　　　　　(03) 3437-6177
　　　　　　　　　　　https://www.chocokoutori.org/
　チョコレート業における景品類の提供の制限に関する公正競争規約
　チョコレート類の表示に関する公正競争規約
　チョコレート利用食品の表示に関する公正競争規約
チーズ公正取引協議会　　　　　　　　　　　　　(03) 3264-4133
　　　　　　　　　　　　　https://www.cheeseftc.com/
　ナチュラルチーズ、プロセスチーズ及びチーズフードの表示に関する公正競争規約
日本豆乳公正取引協議会　　　　　　　　　　　　(03) 5215-2275
　　　　　　　　　　　https://www.tounyu.jp/council
　豆乳類の表示に関する公正競争規約
特定保健用食品公正取引協議会　　　　　　　　　(03) 6630-9575
　　　　　　　　https://www.jhnfa.org/tokuho-kyougikai/
　特定保健用食品の表示に関する公正競争規約

全国トマト加工品業公正取引協議会　　　　　　　　(03) 3639-9666
　トマト加工品業における景品類の提供の制限に関する公正競争規約
　トマト加工品の表示に関する公正競争規約
全国ドレッシング類公正取引協議会　　　　　　　　(03) 3563-3590
　　　　　　　　　　　https://www.mayonnaise.org/terms.html
　ドレッシング類の表示に関する公正競争規約
全国生めん類公正取引協議会　　　　　　　　　　　(03) 3634-2255
　生めん類の表示に関する公正競争規約
発酵乳乳酸菌飲料公正取引協議会　　　　　　　　　(03) 3267-4686
　　　　　　　　　　　　　https://www.nyusankin.or.jp/
　発酵乳・乳酸菌飲料の表示に関する公正競争規約
（一社）全国はちみつ公正取引協議会　　　　　　　(03) 6661-9183
　　　　　　　　　　　　　https://honeykoutori.or.jp/
　はちみつ類の表示に関する公正競争規約
ハム・ソーセージ類公正取引協議会　　　　　　　　(03) 6450-3980
　　　　　　　　　　　https://www.niku-kakou.or.jp/kosei/
　ハム・ソーセージ類の表示に関する公正競争規約
日本パン公正取引協議会　　　　　　　　　　　　　(03) 3667-1976～7
　　　　　　　　　　　　https://www.pan-koutorikyo.jp/
　包装食パンの表示に関する公正競争規約
全国ビスケット公正取引協議会　　　　　　　　　　(03) 3433-6131
　ビスケット業における景品類の提供の制限に関する公正競争規約
　ビスケット類の表示に関する公正競争規約
マーガリン公正取引協議会　　　　　　　　　　　　(03) 3242-3770
　マーガリン類の表示に関する公正競争規約
全国味噌業公正取引協議会　　　　　　　　　　　　(03) 3551-7161
　　　　　　　　　　https://zenmi.jp/miso_koutorikyo.html
　みそ業における景品類の提供の制限に関する公正競争規約
　みその表示に関する公正競争規約
もろみ酢公正取引協議会　　　　　　　　　　　　　(098) 894-7361
　　　　　　　　　　　　　https://moromisu.or.jp/
　もろみ酢の表示に関する公正競争規約
（一社）全国ローヤルゼリー公正取引協議会　　　　(03) 6265-1735
　　　　　　　　　　　　　http://www.rjkoutori.or.jp/
　ローヤルゼリーの表示に関する公正競争規約

〈酒類〉
　全国小売酒販組合中央会　　　　　　　　　　　　(03) 3714-0172
　　　　　　　　　　　　　　　　　　　　https://ajlma.or.jp/
　　　酒類小売業における酒類の表示に関する公正競争規約
　日本酒造組合中央会　　　　　　　　　　　　　　(03) 3501-0101
　　　　　　　　　　　　　　　　https://www.japansake.or.jp/
　　　清酒製造業における景品類の提供の制限に関する公正競争規約
　　　単式蒸留しようちゆう製造業における景品類の提供の制限に関する公正競争規約
　　　単式蒸留焼酎の表示に関する公正競争規約
　　　泡盛の表示に関する公正競争規約
　日本蒸留酒酒造組合　　　　　　　　　　　　　　(03) 3527-3707
　　　　　　　　　　　　　　　　　　https://www.shochu.or.jp/
　　　合成清酒及び連続式蒸留しょうちゅうの製造業における景品類の提供の制限に関する公正競争規約
　日本洋酒酒造組合　　　　　　　　　　　　　　　(03) 6202-5728
　　　　　　　　　　　　　　　　　　　https://www.yoshu.or.jp/
　　　洋酒製造業における景品類等の提供の制限に関する公正競争規約
　　　ウイスキーの表示に関する公正競争規約
　日本洋酒輸入協会　　　　　　　　　　　　　　　(03) 6667-0502
　　　　　　　　　　　　　　　　　https://youshu-yunyu.org/
　　　酒類輸入販売業における景品類の提供の制限に関する公正競争規約
　　　輸入ビールの表示に関する公正競争規約
　　　輸入ウイスキーの表示に関する公正競争規約
　日本ワイナリー協会　　　　　　　　　　　　　　(03) 6202-5728
　　　　　　　　　　　　　　　　　　https://www.winery.or.jp/
　　　果実酒製造業における景品類の提供の制限に関する公正競争規約
　ビール酒造組合　　　　　　　　　　　　　　　　(03) 3561-8386
　　　　　　　　　　　　　　　　　 https://www.brewers.or.jp/
　　　ビール製造業における景品類の提供の制限に関する公正競争規約
　　　ビールの表示に関する公正競争規約

〈身の回り品〉
　全国帯締め羽織ひも公正取引協議会　　　　　　　(075) 461-7156
　　　帯締め及び羽織ひもの表示に関する公正競争規約
　眼鏡公正取引協議会　　　　　　　　　　　　　　(03) 5255-3231
　　　眼鏡類の表示に関する公正競争規約

〈医薬品・化粧品等〉
　医療用医薬品卸売業公正取引協議会　　　　　　　　（03）3275-0984
　　　　　　　　　　　　　　　　　　　　https://ftcedw.org/
　　　医療用医薬品卸売業における景品類の提供の制限に関する公正競争規約
　医療用医薬品製造販売業公正取引協議会　　　　　　（03）3669-5357
　　　　　　　　　　　　　　https://www.iyakuhin-koutorikyo.org/
　　　医療用医薬品製造販売業における景品類の提供の制限に関する公正競争規約
　医療機器業公正取引協議会　　　　　　　　　　　　（03）5846-9663
　　　　　　　　　　　　　　　　　　　https://www.jftc-mdi.jp/
　　　医療機器業における景品類の提供の制限に関する公正競争規約
　衛生検査所業公正取引協議会　　　　　　　　　　　（03）5805-0250
　　　　　　　　　　　　　　　　http://www.kensa-koutorikyo.org/
　　　衛生検査所業における景品類の提供の制限に関する公正競争規約
　化粧石けん公正取引協議会　　　　　　　　　　　　（03）3271-4301
　　　　　　　　　　　　　　　　　　https://jsda.org/w/web_jftc
　　　化粧石けん業における景品類の提供の制限に関する公正競争規約
　　　化粧石けんの表示に関する公正競争規約
　化粧品公正取引協議会　　　　　　　　　　　　　　（03）5472-2533
　　　　　　　　　　　　　　　　　　　　https://www.cftc.jp/
　　　化粧品の表示に関する公正競争規約
　洗剤・石けん公正取引協議会　　　　　　　　　　　（03）3271-4301
　　　　　　　　　　　　　　　　　　https://jsda.org/w/web_jftc
　　　家庭用合成洗剤及び家庭用石けん製造業における景品類の提供の制限に
　　　関する公正競争規約
　　　家庭用合成洗剤及び家庭用石けんの表示に関する公正競争規約
　歯磨公正取引協議会　　　　　　　　　　　　　　　（03）3249-2511
　　　　　　　　　　　　　　　　　https://www.hamigaki.gr.jp/
　　　歯みがき業における景品類の提供の制限に関する公正競争規約
　　　歯みがき類の表示に関する公正競争規約
　防虫剤公正取引協議会　　　　　　　　　　　　　　（03）3367-6775
　　　　　　　　　　　　　　　　https://bouchuko.org/conference/
　　　防虫剤の表示に関する公正競争規約
〈出版物等〉
　雑誌公正取引協議会　　　　　　　　　　　　　　　（03）3293-9759
　　　雑誌業における景品類の提供の制限に関する公正競争規約
　出版物小売業公正取引協議会　　　　　　　　　　　（03）3295-0065
　　　出版物小売業における景品類の提供の制限に関する公正競争規約

新聞公正取引協議会　　　　　　　　　　　　（03）3591-4406
　　　　　　　　　　　　　　　　　　　https://www.nftc.jp/
　新聞業における景品類の提供の制限に関する公正競争規約
〈自動車関連〉
　（一社）自動車公正取引協議会　　　　　　（03）5511-2111
　　　　　　　　　　　　　　　　　　　https://www.aftc.or.jp/
　　自動車業における景品類の提供の制限に関する公正競争規約
　　自動車業における表示に関する公正競争規約
　　二輪自動車業における表示に関する公正競争規約
　タイヤ公正取引協議会　　　　　　　　　　（03）5210-0811
　　　　　　　　　　　　　　　　　　　https://www.tftc.gr.jp/
　　タイヤ業における景品類の提供の制限に関する公正競争規約
　　タイヤの表示に関する公正競争規約
　農業機械公正取引協議会　　　　　　　　　（03）3835-8118
　　　　　　　　　　　　　　　　　　　https://www.amftc.org/
　　農業機械業における景品類の提供の制限に関する公正競争規約
　　農業機械の表示に関する公正競争規約
　指定自動車教習所公正取引協議会　　　　　（03）3556-0070
　　　　　　　　　　　　　　　　　　　https://www.zensiren.or.jp/sikou/
　　指定自動車教習所業における景品類の提供の制限に関する公正競争規約
　　指定自動車教習所業における表示に関する公正競争規約
〈不動産〉
　不動産公正取引協議会連合会　　　　　　　（03）3261-3811
　　　　　　　　　　　　　　　　　　　https://www.rftc.jp/
　　不動産業における景品類の提供の制限に関する公正競争規約
　　不動産の表示に関する公正競争規約
　　（一社）北海道不動産公正取引協議会　　（011）621-0747
　　　　　　　　　　　　　　　　　　　http://www.hf-koutori.com/
　　東北地区不動産公正取引協議会　　　　　（022）395-6270
　　　　　　　　　　　　　　　　　　　https://www.rftc.jp/tohoku/
　　（公社）首都圏不動産公正取引協議会　　（03）3261-3811
　　　　　　　　　　　　　　　　　　　https://www.sfkoutori.or.jp/
　　東海不動産公正取引協議会　　　　　　　（052）529-3300
　　　　　　　　　　　　　　　　　　　https://www.tfkoutori.jp/
　　北陸不動産公正取引協議会　　　　　　　（076）291-2255
　　　　　　　　　　　　　　　　　　　https://www.rftc.jp/hokuriku/

（公社）近畿地区不動産公正取引協議会　　　　（06）6941-9561
　　　　　　　　　　　　　　　　　　　https://www.koutori.or.jp/
　　中国地区不動産公正取引協議会　　　　　　　　（082）243-9906
　　　　　　　　　　　　　　　　　　https://www.rftc.jp/chugoku/
　　四国地区不動産公正取引協議会　　　　　　　　（088）625-0318
　　　　　　　　　　　　　　　　　　https://www.rftc.jp/shikoku/
　　（一社）九州不動産公正取引協議会　　　　　　（092）631-5500
　　　　　　　　　　　　　　　　　　https://www.k-koutori.com/
〈家庭用品〉
　　（公社）全国家庭電気製品公正取引協議会　　　（03）3591-6023
　　　　　　　　　　　　　　　　　　　　https://www.eftc.or.jp/
　　　家庭電気製品業における景品類の提供に関する公正競争規約
　　　家庭電気製品製造業における表示に関する公正競争規約
　　　家庭電気製品小売業における表示に関する公正競争規約
　　鍵盤楽器公正取引協議会　　　　　　　　　　　（03）3251-7444
　　　　　　　　　　　　　　　　　https://www.kenbankoutori.jp/
　　　ピアノの表示に関する公正競争規約
　　　電子鍵盤楽器の表示に関する公正競争規約
　　スポーツ用品公正取引協議会　　　　　　　　　（03）3219-2531
　　　スポーツ用品の表示に関する公正競争規約
　　全国釣竿公正取引協議会　　　　　　　　　　　（03）3206-1130
　　　　　　　　　　　　　　　　https://www.jaftma.or.jp/koutori/
　　　釣竿の表示に関する公正競争規約
　　仏壇公正取引協議会　　　　　　　　　　　　　（03）6206-0572
　　　　　　　　　　　　　　　　https://www.butudan-kousei.com/
　　　仏壇の表示に関する公正競争規約
　　ペットフード公正取引協議会　　　　　　　　　（03）5298-7321
　　　　　　　　　　　　　　　　　　　　　https://pffta.org/
　　　ペットフード業における景品類の提供の制限に関する公正競争規約
　　　ペットフードの表示に関する公正競争規約
〈その他〉
　　全国銀行公正取引協議会　　　　　　　　　　　（03）6778-4014
　　　　　　　　　　　　　　　　　　　　https://www.bftc.gr.jp/
　　　銀行業における景品類の提供の制限に関する公正競争規約
　　　銀行業における表示に関する公正競争規約

旅行業公正取引協議会　　　　　　　　　　　(03) 3592-1641
　　　　　　　　　　　　　　　　　　https://www.kotorikyo.org/
旅行業における景品類の提供の制限に関する公正競争規約
募集型企画旅行の表示に関する公正競争規約

【その他の団体】

〈割賦販売〉
　（一社）日本クレジット協会　　　　　　　(03) 5643-0011
　　　　　　　　　　　　　　　　　　https://www.j-credit.or.jp/

〈教育関連〉
　（公社）全国学習塾協会　　　　　　　　　(03) 6915-2293
　　　　　　　　　　　　　　　　　　　　https://jja.or.jp/

〈有料老人ホーム等〉
　（一社）シルバーサービス振興会　　　　　(03) 3862-8060
　　　　　　　　　　　　　　　　　　　https://www.espa.or.jp/
　（公社）全国有料老人ホーム協会　　　　　(03) 5207-2761
　　　　　　　　　　　　　　　　　　https://www.yurokyo.or.jp/

〈医療関連〉
　（一社）日本医療機器産業連合会　　　　　(03) 5225-6234
　　　　　　　　　　　　　　　　　　https://www.jfmda.gr.jp/
　日本 OTC 医薬品協会　　　　　　　　　　(03) 5823-4971
　　　　　　　　　　　　　　　　　　　https://www.jsmi.jp/
　日本製薬工業協会　　　　　　　　　　　　(03) 3241-0326
　　　　　　　　　　　　　　　　　　　https://www.jpma.or.jp/
　（公社）日本美容医療協会　　　　　　　　(03) 6267-4550
　　　　　　　　　　　　　　　　　　　https://www.jaam.or.jp/
　（一社）日本ホームヘルス機器協会　　　　(03) 5805-6131
　　　　　　　　　　　　　　　　　　　　https://hapi.or.jp/

〈エステティック〉
　（一社）日本エステティック振興協議会　　(03) 5823-4755
　　　　　　　　　　　　　　　　　　　http://esthe-jepa.jp/

〈食品類〉
　（公財）日本健康・栄養食品協会　　　　　(03) 3268-3134
　　　　　　　　　　　　　　　　　　　https://www.jhnfa.org/

〈金融〉
　（一社）金融先物取引業協会　　　　　　　(03) 5280-0881
　　　　　　　　　　　　　　　　　　　https://www.ffaj.or.jp/

日本貸金業協会　　　　　　　　　　　　　　　(03) 5739-3011
　　　　　　　　　　　　　　　　　　https://www.j-fsa.or.jp/
日本証券業協会　　　　　　　　　　　　　　　(03) 6665-6800
　　　　　　　　　　　　　　　　　　https://www.jsda.or.jp/
　（一社）日本投資顧問業協会　　　　　　　　(03) 3663-0505
　　　　　　　　　　　　　　　　　　　　https://jiaa.or.jp/
日本商品先物取引協会　　　　　　　　　　　　(03) 3664-4732
　　　　　　　　　　　　　　　　https://www.nisshokyo.or.jp/
　（一社）日本損害保険協会　　　　　　　　　(03) 3255-1844
　　　　　　　　　　　　　　　　　　https://www.sonpo.or.jp/
　（一社）生命保険協会　　　　　　　　　　　(03) 3286-2624
　　　　　　　　　　　　　　　　　　https://www.seiho.or.jp/
　（一社）投資信託協会　　　　　　　　　　　(03) 5614-8400
　　　　　　　　　　　　　　　　　https://www.toushin.or.jp/

〈スポーツ関連〉
　（公財）日本高等学校野球連盟　　　　　　　(06) 6443-4661
　　　　　　　　　　　　　　　　　　https://www.jhbf.or.jp/
　（公財）日本スポーツ協会　　　　　　　　　(03) 6910-5800
　　　　　　　　　　　　　　　https://www.japan-sports.or.jp/

〈レジャー〉
　（一社）日本ゴルフ場経営者協会　　　　　　(03) 5577-4368
　　　　　　　　　　　　　　　　　　　https://golf-ngk.or.jp/

〈冠婚葬祭〉
　（一社）日本結婚相手紹介サービス協議会　　(03) 5689-8769
　　　　　　　　　　　　　　　　　　　https://www.jmic.gr.jp/
　（一社）全日本冠婚葬祭互助協会　　　　　　(03) 3596-0061
　　　　　　　　　　　　　　　　　https://www.zengokyo.or.jp/

〈士業〉
　日本司法書士会連合会　　　　　　　　　　　(03) 3359-4171
　　　　　　　　　　　　　　　　https://www.shiho-shoshi.or.jp/
　日本弁護士連合会　　　　　　　　　　　　　(03) 3580-9841
　　　　　　　　　　　　　　　　https://www.nichibenren.or.jp/

〈通信販売〉
　（公社）日本通信販売協会　　　　　　　　　(03) 5651-1155
　　　　　　　　　　　　　　　　　　　　https://jadma.or.jp/

〈たばこ〉
　（一社）日本たばこ協会　　　　　　　　　　(03) 3434-3661
　　　　　　　　　　　　　　　　　　　https://www.tioj.or.jp/

〈電気通信〉
　電気通信サービス向上推進協議会事務局　　　(03) 5644-7500
　（〈一社〉テレコムサービス協会）
　　　　　　　　　　　　　　　　　　　　　　https://tspc.jp/

〈動物〉
　（独法）農林水産消費安全技術センター　　　(050) 3797-1830
　　　　　　　　　　　　　　　　　　　　　　http://www.famic.go.jp/
　（公財）日本動物愛護協会　　　　　　　　　(03) 3478-1886
　　　　　　　　　　　　　　　　　　　　　　https://jspca.or.jp/

〈探偵業〉
　（一社）日本調査業協会　　　　　　　　　　(03) 3865-8371
　　　　　　　　　　　　　　　　　　　　　　https://nittyokyo.or.jp/

〈墓地〉
　（公社）全日本墓園協会　　　　　　　　　　(03) 5298-3282
　　　　　　　　　　　　　　　　　　　　　　https://www.zenbokyo.or.jp/

〈特許・知財関連〉
　（一社）新聞著作権協議会　　　　　　　　　(03) 3591-4422
　　　　　　　　　　　　　　　　　　　　　　https://www.ccnp.jp/
　（公社）日本複製権センター　　　　　　　　(03) 6809-1281
　　　　　　　　　　　　　　　　　　　　　　https://jrrc.or.jp/
　（公社）著作権情報センター　　　　　　　　(03) 5309-2421
　　　　　　　　　　　　　　　　　　　　　　https://www.cric.or.jp/
　（一社）発明推進協会　　　　　　　　　　　(03) 3502-5422
　　　　　　　　　　　　　　　　　　　　　　https://www.jiii.or.jp/

〈その他〉
　（独法）国民生活センター　　　　　　　　　(03) 3446-0999
　　　　　　　　　　　　　　　　　　　　　　https://www.kokusen.go.jp/
　（一財）日本規格協会　　　　　　　　　　　(050) 1742-6017
　　　　　　　　　　　　　　　　　　　　　　https://webdesk.jsa.or.jp/
　（公財）日本適合性認定協会　　　　　　　　(03) 6823-5700
　　　　　　　　　　　　　　　　　　　　　　https://www.jab.or.jp/
　（公社）日本訪問販売協会　　　　　　　　　(03) 3357-6531
　　　　　　　　　　　　　　　　　　　　　　https://jdsa.or.jp/

〈広告関連団体〉
　（一社）日本インタラクティブ広告協会　　　(03) 6278-8051
　　　　　　　　　　　　　　　　　　　　　　https://www.jiaa.org/
　（一社）クチコミマーケティング協会
　　　　　　　　　　　　　　　　　　　　　　https://womj.jp/

（一社）日本マーケティング・リサーチ協会　　　　（03）3256-3101
　　　　　　　　　　　　　　　　　　　　https://www.jmra-net.or.jp/

【広告審査関連機関】

　日本広告審査機構および同関西事務所は広告掲載後に提起された苦情に関する処理機関ですが、会員に対しては事前相談も受け付けています。掲載前の広告に関する審査まで行うのは広告審査協会（会員制）と関西広告審査協会（会員制）ですのでご注意ください。

〈広告に対する消費者からの苦情処理機関〉
　（公社）日本広告審査機構（JARO）
　　〒104-0061　東京都中央区築地2-16-7　銀座2丁目松竹ビルANNEX
　　　　　　　　　（03）3541-2813　https://www.jaro.or.jp/
　同、関西事務所
　　〒530-0001　大阪府大阪市北区梅田2-5-8　千代田ビル西別館
　　　　　　　　　　　　　　　　　　　　（06）6344-5964

〈広告の事前・事後の審査を実施する機関〉※会員のみ受付
　（公財）広告審査協会
　　〒100-0006　東京都千代田区有楽町1-7-1　有楽町電気ビル北館13階
　　　　　　　　　（03）5288-6201　https://adreco.jp/
　（一社）関西広告審査協会
　　〒550-0004　大阪市西区靱本町1-6-6　華東ビル4階
　　　　　　　　　（06）6444-5761　https://www.karc.or.jp/

《改訂第9版で対応した主な法令と変更箇所》

- 2021/4 消費税の総額表示義務化に対応（Ⅱ-1）
- 2022/4 「民法」改正に伴う成年年齢引き下げに対応（Ⅰ-4、Ⅲ-17、Ⅲ-18）
- 2022/6 「特定商取引に関する法律」（特定商取引法）の改正に対応〈Ⅲ-15〉
- 2023/10 「一般消費者が事業者の表示であることを判別することが困難である表示」（ステマ告示）の指定に対応（Ⅰ-8）
- 2024/3 消費生活用製品のリコール社告の記載項目及び作成方法（JIS S 0104）改正に対応（Ⅰ-11）
- 2024/4 「職業安定法」改正に対応（Ⅲ-2）
- 2024/4 「獣医療法施行規則」改正、これに伴う「獣医療に関する広告の制限及びその適正化のための監視指導に関する指針（獣医療広告ガイドライン）」の全部改正に対応（Ⅲ-6）

　その他諸規則の改訂に対応するとともに広告審査で取り扱うことの多い機能性表示食品や医薬品関連の解説を充実させ、酒類、オンライン診療、ジェンダー表現など、昨今目にすることが増えてきた広告のテーマについても新設した。
　また、古川昌平弁護士（大江橋法律事務所パートナー）に景品表示法、医療法、食品関連の項目について監修いただいた。監修範囲はⅠ-1（3）、Ⅰ-2、3、Ⅰ-4（11）、Ⅰ-5、6、8、Ⅱ-1、Ⅱ-2（1）（2）、Ⅲ-6、7、9。

50音順キーワード索引

※本文で取り上げたキーワードの主なページ番号を掲載しています
※頻出するキーワードは各章の最初のページのみ記載している場合があります

【あ】

明らか食品 —— 192, 193
アップセル —— 248
あて名書き商法 —— 99
アド・オン —— 87
アフターサービス —— 73, 124, 269
安全基準適合マーク —— 52
アンチエイジング —— 137
アンブッシュ・マーケティング —— 41, 42
あん摩マッサージ指圧師
　　　　　　　—— 142−145, 151

【い】

医業類似行為 —— 142−145
意見広告 —— 59, 227
意匠 —— 40
委託販売員 —— 93
一般懸賞 —— 70, 75, 79, 123
一般用検査薬 —— 165
医薬品 —— 26, 47, 70, 135, 146, 150,
　154, 157, 163, 185, 188, 196, 201, 252
医薬品医療機器等法 —— 136, 173
医薬品等適正広告基準 —— 47, 70,
　157, 163, 168, 175
医薬部外品 —— 154, 157, 163, 168,
　188, 203

医療機器 —— 47, 70, 134−145, 149,
　154−162, 180−184, 188, 252
医療行為 —— 94, 151
医療広告ガイドライン —— 22,
　134−145, 187
印紙 —— 45
飲酒 —— 254−256

【う】

請負 —— 95, 121
打ち子商法 —— 99
打ち消し表示 —— 50, 206, 257
写り込み —— 38

【え】

栄養機能食品 —— 196−200
エイジングケア —— 179
エステティック —— 151, 213, 246

【お】

オープン懸賞 —— 70, 75
おとり広告 —— 68, 111, 266, 269
オリンピック —— 40−42, 49
オンライン診療 —— 146−147

【か】

会員募集——117, 212, 213

買い取り査定額——78

カイロプラクティック——134, 142, 144

学習塾——103, 246

貸し付け条件——209

瑕疵物件——111

学校——44, 47, 96, 102, 103, 161, 246

学校教育法——96, 102

割賦販売法——83-88

家庭教師——104, 246

間接差別——98

環境表現——23

環境保全——23

【き】

記事体（広告）——37, 53, 134

偽装請負——95

機能性表示食品——193, 196, 201

寄付金募集——275

希望小売価格——65, 69, 261, 266

求縁広告——99

求人広告——22, 61, 89-101

共同懸賞——70, 73, 75, 79, 123

業務委託——93, 95

業務提供誘引販売——246-248

業務妨害——30

金融商品取引法——207, 208

【く】

クーポン付き広告——77, 78

クーリングオフ——104, 151

口コミ——30, 54, 135

宮内庁御用達——43

クラウド・ファンディング——208

グリーンウォッシュ——23

クレジットカード——86, 148, 255

クロスセル——248

【け】

景品表示法——23, 27, 28, 50, 51, 53, 65, 68, 70, 77, 123, 133, 136, 193, 198, 201, 210, 218, 261

景品類——70, 77, 79, 123, 124, 218

化粧品——93, 154, 157, 169, 175

結婚紹介業——214, 247

結婚相談所——215

健康食品——25, 93, 135, 155, 188, 196

健康増進法——28, 136, 191, 196, 201, 252

建築条件付き土地——121

【こ】

皇室——43

語学教室——104, 246

効果・性能——28

効能（・）効果——47, 155, 157, 163, 168, 175, 181, 186, 188, 196, 203

候補者広告 —— 222-225
候補者届出政党広告 —— 222-224
告知広告 —— 61, 75, 133, 217
個人情報保護法 —— 33, 34
国旗 —— 43
個品方式 —— 83

【さ】

サービス付き高齢者向け住宅
　—— 131-133
最高(級) —— 26, 103, 107, 135, 153, 157, 258, 263, 269
詐欺商法 —— 99
サブスクリプション —— 238, 263
差別(表現) —— 55-57, 59, 97, 98, 101, 136, 178
散骨 —— 276, 277

【し】

ジェネリック医薬品 —— 163
ジェンダー —— 58
市価 —— 71
歯科インプラント —— 141
資格 —— 44, 48, 103, 105, 135, 151, 230, 234
私書箱 —— 101
事前運動 —— 229
実用新案 —— 47
指定医薬部外品 —— 163, 168, 173
指定役務 —— 83-85
指定権利 —— 83, 85, 86

指定商品 —— 83-85
自店旧価格 —— 65, 66
自動運転 —— 270
自動車 —— 23, 51, 85, 261-271
支払総額 —— 85-87, 238, 261
獣医師 —— 148-150
重要文化財 —— 275
酒類 —— 49, 254-256
紹介商法 —— 99
肖像権 —— 35, 36, 41
承認番号 —— 47, 183, 209
少年 —— 31, 32
消費税の総額表示 —— 67
商標 —— 40-43
職業安定法 —— 61, 89, 94, 96
食品 —— 25, 28, 188, 196, 201
食品添加物 —— 50
助産師 —— 97, 138, 141
シリーズ広告 —— 22, 118, 120
資料請求券 —— 77
新卒者採用 —— 100
信用毀損 —— 30
信用購入あっせん —— 86, 87

【す】

ステルスマーケティング —— 53、267
スポーツ憲章 —— 44

【せ】

青少年保護 —— 48, 256
生成AI —— 38

成年年齢——251, 255
赤十字マーク——43
選挙運動——224－229

【そ】

総付け景品——70, 75, 79, 123
送料——236, 242, 263

【た】

代金引換——243
尋ね人——25
たばこ——251－253
男女雇用機会均等法——97
探偵業——274
断定的な表現——26, 50, 205

【ち】

治験——185－187
抽選券——71, 78
著作権——37－39, 41
著作物——37－39

【つ】

通貨——45
通称——19

【て】

出会い系サイト——214
ティーザー広告——22
定期購入——238
定期借地権——115, 119

電気通信事業者——257, 258, 260
電話勧誘販売——246, 248

【と】

投資——125, 207
動物取扱業——272, 273
登録商標——40, 41
登録商法——99
独占禁止法——77, 230
特定継続的役務提供——104, 151, 246
特定権利販売——246
特定商取引法——28, 61, 104, 151, 214, 236, 244, 246, 255
特定保健用食品——193, 196, 201
特許——40, 47, 161
取引の価額——71
取引付随（性）——72, 75,. 77, 123

【な】

No.1／ナンバーワン——26, 27, 103, 135, 206, 246

【に】

二次元コード——19, 61, 138, 156, 186
二重価格表示——65－67, 69, 111, 122, 140, 152, 216, 266
二次利用——37
入札方式の表示——114
認定司法書士——232

【ね】

ネットワークビジネス——244
値引き——65, 68, 72, 73, 122, 124, 161, 266
年齢制限——89, 100

【の】

納骨堂——276
ノンアルコール飲料——254

【は】

売春——48, 99, 214
バイブル本——134, 194
パソコン教室——247
パブリシティー権——35

【ひ】

比較広告——51, 69, 111, 161, 208, 210, 232, 235
比較対照価格——65–67, 69, 152, 216, 266
美容医療——134, 141, 246
標章——40, 43

【ふ】

風俗営業法——48, 49
複製——37, 39
不実証広告規制——28
不当表示——23, 26, 40, 50, 51, 54, 65–67, 69, 103, 105, 111, 125, 214, 230, 265
不動産の表示に関する公正競争規約——106, 213
プライバシー——31, 35, 59, 214, 274
部落差別問題——55
フランチャイズ——76, 249, 250
ブランド名——19, 194, 257
紛争の目的の価額——232

【へ】

ヘイトスピーチ——56, 57
ペット——148, 272
編集企画——79
返品特約——236, 238

【ほ】

保健機能食品——191, 196, 198
ポジティブ・アクション——98
墓地——276
ホワイトニング——177, 178

【ま】

前払式割賦販売——83, 84, 87
前払式特定取引——84
マッチングアプリ——215
マニフェスト——227, 228
マルチ商法——244

【み】

見本（等）請求券——77

【む】

無断使用 ── 35, 39, 40
無料職業紹介事業 ── 96

【め】

メーキャップ効果 ── 176–178
名簿届出政党等広告 ── 222–225
名誉毀損 ── 31, 274

【も】

モデル・タレント養成所 ── 96
モニター募集 ── 153

【や】

闇バイト ── 89

【ゆ】

有価証券 ── 45, 208
郵便切手 ── 45
有料職業紹介事業 ── 96
有料老人ホーム ── 69, 126–133

【よ】

予告広告 ── 118–120

【り】

リース ── 125, 262, 263
リコール社告 ── 60
利回り ── 125

【れ】

連鎖販売取引 ── 244, 245

【ろ】

労働基準法 ── 89, 94, 97, 100
労働者派遣事業 ── 94, 95
ローン提携販売 ── 85, 87, 262

【わ】

わたる規定 ── 224
割引券 ── 73, 77, 78

【その他】

46通知 ── 156, 188, 193
©マーク ── 37
IP電話 ── 257, 260
JIS ── 24, 60
OTC医薬品 ── 158, 159, 163, 173
PHS・BWA ── 259, 260
PSマーク ── 52

執筆者一覧（敬称略）　　　　　　　　　　○印は広告掲載基準研究会研究員

○朝日新聞社	田中	朗
朝日新聞社	富田	修平
朝日新聞社	木下	昌彦
○毎日新聞東京本社	中里	利之
毎日新聞大阪本社	丹羽	孝仁
○読売新聞東京本社	中村	卓哉
○日本経済新聞社	太田	寿彦
日本経済新聞社	井上	圭
○産経新聞東京本社	勝田	剛平
産経新聞大阪本社	上田	英樹
○北海道新聞社	平野	祥一
中日新聞東京本社	塚本	景子
中日新聞東京本社	伴	正治
京都新聞社	大石	隆
神戸新聞社	上野	信二
○西日本新聞社	大塲	真帆子

　　部分監修：古川昌平（大江橋法律事務所パートナー）
　　　　　　（監修範囲は291ページ参照）

これだけは知っておきたい
広告表示の基礎知識　改訂第9版　定価＝1,540円（本体1,400円＋税10％）

2025年5月

　　編　著　　日本新聞協会広告委員会
　　　　　　　　広告掲載基準研究会

　　発　行　　一般社団法人　日本新聞協会

　　〒100-8543　東京都千代田区内幸町2-2-1
　　　　　　　　日本プレスセンタービル7階

　　　　電話（03）3591-4401（代）

ISBN 978-4-88929-099-8　　　　　　©日本新聞協会　2025